SLANGENKUIL

MOSES ISEGAWA

Abessijnse Kronieken

DE BEZIGE BIJ

MOSES ISEGAWA

SLANGENKUIL

ROMAN

VERTALING RIEN VERHOEF

1999
UITGEVERIJ DE BEZIGE BIJ
AMSTERDAM

De vertaler ontving voor deze vertaling een werkbeurs van
de Stichting Fonds voor de Letteren.

1

IN DE LUCHT

BAT KATANGA HAD zijn eerste en enige sollicitatiegesprek in een legerhelikopter, de zwaarbewapende Mirage Avenger van generaal Samson Bazooka Ondogar. De jaren erna zou zijn eerste indruk van dat toestel telkens weer als leidmotief door zijn hoofd spelen. Het ding bood een onwezenlijke, onvolgroeide aanblik, leek onder die wentelende wieken gebukt te gaan en fleurde alleen wat op door de stralen van de zon. De legergroene kleur gaf het gedrocht het aanzien van een pad, een speelgoedbeest voor kinderen, of iets om spullen in te gooien. Hij had het gevoel dat het niet van de grond zou komen, en zo ja, dat het hen in het meer zou storten. Het deed hem denken aan zijn terugkomst uit Engeland, veertien dagen daarvoor. Vliegveld Entebbe was verlaten geweest en zijn vliegtuig het enige op de baan, afgezien van de Learjet van een beroemde astroloog. Sinds de staatsgreep was het luchtverkeer opgedroogd, afgezien van de wekelijkse vluchten uit Libië en Saoedi-Arabië waarmee voorraden en een paar onverschrokken passagiers werden aangevoerd. Even had hij het gevoel alsof hij met die Avenger in ballingschap werd gestuurd.

Hij wist nog dat hij die ochtend vroeg wakker was geworden met het gevoel dat zijn leven voor een grote verandering stond en dat hij heel lang had gedoucht, alsof hij zijn huid afwierp, en zijn beste pak had aangetrokken. Hij

7

wist nog dat hij het huis van zijn vriend was uitgestapt in de overtuiging dat het moment was gekomen dat hij zijn rug rechtte en zijn bestemming tegemoet trad. Het leek wel of de grond verschoof, zodat alles schudde, wankelde en beefde. Hij wist nog dat hij bij het parlementsgebouw aankwam en voor het hek stond, in de schaduw van het reuzenstandbeeld van maarschalk Amin Dada. Dat standbeeld deed hem denken aan de honderden kopieën die ervan in steden over heel het land waren geplaatst. Hij dacht terug aan de grote donkere Boomerang 600 die hem had opgehaald en afgezet bij het Nijlbaars-hotel, met een soldaat die het portier openhield.

Onderweg gingen de gebeurtenissen van de laatste weken door zijn gedachten. Een maand eerder was hij in Engeland aan de universiteit van Cambridge afgestudeerd en had hij besloten terug naar Oeganda te gaan en daar zijn geluk te beproeven. Hij dacht weer aan de vervoering en onzekerheid waarmee zijn terugkomst gepaard was gegaan, de sollicitatiebrieven aan ministeries en semi-overheidsinstellingen, en de steun van familie en vrienden. Nu was hij op weg naar een bespreking met de minister van Energie en Communicatie in diens gewijde lievelingsspeelgoed. Het leek te mooi om waar te zijn. Hij wist nog dat hij uit de auto stapte en over de rode loper naar de trap liep, met de wind in zijn gezicht en allerlei gedachten in zijn hoofd. Binnen liep hij door een gang naar een gerieflijke ruimte. De achtergrond werd beheerst door een enorm portret van maarschalk Amin die een defilé afnam, met uitgestoken reuzenvingers. Er stond een tafel met dossiers, een batterij gouden Parker-pennen, een zwarte telefoon en een wollen generaalspet. Plotseling werd het licht weggenomen door het indrukwekkende lijf van generaal Bazooka. Hij was uit een andere ruimte gekomen en verhief zich in een onberispelijk uniform getooid met medailles, met in zijn zij een glimmende holster en in zijn ene hand een rottinkje. Hij nam Bat een ogenblik op voordat hij naar voren stapte, licht bukte en hem een vermorzelende hand gaf. Met een grijns op zijn gezicht ging hij zitten, maakte een opmerking over het mooie weer, streek over zijn haar, snoerde zijn gordel vast en gaf bevel om op te stijgen.

'Ik weet zeker dat wij heel goed zullen samenwerken. Je herkent een man aan zijn handdruk. Ik maak eerst een tochtje met je. Als je na afloop niet onder de indruk bent, ga ik met een andere sollicitant praten. Maar ik heb me nog nooit in iemand vergist.'

'Dank u wel, generaal.'

Het toestel steeg wankel op, als een dier dat zijn evenwicht kwijt was. Het zwenkte van de ene naar de andere kant en maakte het schrille lawaai van een gekweld beest. Bat keek naar buiten en zag onder zich de stad vervagen, tot niet meer dan een lappendeken van kleurige daken doorsneden door het wegennet en bezaaid met boomkruinen. In de verte verhief zich een kerktoren, dreigend als een speer die was geslepen om veroordeelde zondaars aan te rijgen. Even dacht hij aan de Learjet van de astroloog, en hij was benieuwd of er met die man ook in de lucht was gesproken. Uit wat hij had gehoord over de sensationele verspreiding van de astrologie in het land maakte hij op dat de horizon zou wemelen van de torenspitsen als astrologen ook kerken zouden bouwen. Zijn gedachten dwaalden af en gingen terug naar de verhalen over Engelse magnaten die hun zaken bespraken in privé-vliegtuigen, aan boord

9

van jachten of in gouden doodkisten. Hij bedacht dat de generaal misschien ook wel zo'n soort buitenbeentje speelde in een poging indruk te maken of ontzag af te dwingen.

'De mooiste stad van de wereld,' zei de generaal met klem.

Bat vond van niet, maar zweeg. Hij keek uit het raam alsof hij zijn mening wilde bevestigen.

'En weet je waarom? Omdat een vijfde van mij is. Een vijfde van alles in dit land is van mij. Dat komt neer op zo'n vier miljoen mensen, tien miljoen vissen, tweeduizend krokodillen, twintig eilanden en nog veel meer. Je kan je dat gevoel wel indenken, dat is uniek,' zei hij en keek een ogenblik naar buiten, met een zelfvoldaan lachje op zijn gezicht.

Op elke andere dag was Bat misschien wel in paniek geraakt, maar hij wilde per se slagen en zou zich door niemand laten weerhouden. Met een man die openlijk opschepte dat hij een vijfde van het land bezat, wist hij wel raad. Die hoefde je alleen maar te leren kennen en niet voor de voeten te lopen.

'Ik zoek iemand die gretig is en toegewijd. Trouw is het voornaamste, ontrouw een doodzonde. Deze regering houdt niet van halve maatregelen. Het is alles of niets. Je hoort erbij of je staat in de kou. Ik heb er twintig jaar over gedaan om zover te komen en het bevalt me best. Als jij bereid bent om hard te werken, beloof ik jou dat je dromen uitkomen,' zei hij somber.

'Ik wil mijn uiterste best doen voor het ministerie.'

'Ik vlieg met je naar Jinja, naar de oorsprong van de Nijl. Daar ben ik opgegroeid. Daar is ook mijn hoofdkwartier.'

Bat deed zijn mond open om iets te zeggen, maar de generaal was hem voor.

'Een mens wordt als hij vliegt een god. Alleen uit de hoogte besef je hoe macht voelt, wat er allemaal te doen is. Als baas van de anti-smokkeldienst treed ik op tegen smokkelaars. Met hulp van de CIA ontwricht Kenia ons land door die hufters aan te moedigen om met koffie naar zijn grenzen te komen. Ze gebruiken mijn eilanden als basis. Ik zal ze allemaal vermorzelen en al die strontvliegen opprikken met een stok in hun reet. Waar jouw rol begint? Jij regelt de boel op het ministerie,' zei hij, en wees met een heel lange vinger naar Bat. 'Als daar alles soepel loopt, ga ik die eilanden uitmesten. Ik heb die hufters alle tijd gegeven en genoeg gewaarschuwd. Voortaan wordt er eerst geschoten en stellen we dan pas vragen. Ze ondermijnen onze economie. Ze willen ons te gronde richten. Weet je dat Rwanda tegenwoordig te boek staat als een land dat koffie uitvoert? Wiens koffie het dan wel uitvoert? Onze koffie, doorgesluisd via Kenia. Ik vind dat het tijd wordt voor een oorlog met de Kenianen. Ik ga de maarschalk vragen of ik een paar eilanden van ze mag bombarderen. Neem jij nou het ministerie van me over, dan zal je eens wat beleven.'

'Ik zal mijn werk naar beste vermogen doen, generaal.'

Voor het eerst die ochtend kwam Bat tot rust en vermaakte hij zich wel. Hij had werk. Straks kwamen zijn dromen uit. Zijn gok om terug te komen pakte formidabel uit. Hij voelde zich zo opgetogen dat hij het wel uit kon schreeuwen. Hij maakte vlugge hoofdberekeningen en besefte dat zijn geldzorgen voorbij waren. Hij popelde om te beginnen.

'De meeste intellectuelen laten ons in de steek,' begon de generaal, 'die ben je vast in Engeland wel tegengekomen. Ik ben geen intellectueel. Ik weet niet wat ze denken en het maakt me ook niet uit. Het gaat mij om resultaten, feiten. Zie je de Owen Falls-dam onder ons? En de beroemde Nijl? Volgens sommige intellectuelen ontspringt die rivier niet hier. Begint hij ergens in Rwanda. Wat maakt dat nou toch uit? Muggenzifterij. Ik verwacht van jou dat die dam blijft werken en ons altijd van elektriciteit voorziet. Elke keer als in mijn huis de stroom uitvalt, stel ik jou verantwoordelijk. Ik wil dat je zorgt dat de telefoons het doen, dat de post wordt bezorgd. Het gaat mij niet om kleinigheden maar om resultaten, vooruitgang, inzet. Het is een zootje op het ministerie, niemand weet er raad mee. Ik geef jou de leiding over al die geschoolde en ongeschoolde hufters. Je mag iedereen, overal, op elk moment ontslaan. Als iemand moeilijk doet, meld je die hufter bij mij en gaat z'n kop eraf. Mijn vertrouwen krijg je niet voor niks. Dat moet je verdienen.'

'U kunt van mij op aan, generaal.'

Bat deed zijn best om een kalme, beheerste indruk te maken. Hij wilde achter een masker van ernst van deze heerlijke momenten genieten. De Nijl leek zo wit, zo glorieus op zijn weg naar het noorden te midden van de rotsen, struiken, bossen. In de verte wenkte het Victoriameer, met een iriserende schittering. Hij beleefde een ogenblik van opperste voldoening. Hier in de lucht, zonder lastposten in de buurt, met de macht om naamloze vazallen aan te nemen of te ontslaan, voelde hij zich geweldig. Hij kon zwaaien met zijn toverstokje en dan zouden de hele achterstand en het zootje op het ministerie wegsmelten. Hij

was in twee jaar niet zo blij geweest. Alles leek toege-
groeid te zijn naar dit moment, zijn triomfantelijke intocht
in de bolwerken van de macht.

'Heb je vragen, dan bel je me. De ambtelijke Nummer
Een, je directe baas, kan je vragen voor een deel beant-
woorden, maar dat is niet meer dan een stroman. Jij bent
degene die ik in het oog hou. De excursie is afgelopen. Er
ligt op het ministerie een berg werk op je te wachten.'

De helikopter zette de generaal af bij het hoofdkwartier
van de anti-smokkeldienst en bracht Bat weer naar de stad.
Hij genoot van de luxe. Hij was benieuwd wat Damon
Villeneuve, zijn enige Engelse vriend, uitvoerde. Damon
wilde de politiek in en had hem gevraagd in Engeland te
blijven. Maar hij wist dat hij in Engeland jarenlang zou
moeten wachten – áls hem daar al succes werd gegund. Hij
miste het geduld, de lijdelijke houding die benodigd was
om in de oude metropool met zijn rassenstrijd te slagen.
Hij wenste Damon veel succes. Hij dacht aan het echtpaar
Kalanda, de vrienden bij wie hij de laatste twee weken logeerde. Er was nog een vriend, een hoogleraar aan de Makerere-universiteit. Ze zouden hem met zijn allen eens
flink gaan raken. Nu hij werk had, en goede vooruitzichten
voor de toekomst, voelde hij zich nauwer met hen verbonden.

De Avenger landde achter het Nijlbaars-hotel. In de verte kon Bat soldaten wacht zien lopen. Zijn ogen gleden
over de fraaie gazons, de verzorgde bomen en hagen. Dat
hotel beviel hem wel, met zijn vier verdiepingen, die rustige grijze kleur, zijn vliegtuigramen. Staatshoofden, ambassadeurs, buitenlandse hoogwaardigheidsbekleders had-

13

den er geslapen. Misschien ging hij er ook nog wel eens overnachten, zomaar voor de lol. Soldaten zag hij liever niet, maar dit was een militaire regering. Hij zou aan die lui moeten wennen. Het gaf hem zelfvertrouwen dat hij geen politicus was. Elke volgende regering zou zijn diensten nodig hebben. Hij hoefde alleen maar zijn werk goed te doen.

De Boomerang bracht hem weer naar het parlement. Hij bekeek het grootse bouwwerk, waarvan de kwalijke geschiedenis schuilging achter een vriendelijke ivoren buitenkant. Hij liep met knerpende voeten over het voorterrein op de hoofdpoort af. Daar werden de regeringen beedigd, onder die boog, bij de bomen waar het nieuwe standbeeld zich verhief. Daar hadden de kolonisten gestaan op de laatste dag dat ze aan de macht waren. Obote had er gestaan op de eerste dag dat hij in functie was. Ook maarschalk Amin had er gestaan op zijn eerste dag als staatshoofd. En er zou weer iemand anders komen te staan bij zijn inhuldiging als president. Dit was Bats eerste dag als ambtelijke Nummer Twee op het ministerie van Energie en Communicatie. Hij stak over naar het hoofdkwartier van het ministerie, naar zijn nieuwe kantoor, waarbij zijn entree werd gadegeslagen door sombere soldaten en hij werd aangemoedigd door het grind onder zijn schoenen.

Generaal Bazooka had het dossier van Bat grondig bestudeerd en was getroffen door het feit dat ze weliswaar beiden waren geboren in dezelfde maand van 1938, maar dat hun leven een geheel andere loop had genomen. Bat leek door het leven te zijn gerold als een krachtige machine, geolied door de voorrechten van zijn geboorte. De generaal

14

zag er reden in om terug te kijken, iets wat zelden voorkwam, en zijn dramatische weg naar de macht te volgen.
Hij bedacht telkens dat ook de laatsten eersten konden
worden, en andersom.

Zijn grootvader was een traditionele krijger die kolo-
niaal soldaat was geworden, in de dagen dat kapitein
Lugard oorlogen voerde in naam van de Engelse Oost-
Afrikaanse Compagnie. Hij had tal van veldslagen geleverd voor de KAR, de *King's African Rifles*, en zijn botten
lagen ergens in een dal of op een heuveltop hier in het zuiden. Zijn vader was in de voetsporen van zijn vader getre-
den en ook bij het leger gegaan. Hij was zijn leven lang
sergeant gebleven, want verdere bevordering werd belet
door zijn beperkte opleiding.

Generaal Bazooka was zich altijd bewust geweest van
de last die kinderen van de derde generatie met zich mee-
dragen. Van jongs af was hij vastbesloten om niet zomaar
te overleven maar om ook welvarend te worden. Hij wilde
zijn voorouders voorbijstreven en het allerhoogste bereiken, iets waarvan zij alleen een vermoeden konden hebben. Ook voor hem was het grootste struikelblok zijn scholing geweest. Hij dacht terug aan de beschonken uitbarstingen van frustratie van zijn vader. Hij wist nog dat die
ouwe zijn moeder en hem verweet dat ze al zijn geld inpik-
ten. Hij had niet graag de schuld gekregen van een gebrek
aan middelen die werden uitgeput door de onverantwoor-
delijke gewoonten van zijn vader. Om die reden besloot hij
voor zijn moeder te zorgen. Hij kon het niet aanzien dat ze
tot haar dijen in groen moeraswater stond, met haar rug gebogen, en dat haar linkerarm met de machete op en neer
ging om papierriet te oogsten. Hij zag nog altijd hoe ze de

stengels spleet en met oogverblindende vaart met het mes over de hele lengte ging. Hij was altijd bang dat ze haar vinger afhakte, of dat de scherpe randen van het riet haar handpalm en onderarm tot de elleboog openspleten. Hij zag nog altijd hoe ze de droge geslonken stengels tot matten aan elkaar naaide, de uiteinden afsneed en ze tot cilinders oprolde. Hij zag nog altijd hoe ze de last op haar hoofd nam, de zon of de regen trotseerde en het land afliep op zoek naar klanten. Telkens als ze stilhield liet ze de last op de grond zakken, maakte het touw los en spreidde de berg matten uit zodat die bekeken konden worden. Daarna werden ze weer opgerold en vastgebonden en gingen ze weer op haar hoofd, waarbij het zweet haar over de rug liep.

Bazooka was opgegroeid met een sterk besef van de voorrechten die zuiderlingen genoten, hun geringe aanwezigheid in het leger, hun overheersing bij de overheid. Ze leken altijd aan het langste eind te trekken. Ze leken altijd alles te hebben waar hij van droomde: de macht, de huizen, de auto's, het land, de stijl. Ze waren in de meerderheid, overheersten de cultuur. Ze stonden halverwege de blanken en de Aziaten. Hun kinderen bevolkten de scholen, hun broers en zusters bestierden de ziekenhuizen, hun ooms beheersten de kerk. Hij droomde ervan hun alles af te nemen. Hij had altijd geweten dat zijn redding lag op precies dezelfde plaats waar zijn voorouders die hadden gezocht: in de loop van het geweer.

Hij had zich dodelijk gewond gevoeld als zijn vader zijn moeder weer eens verweet dat ze sliep met de zuiderlingen aan wie ze die matten verkocht. Die ruzies kwetsten hem, zijn ouders leken de ware vijand te veronachtzamen en hun energie aan stompzinnigheden te verdoen. Eigenlijk gingen de ruzies altijd over geld. Zijn vader wilde alles wat de matten opbrachten in zijn zak steken. Zijn moeder weigerde. Bazooka besloot het probleem op te lossen. Hij ging na schooltijd klusjes doen. Hij waste auto's, maaide gras in rijke wijken en laadde koffie uit bij branderijen in de buurt. Hij stal uit de winkels waar hij nu en dan werkte. Hij overviel burgers en dronkelui. Hij vroeg zich af waarom zijn vader niet zijn wapen gebruikte om rijk te worden en ophield met zeuren. Hij bleef naar school gaan, ook al had hij er een hekel aan. Hij ergerde zich op school aan de sociale tegenstellingen. De kinderen van de burgemeester van de stad werden naar school gebracht in een Boomerang 500 met chauffeur, de auto van zijn dromen. Die deed hem denken aan de belangrijkste gebeurtenis uit zijn leven: de kroning in 1942 van de kabaka, de koning van Boeganda, en het begin van zijn fixatie op koningen en zijn dromen om prins te worden. Overigens was die kroning ook de dierbaarste herinnering van zijn vader als soldaat geweest. Die ouwe mijmerde altijd over het op wacht staan, het genieten van de praal, het vertoon, de muziek, de saluutschoten.

Met Bazooka's scholing en gedrevenheid kon het leger niet om hem heen. Hij gaf blijk van begaafdheid voor alles wat militair was. Bovenal was hij onbevreesd en serieus. Hij genoot van de tucht, de hiërarchie, de bezeten aandacht voor details. Met de ijver van een zendeling volgde hij de zware weg van beloning en straf. Hij werd bevorderd. Zijn aanleg als voetballer maakte hem populair. Hij dronk, rookte en luierde niet, die heilloze drie-eenheid waardoor carrières al eindigden voor ze begonnen. Hij zei tegen zijn vrienden dat hij de eerste sergeant zou worden met een Oris Autocrat-horloge. Ze lachten hem uit. Autocrats werden gedragen door bankdirecteuren, generaals, artsen, mensen uit de hogere kringen. Hij was destijds gelegerd in Entebbe, niet ver van het legervliegveld. Hij ging met zijn vrienden wel eens etalages-kijken in de stad. De een wilde een groene fiets, de ander mooie kleren. Het waren beste lui maar ze hadden geen ambitie, niet het lef om hoger te mikken. Hij ging in die dagen graag met burgers om, al deed het hem wel pijn dat ze geen oog voor zijn prestaties hadden. Ze hadden in het algemeen geen hoge dunk van militairen. Ze beschouwden het leger als een leprakolonie, waar alleen zieken en verschoppelingen hun heil zochten.

Op een receptie zag hij voor het eerst het horloge van zijn dromen, glimmend aan de hand van een jongeman van zijn leeftijd. Een arts, jurist, piloot? Hij kreeg haast een beroerte. Een maand later, op Eerste Kerstdag, besloop hij zijn prooi. De Autocrat zou een geschikt kerstcadeautje zijn. Hij kwam de man tegen op een van die recepties waar het op godsdienstige feestdagen van wemelde. Iedereen was in een goede stemming. De mensen hadden heel het jaar gespaard om eens één keer te genieten en uit de band te springen. De euforie was aanstekelijk. Bazooka stond op een afstandje, amper in staat de verleiding te weerstaan om de man het horloge van zijn pols te rukken en ervandoor te gaan. Het goud was waarschijnlijk in Zuid-Afrika gedolven, toen uitgevoerd en bewerkt door vaardige Zwitserse handen. De man had het horloge waarschijnlijk in Londen gekocht. Velen die goud dolven gingen dood; velen die het droegen ook, peinsde hij grimmig. Om tien uur kwam hij in actie. Hij ging naar het groepje aan de tafel en zei tegen de man: 'Die Autocrat of ons leven.'

'Over mijn lijk, achterlijke geitenneuker,' zei de man boos, dronken.

'Nou goed, dan,' zei Bazooka, en haalde een handgranaat uit zijn zak. Hij schroefde kap los en hield de pin vast. 'Geen beweging. Die Autocrat of ons leven.'

De vier andere mannen in het groepje smeekten de man om dat rothorloge af te staan. Hij weigerde.

Bazooka gaf twee mannen opdracht om het horloge met geweld af te pakken en aan hem te geven. In het handgemeen dat volgde ging de granaat af. Hij kon nog maar net ongedeerd wegduiken. Bij de daverende ontploffing werden mensen ledematen en kleren van het lijf gerukt. Met zijn prijs in de hand, tijdelijk doof aan een oor, keerde hij halsoverkop terug naar de basis. Het bericht van het ongeval stond de volgende ochtend in de krant. *Drie doden bij ongeluk met handgranaat.* Zijn vrienden noemden hem generaal Oris.

'Op een dag word ik generaal,' zei hij. Ze lachten niet.

Intussen bleef hij uitblinken. Zijn grote kans kwam toen hij een moordcomplot blootlegde tegen twee Engelse legerinstructeurs en drie Afrikaanse officieren. Een vriend waarschuwde hem. Hij droeg de namen over, en de bijzonderheden van het complot. De samenzweerders werden verhoord en bekenden. De leiders werden gefusilleerd; Bazooka werd bevorderd.

Hij onderscheidde zich in de strijd, vocht als een duivel, beraamde geniale plannen. De jaren zestig, met hun wijdverbreide roofovervallen, kwamen als geroepen. Hij werd belast met de dienst bestrijding roofovervallen. De hoofdstad en de hele centrale regio kwamen onder zijn bevel. Hij leidde operaties tegen zwaar bewapende bendes autodieven en schakelde die uit met minimale verliezen. Hij trok ten strijde tegen *kondo*'s, roofovervallers die voor de lol burgers terroriseerden, lokte ze in vallen en hinderlagen en vernietigde ze in vuurgevechten op leven en dood. Hij eigende zich politietaken toe, verklaarde de oorlog aan de misdaad en ondermijnde de geloofwaardigheid van dat instituut als het lijk van een nijlpaard dat van achteren wordt aangevallen door een meute hyena's.

Op het toppunt van zijn macht werd hij tot kolonel bevorderd en maakte hij kennis met generaal Idi Amin, bevelhebber van het Oegandese leger. Het was liefde op het eerste gezicht. In Amin zag hij een leider met wie hij het allerhoogste kon bereiken. En Amin herkende weer zijn potentieel, zijn nut voor de toekomst. Boven op zijn taken kreeg hij van Amin de leiding van een mobiele brigade die geheime operaties uitvoerde. Hij moest het zuidwesten gaan zeker stellen en werd daar verrast door de staatsgreep van 21 januari 1971. Hij nam de grote steden Masaka, Mbarara, Fort Portal en Toro in. Hij sloot onwillige legercommandanten op, blokkeerde wegen met tanks en liquideerde lastige mensen. De burgemeester van Masaka, een trouw aanhanger van de gevallen leider, moest voordat zijn lijk door de straten van de stad werd gesleurd eerst zijn penis oproken.

Bazooka had dierbare herinneringen aan die dagen voor en na de staatsgreep. Het was net een droom, zoals de ene regering verging en werd opgegeten door de andere, die als een duivelse paddestoel omhoogschoot en de leegte vulde. De adrenaline, het testosteron, de euforie, de pure doodsangst van dat alles...

Het duurde even eer generaal Bazooka had besloten hoe hij Bat zou aanpakken. Enerzijds wilde hij hem dwarsbo-

men en kapotmaken; anderzijds wilde hij hem een kans geven om zich te bewijzen of zich onmogelijk te maken. Hij
overwoog om met behulp van Russische vrienden zijn huis
af te luisteren. Maar met welk oogmerk? Verwachtte hij
dat Bat in zijn huis anti-Amin-leuzen liep te roepen? De
doeltreffendste mogelijkheid was dat hij hem overliet aan
Victoria Kajiwa, de nieuwe, gestoorde Victoria. Het zou
leuk zijn als twee zuiderlingen elkaar kapotmaakten. Met
Victoria zou dat wel lukken.

Bijna van de ene dag op de andere had Bat een ander leven.
Een week na zijn sollicitatie verhuisde hij naar een regeringsvilla in Entebbe, tweeëndertig kilometer verderop.
Dat huis was gebouwd op een heuvel met uitzicht op het
Victoriameer en had een tuinman, een kokkin en een bewaker. Het had enorme ramen, zware eiken deuren, een lange
oprijlaan, een bloementuin en bomen helemaal tot aan het
meer. In het noorden lagen de befaamde golfbaan, de botanische tuin, de dierentuin en het vliegveld. In het oosten
het nieuwe *State House*, de kerk en het stadscentrum.

Bat was gesteld op zijn nieuwe leven. Het eerste dat hij
's ochtends zag waren het meer in de verte en een hemel
waaraan het weer van die dag al was af te lezen. Het was
een ansichtkaart van schoonheid die hem altijd weer opmonterde. In de jaren veertig en vijftig had hier een aantal
koloniale ambtenaren gewoond, al was er geen tastbaar
blijk van hun verblijf. In de garage had hij een donkergroene Jaguar XJ 10 staan, een wagen die hem deed denken aan
Londen, Cambridge en zijn dromen over de tijd na zijn studie. Die had hij gekocht van een uitgewezen buitenlander.
In de eerste week maakte hij hem zelf schoon, sopte hem

en wreef hem in, klopte de matten, smeerde de moeren en bouten. Villeneuve gaf altijd hoog op van de Bentley, maar die was Bat te log, die had een te dikke kont voor een sierlijk voertuig. Een Jaguar was glad, schraal, rank en slank, volmaakt. Er waren nog twee xj 10's in het land, beide van een generaal. Om die reden werd hij nooit door de soldaten bij wegversperringen aangehouden, en sommigen groetten zelfs als hij voorbijkwam. Daar moest hij wel eens om lachen.

Bat had wiskunde en economie gestudeerd aan de Makerere-universiteit. Daar was hij mee doorgegaan in Cambridge, met als hoofdvak wiskunde. Hij had die droge vakken van begin af aan gekozen ter bestrijding van zijn impulsiviteit en instinct, een combinatie die hem in zijn middelbare-schooltijd een brief had doen schrijven waarin hij dreigde een jongen te vermoorden die zijn vaders transistorradio niet wilde teruggeven. Hij had die radio geleend van zijn vader en hij was al twintig jaar in de familie. Hij had hem op zijn beurt aan een jongen uitgeleend die hem wijs had gemaakt dat hij hem hard nodig had en gauw weer terug zou brengen. Maar de jongen weigerde zijn belofte na te komen. Het gevolg was dat Bats vader hem geen zakgeld meer wilde geven. Om de druk te verlichten schreef hij die noodlottige brief. Een paar dagen later kwam er bij zijn vader in de koffiebranderij een rechercheur langs. De volgende dag meldde Bat zich met zijn vader bij het dichtstbijzijnde politiebureau. Er stond hem zeven jaar gevangenis te wachten. Hij scheet bagger want hij was niet van plan geweest het dreigement uit te voeren. Gelukkig kende zijn vader iemand bij de politie en konden ze met een fors bedrag aan smeergeld de dans ontspringen.

De radio werd nog die middag terugbezorgd. Iedereen leek in verlegenheid. Van toen af aan besloot Bat zich in het leven te beheersen en afstand te bewaren. Als gevolg daarvan had hij weinig vrienden en weinig last met de buitenwereld.

Nu hij daar in zijn werkkamer met uitzicht op het parlement zat, bedacht hij verwonderd hoe vlug zijn leven was veranderd. Hoe juist zijn keuze voor wiskunde was geweest. Elke student scheen tegenwoordig talen en geschiedenis te willen studeren. Elke werkgever leek te schreeuwen om natuurkundigen, economen, wiskundigen. Het ministerie was geen uitzondering. De toestand werd verergerd door de aanwezigheid van de knechtjes van Amin, die merendeels weinig of geen scholing hadden. Die gewezen slagers, vuilnismannen, leeglopers, bleven aan de macht door zich met jaknikkers te omringen en in gewelddadige driftbuien uit te barsten. Er waren mannen die amper tien met tien konden vermenigvuldigen. Dat konden ze alleen als je de getallen in woorden voor ze uitschreef. Bat deed zijn best om zulke mensen te mijden. Maar af en toe was er geen ontkomen aan en stelden ze oersaaie vragen over politieke vraagstukken, de technische leiding van het ministerie, waar ze ook na honderd keer uitleg nog niets van zouden begrijpen. Sommigen deden een beroep op zijn hulp om bij de plaatselijke handelsbank een bankrekening te openen. Om er zeker van te zijn dat niemand hun handtekening vervalste en hun geld inpikte, vertrouwden ze op hun duimafdruk. Enkelen kwamen hem vragen hoe ze een bankrekening moesten openen in Zwitserland, Libië of Saoedi-Arabië. Die stuurde hij weg.

Gelet op de stand van zaken was het een wonder dat de

overheid hoe dan ook functioneerde. Uit het weinige succes dat er werd geboekt bleek de veerkracht van het intel-
lectuele element achter de schermen, mannen en vrouwen
die doorlopend werden dwarsgezeten door de knechtjes
van Amin, die het geen zak kon schelen of alles in rook op-
ging, zolang zij maar niet in de vuurlijn belandden. Tussen
dat soort tuig voelde Bat zich wel eens een herder die on-
handelbare zwijnen onder zijn hoede had, gevaarlijke
beesten die maar raak scheten en elk moment konden happen en bijten. Zijn taak was vooral te schreeuwen om de
modernisering van het ministerie. Hij wilde nieuw materiaal aanschaffen voor de stuwdam en het telefoonnet, en
meer technici en specialisten opleiden. Hij deed telkens
aanbevelingen en bleef op verandering aandringen. Generaal Bazooka luisterde nauwlettend, maar vaak antwoordde hij dat er geen middelen waren. Geen middelen terwijl
er almaar legeruitrusting arriveerde in de vorm van nieuwe
Mig-250 jachtbommenwerpers, Russische TX3000 gevechtstanks, AK57 geweren en dergelijke. Terwijl hij op
middelen wachtte, richtte Bat zich op de reorganisatie van
het ministerie.

Het ontstaan van een dagelijks ritme beviel Bat uitermate. Hij werd elke ochtend vroeg wakker, reed naar de stad
en stoof onderweg de meeste auto's voorbij, zodat de snel-
heidsroes nog in zijn bloed nabruiste als hij in zijn werkkamer aankwam. Zijn dag werd beheerst door het dicteren
van brieven, bijwonen van vergaderingen, doornemen van
stukken. Tussen de middag at hij aan zijn bureau en voor
zijn medewerkers was hij een ezeldrijver. Na een twaalf-
urige dag reed hij naar huis om bij te komen. Twee, drie
keer per week ging hij naar Wandegeya en trof dan het
echtpaar Kalanda en de professor.

Kalanda werkte bij de Barclay's Bank, diens vrouw bij de Oegandese handelsbank. Hij was een oude studievriend met wie Bat op de campus een kamer had gedeeld. Ze hadden altijd veel samen gedaan, ook met meisjes uitgaan. Gezamenlijk hadden ze drie abortussen bekostigd. Bat vroeg zich wel eens af of Kalanda zijn vrouw wel alles van hun escapades op de campus had verteld. Kalanda had hem aangeraden het ministerie van Energie te proberen en hem de overlevingsregels voorgehouden:

'Bemoei je niet met politiek. Zet geen grote mond op over democratie en mensenrechten. Hou altijd je paspoort bij de hand.'

Mevrouw Kalanda kon goed koken en ze maakte vaak iets lekkers klaar voor bij het bier. Dan zaten ze buiten op de veranda en praatten, bekvechtten, maakten grappen en zagen de avond vallen. Als er niet werd geschoten, bleven ze daar urenlang, kwamen tot rust en genoten van de koele, geurige avondlucht. Als er geweren opklonken, haastten ze zich naar binnen en dan ging Bat pas weg als de opschudding voorbij was.

Bat werd vaak uitgenodigd voor bruiloften. Het geven en bezoeken van bruiloften was hét nationale tijdverdrijf geworden, hoogstens nog naar de kroon gestoken door spiritistische seances. De heersende klasse van militairen, piraten, gangsters, profiteurs, legde er een enorme hartstocht voor aan de dag. Doordat velen van hen moslims waren die onder het bewind van Amin de kans kregen om snel aan geld te komen, was er aan bruiloften geen gebrek. Iemands waarde werd tegenwoordig afgemeten aan het aantal gasten dat op zijn bruiloft werd genood, de lengte van de bruidssleep, het aantal orkesten dat die dag speelde en de

MOSES ISEGAWA

geslachte stieren. Er waren bruiloften die weken duurden en als een dolgedraaid circus van plaats naar plaats trokken, en die slempers aantrokken zoals vliegen op rot fruit afkomen. Eten groeide uit tot een beroepssport en geen bruiloft was compleet zonder een groepje mannen dat elkaar de loef afstak met de verbluffende bergen orgaanvlees, gebraden lam en geit, heel gebakken reuzennijlbaars die ze verstouwden... De aanblik van amateurs die zich voordeden als beroeps en ten slotte kwijlend en brakend hun maag moesten laten leegpompen, werd onderdeel van het schouwspel. Ook een hoofdbestanddeel van het evenement was de worstelwedstrijd, met horden pseudo-worstelaars die van bruiloft naar bruiloft trokken en hun ingevette lichaam vertoonden.

Er waren veel bruiloften waar Bat heen ging omdat generaal Bazooka of de ambtelijke Nummer Een geen tijd hadden en hem in hun plaats stuurden. Bij zo'n gelegenheid maakte hij kennis met Victoria Kajiwa. De receptie was in de tuinen van het Nijlbaars-hotel. De middag liep ten einde en maakte langzaam plaats voor een koele avond. Met zijn glas in de hand luisterde Bat naar een legerofficier die tekeerging over CIA-infiltratie, sabotage, en al die missionarissen die geheim agent in dienst van het buitenland waren. Hij had al tweemaal haar aandacht proberen te trekken, maar telkens had ze met een lompe generaal staan praten. Hij had zelfs het idee gekregen dat ze met een generaal getrouwd was. Voor de meeste van die noorderlingen was een jonge zuidelijke vrouw een statussymbool, naast de zesdeurs Boomerang 600 of een sportieve 300pk Euphoria. De ferme polygamisten pronkten vaak met hun harem, geleid door een mede-noorderlinge als eerste

26

vrouw en geflankeerd door jongere trofeeën uit het zuiden. Uiteindelijk zag hij uit zijn ooghoek dat ze op hem af kwam lopen. Ze was indrukwekkend. Hij kon haar zwellende borsten onder de rode stof zien, de gebeeldhouwde dijen in het lange golvende gewaad. Als op een teken glipte de officier weg. Traag werden er wat plagerijen uitgewisseld terwijl de twee elkaar opnamen. Hij besloot haar te overbluffen.

'Van welke veiligheidsdienst ben jij?'

'Wou je mij voor spion uitmaken?'

'Wat doe je hier anders tussen dat vullis?'

'Ik ben uitgenodigd. Trouwens, dit klinkt onderhand als een verhoor,' klaagde ze.

'Is het ook. Je moet tegenwoordig te werk gaan als een slak, met uitgestoken voelhoorns,' antwoordde hij met een lachje.

'Je hebt gelijk.'

'Wat drink je?'

'Cola, net als iedereen.'

Bat wenkte een kelner om haar iets te drinken te brengen. Zijn maag voelde zwaar aan van al de Pepsi die hij al heel de middag dronk. Hij zag dat ze een glas pakte, het bij wijze van toost hief en eruit dronk. Op ons, op het gevaar, op de macht, zei hij binnensmonds. Een zoete roekeloosheid kreeg de overhand. Hij had zin in haar. Hij zag niet veel toekomst in haar, niet in iemand die in deze kringen rondhing, maar ze leek hem een lekkere wip, lekker om van zijn werkdruk af te komen. Urenlang had hij droge stof bestudeerd, schattingen verwerkt, zich in wiskundige ramingen verdiept, en nu merkte hij dat hij wilde zwelgen in redeloosheid en zich overgeven aan een op-

27

welling. Hij smachtte naar een roes, naar domme bevrediging. Wat snelheid niet kon wegmasseren, kon een stijve
wel.

'Waar woon je?'

'In de stad, net als iedereen,' antwoordde ze. 'En jij?'

'In Entebbe, aan het meer, bij het *State House*,' zei hij
met jongensachtige branie.

'Dat klinkt heel spannend.'

'De entourage is heel esthetisch,' zei hij, en genoot van
zijn opschepperij.

'Aha, dat klinkt als de naam van een auto,' zei ze met
een voldaan gezicht.

'Laat maar,' zei hij, en besefte dat hij het tegen iemand
van lager op de ladder had. Dat kwam hem ideaal uit, want
het laatste dat hij wilde was het over zijn werk of de universiteit te hebben met iemand die wel had gestudeerd
maar niet zoveel voorstelde. Ze had waarschijnlijk middelbare school gehad, kon haar handtekening zetten, haar
brieven lezen, en dat was best. 'Ik denk erover om weg te
gaan.'

'Daar zit wat in als je zover woont,' zei ze gevat.

'Niet per se, ik rij heel hard. Ik heb alleen genoeg van dit
gezelschap en die frisdrank.'

'Daar kan ik inkomen.'

'Wil je een lift of heb je een Boomerang?'

'Een lift zou fijn zijn. Ik ben toevallig een vrouw met bescheiden middelen.'

'Je moet meer naar de radio luisteren. Alles is mogelijk.
Van arm tot rijk en van niets tot iets en nog zoiets.'

Ze schaterde het hoofdschuddend uit. Hij keek naar haar
en voelde een hevige zinnelijke steek. Haar mond deed

28

hem aan mevrouw Kalanda denken: begerig, suggestief, gevuld met een grote tong.

De avond was heel vlug gevallen en het bonte gezelschap ging uiteen, waarbij de worstelaars zich aankleedden, de muzikanten inpakten, de eters kreunend in het gras lagen en de gasten opstapten. Toen Bat de sleutels uit zijn zak haalde, merkte ze op dat ze nog nooit zo'n mooie auto had gezien. Daar trapte hij niet in. En die andere XJ10's dan, van die generaals? Hadden die haar nooit een lift gegeven? In de auto zei ze dat ze wilde zien waar hij woonde. Hij streelde haar haar maar ze maakte geen geluidjes van opwinding, en dat was fijn. Om haar op de proef te stellen keerde hij snel en reed in volle vaart weg. Hij wachtte tot ze hem zou vragen kalmer aan te doen. Maar nee. Ze was kennelijk gewend aan het roekeloze rijden van soldaten.

In het licht van de koplampen leek het huis van Bat net een kostbaar pakje dat zojuist was uitgepakt. Toen ze nog een slaapmutsje namen, voelde Victoria iets nieuws, alsof ze op een drempel stond. Het was een prettige bijkomstigheid dat Bat wist wat hij deed. Anders dan veel rijke en geslaagde mannen nam hij de tijd om te plezieren. Het leek wel of hij een handleiding volgde, telkens op de juiste knopjes drukte. Voor iemand die oorspronkelijk haar werk kwam doen, was Victoria verrast. Ze merkte dat ze naar hartelust meedeed, klaarkwam zonder inspanning of toneelspel. Ze voelde zich vrij, geestelijk even open als lichamelijk. Voor het eerst in twee jaar had ze het gevoel dat haar droom een kind te krijgen misschien toch geen uitzichtloze fantasie was. Dat voelde ze met haar hart en wenste ze met haar hoofd.

De laatste twee jaar had ze met mannen geslapen met wie het slecht was afgelopen, en soms had ze hun aangeraden om voor hun leven te vluchten. Seks was alleen maar een verlengstuk van haar werk geweest, een hulpmiddel, een pistool of een mes. Dit voelde anders, en dat wilde ze zo houden. Maar ze besefte dat ze dan ongehoorzaam moest zijn aan generaal Bazooka, die haar op Bat af had gestuurd om hem hard onderuit te halen. Terwijl ze naast Bat lag, welde in haar borst haar wrok tegen de generaal op. Ze wilde hem betaald zetten dat hij haar leven had laten ontsporen, een monster van haar had gemaakt. Ze bedacht dat het nog niet te laat was om haar leven om te gooien en de waanzin van het staatsonderzoeksbureau achter zich te laten. Ze had alleen maar een goed plan nodig, en toegang tot het hart van Bat.

Voor het eerst in maanden zag Victoria de zon opgaan. Ze keek naar het meer, de bomen, en voelde een besef van schoonheid, de wens om die ervaring te verlengen. Het meer riep tedere gevoelens op, verwant aan de drang om in gezang uit te barsten. Ze wilde haar gevoelens delen maar hield zich in; het was nog te vroeg in het spel. Ze zag Bat naar de badkamer gaan, met een handdoek om zijn middel en gedempt klepperende slippers. Wat dacht hij? Wist hij wie ze was? Hij deed haar denken aan veel mannen die op weg waren gegaan naar hun dood, marteling, gevangenschap. In plaats van de koude hand van de afstandelijkheid die ze meestal voelde als haar werk erop zat, voelde ze zich verward, onzeker.

Onderweg naar de stad praatten ze nauwelijks. Hij gaf haar te kennen dat hij het naar zijn zin had gehad.

'Het zal wel eens eenzaam zijn in zo'n groot huis,' zei ze.

'Mij stoort het niet.'

'De meeste van je collega's zijn getrouwd,' zei ze tot zijn grote verrassing.

'Die zijn daar beter in dan ik,' zei hij verstrooid. 'Ik heb geen tijd om die overuren te maken.'

'Misschien ben je de goede vrouw nog niet tegengekomen.'

Hij zweeg. Ze voelde een felle pijnscheut in haar borst. Regelrechte afwijzing? Ze had het duizelige gevoel te worden teruggegooid tussen het vullis dat ze probeerde te ontvluchten. Ze wachtte tevergeefs tot hij iets zou zeggen over het weer, de weg, de standbeelden van Amin. Hij bleef maar auto's achtervolgen, inhalen, en grinniken. In de stad zette hij haar af bij het hoofdkwartier van het ministerie van Openbare Werken. Ze zag de auto wegrijden en werd bevangen door paniek. Wat de avond ervoor als het begin van een bevrijding had gevoeld, sloeg om in wanhoop. Eens te meer leek haar wereld in te storten. De messen van het geweld blonken en lonkten kwaadaardig. Ze voelde zich in de stank van verrotting terugzinken. Hoe moest ze nog eens tot hem doordringen? Hoe lang moest dit nog doorgaan?

Victoria kwam uit een welvarend gezin van textielimporteurs. Haar moeder en vader werkten gezamenlijk hier in deze stad. Het waren goede ouders, die haar gaven wat ze wilde. De zondag was altijd het hoogtepunt van de week. Dan kleedde het hele gezin zich op zijn best en gingen ze naar de kerk, waar haar ouders als steunpilaren van de plaatselijke protestantse Kerk een speciale plaats voorin hadden. Haar vader kwam uit een ontwikkelde familie: er was een arts en een rechter. Haar tantes waren met machtige mannen getrouwd. Op school had ze last van een gebrek aan motivatie; het leek wel of er weinig was om voor te vechten. Ook haar uiterlijk leidde af. Het viel haar moeilijk om zich op taken toe te leggen en niet uit haar evenwicht te raken door de aandacht die ze kreeg dankzij haar uiterlijk. Het was net of ze zich buiten haar lichaam bevond, boven iedereen uit zweefde, een onwezenlijk gevoel. Ze kreeg moeite met discipline. Het was gemakkelijk om te spieken. Haar vader riep haar op om harder te werken en ze leefde in angst dat hij zou ontdekken dat ze spiekte. Intussen droomde ze van rijkdom, een huis in de heuvels, vakantie in het buitenland.

De gebeurtenis die haar leven op zijn kop zette hield verband met de zaak van haar ouders. De douane vond een kist geweren in een van de containers met ingevoerde stoffen. Haar ouders wisten niets van die wapens. Haar vader werd gearresteerd, verhoord, gevangengezet. Dure advocaten wisten hem niet vrij te krijgen. De zaak had ervan te lijden. Kredietbrieven werden ingetrokken. Haar moeder werd bedreigd en uiteindelijk sloot ze de zaak, in de overtuiging dat ze die weer zouden opbouwen zodra haar man vrijkwam, want voor hem bestond er geen mislukking. Hij kwam nooit meer vrij. Het gezin verhuisde. Victoria was kapot. Ze kwam in aanraking met brutale maar stuurloze meisjes. Die gingen uit met oudere mannen die Boomerangs en Euphoria's hadden, bemiddeld waren en vervulling van hun lusten zochten. Eén van hen ontmaagdde haar. Het geld beviel haar wel, maar ze had een hekel aan de rimpels en de dikke buiken en zichzelf.

Te midden van haar pijn en verwarring leerde ze kolonel Bazooka kennen. Op een dag hield ze zijn Boomerang aan.

SLANGENKUIL

Tot haar verbazing zag ze een militair in een fris uniform, behangen met medailles. Ze werd getroffen door de sobere, gedisciplineerde, welvarende indruk die hij maakte. Hij was anders. Een noorderling. Een voortbrengsel van menselijke dromen, angsten, vooroordelen.

Hij hield van haar jeugd, haar uiterlijk, haar brutaliteit, haar verwendheid. Een zuidelijke droom. Hij was gewend ze op te pikken, maar deze had iets, ergens in het hart of hoofd of waar dan ook kwam een verbinding tot stand. Onder het broze schild van de brutaliteit lag de stuurloosheid, een verlangen om geleid, gekneed te worden. De weerloosheid, de leegte, het verlies waren te zien achter de ogen. Het hoofd van de dienst bestrijding roofovervallen bespeurde altijd de tekenen. Hij had een sterk ontwikkeld zesde zintuig, alleen daardoor leefde hij nog. Ze hadden maanden een verhouding. Hoe onverschilliger hij zich voordeed, hoe meer zij zich overgaf. Ten slotte kwam haar moeder erachter. Murw van ongerustheid pakte ze het naar beste weten aan. Ze stelde een ultimatum. Maak het uit met die soldaat of je hoort niet meer bij het gezin.

'Hoe kan je het ons aandoen? Hoe kan je het je vader aandoen? Een soldaat! Een noorderling! Besef je dan niet wie je bent?'

Victoria antwoordde dat ze sinds haar vader weg was toch al geen gezin meer waren. Verder maakte ze de meisjesfout haar moeder te verraden bij haar geliefde, al haalde ze haar eerst niet woordelijk aan.

Het hoofd van de dienst bestrijding roofovervallen ontstak in begrijpelijke woede. 'Wie denkt ze wel dat ze is? Weet ze soms niet wie hier in deze stad de baas is?'

'Let nou maar niet op haar, toe.'

33

'Die mensen leven nog te veel in het verleden. Wij, het leger, wij zijn de nieuwe vorsten, de koningen en prinsen. Wij doen wat we willen. Dat zouden de mensen eens in hun stomme kop moeten krijgen. Dezelfde mensen die zich aan de Britten hebben uitgeleverd. Die zich door hun koning en stamhoofden naar de vergetelheid hebben laten leiden, maar nog altijd het lef hebben om zich verheven te voelen. Ik zal ze eens een lesje leren.'

'Doe haar alsjeblieft niks. Ik smeek het je.'

'Wou jij mij zeggen wat ik moet doen? Jij! Ben jij al net als die anderen?'

'Nee, heus niet. Ik wil alleen niet dat hun wat overkomt.'

'Ga uit mijn ogen voor ik je een tik geef.'

Uiteindelijk overkwam Victoria's familieleden inderdaad iets. Ze werden aangevallen door mannen in burger met een Euphoria zonder kenteken. Ze werden afgetuigd, tot de laatste cent beroofd, moesten om hun leven smeken en werden gewaarschuwd de stad zo gauw mogelijk te verlaten. Ze verdwenen in de doolhof van plattelandsdorpen en kwamen nooit meer terug.

Tegen het einde van de jaren zestig nam kolonel Bazooka Victoria in huis. Daar was ze dan, verward als alle bevoorrechte kinderen die door het geluk in de steek worden gelaten, weerloos in een vijandige wereld zonder wegenkaart of strategie. Hij vond het spannend om die krengen door de goot te rollen waarvan zij dachten dat die aan anderen was voorbehouden. Dat had hij keer op keer gedaan en het was nog altijd een lekker gevoel. Op dat kritieke ogenblik onthulde hij haar dat hij gelukkig getrouwd was met een vrouw van zijn stam bij wie hij drie schatten van kinderen had. Ze was diep gekwetst en voelde zich

34

nog verder in haar waarde aangetast. Een braaf protestants meisje had als ze trouwde een monogame relatie met haar man. Een concubinaat was zondig, heiligschennis. Haar verwarring en schuldgevoel uitten zich in de neiging om te concurreren, om te zijn wat hij wilde dat ze was, in de hoop de eerste vrouw te verdringen, want die stelde ze zich voor als oud en afgeleefd. Wat ze niet wist was dat er geen concurrentie was. Vrouw Eén was onaantastbaar. Koningin van iedereen die na haar kwam. Zij ging in alles voor.

Een tijdje woonden ze in een verblijf voor legerofficieren. In het weekend gingen ze uit en dronken ze. Hij pronkte graag met haar. Door de week deed zij het huishouden, waar ze bij gebrek aan ervaring weinig van terechtbracht. Er brandde eten aan, ze sneed zich in haar vingers, ze wist niet hoe lang ze vlees moest braden, hoe ze kleren diende te wassen. Hij besefte dat geweld niet zou helpen. Hij nam een dienstmeisje aan.

Hij had een plan met haar. Als ze zwanger werd, hield hij haar als tweede vrouw om kinderen bij te krijgen met wat van dat zuidelijke bloed in de aderen. Als ze onvruchtbaar bleek, zou hij haar rekruteren voor het staatsonderzoeksbureau en haar als lokvogel gebruiken. Hij hoefde alleen maar haar woede te wekken, het beest in haar los te maken. Een mooie lokvogel zou wonderen doen om die verwoede zuidelijke oproerkraaiers in de val te laten lopen.

Om te beginnen hield hij nooit geheim wat hij deed. Hij nam haar in vertrouwen. Hij vertelde haar over legeroperaties bedoeld om de overvallen te beteugelen. Hij vertelde haar hoeveel mensen hij vermoordde, hoe verhoren verliepen en informatie werd afgedwongen. Ze schrok zich dood want tot dan toe wist ze niet wat mensen bewoog. Walging en opwinding streden om voorrang. Ze werd een troostende Belle en een konkelend Beest. Hij was een bijzonder soort man, die leefde in de schaduw van de dood, bezeten door het kwaad. Het verwonderde haar hoe dat kwaad schuilging in die uiterst knappe man. Ze zag het als een lintworm die zich in zijn ingewanden had genesteld, alleen te zien als er stukjes op de grond vielen die mensen besmetten. Hij zwom in het geld dat hij verdiende aan goederen die hij rovers afhandig maakte. En hij was heel gul voor haar. Hij kocht doorlopend van alles voor haar en zij vroeg zich af of ze niet in zonde verviel door alles aan te nemen en leuk te vinden. Hij leek iets bijbels te hebben, Simson die tekeerging en verderf zaaide in naam van een goede zaak. Hij leek wel een oude profeet die de goddelijke strijd met de heidenen aanbond en afgodenvereerders afslachtte. Ergens in de dampen waarin haar leven zweefde meende zij de Schrift te herkennen, al had ze geen duidelijk idee wat ze nu moest doen. Ze zag zichzelf vagelijk als zijn verlossing, het offerlam dat zijn zonden weg zou nemen. Ze was zijn spiegel, die zijn verloren onschuld weerkaatste, een vluchtig beeld van wat hij kon worden als hij zich ertoe zette.

Toen ze na een jaar nog niet zwanger was, raakte zijn geduld op. Hij was nog verder opgeklommen en had nu het zuidwesten van het land onder zich. Hij verhuisde met haar naar verschillende steden en ze zag dat zowel burgers als militairen eerbied en vrees voor hem hadden. Zijn optreden had iets biologerends. Hij leek wel een god, een spookverschijning, een boze geest. Hij genoot van de kruiperij en op zijn goede momenten zei hij dat ze hem geluk had gebracht. Maar op zijn slechte momenten vroeg hij haar of ze anticonceptiekruiden gebruikte. Hij vroeg haar of ze dat doelbewust deed om geen kind van een noorderling te krijgen. Ze barstte in tranen uit en verklaarde eens te meer haar liefde.

'Voor ik doodga moet ik een kind hebben. Ik heb veel vijanden. Ik wil zorgen dat ik voordat het moment daar is een opvolger heb. Er zijn grote plannen aanstaande, die maar heel weinig kans maken. Ik wil niet dat die doorgaan voordat jij zwanger bent.'

Ze gingen naar de gynaecoloog. Die kon niets bij haar vinden. De kolonel kreeg gewelddadige uitbarstingen, waarmee hij haar volledig uitputte. Hij liet haar verhoudingen opbiechten van voor ze elkaar leerden kennen. Hij zei dat haar vroegere losbandigheid de oorzaak van haar onvruchtbaarheid was. Hij ging zich bedienen van legertactieken om haar te intimideren en overheersen. Zo vroeg hij thee en smeet dan de kop tegen de muur omdat die naar zijn zeggen vies was. Hij begon te knoeien met vuurwapens, stak de loop in zijn mond en vuurde lege magazijnen af. Ze soebatte en huilde en smeekte, maar hij negeerde haar en bleef erop los vuren. Als ze in alle staten was, maakte hij de kamer open en liet de enige kogel op de grond vallen. Andere keren vroeg hij haar om de trekker over te halen als hij het wapen in zijn mond had.

'Wou je zeggen dat je er nooit over gedacht hebt om mij te vermoorden?' bulderde hij dan. En ging door tot ze dat toegaf.

'Als je mij vermoordt, branden mijn soldaten de hele stad plat.'

Soms pakte hij een geweer en schoot erop los in de achtertuin, totdat die helemaal naar kruit rook en vol rook hing. Dan kwam hij het huis in en spuugde op de loop om te laten zien hoe warm die was geworden. De druk werd almaar hoger totdat hij wist dat ze op knappen stond, tot alles bereid om ervan verlost te raken. Toen zei hij: 'Ik zag bij jou het moordenaarsinstinct de eerste keer dat ik je zag. Jij wordt een ideale lokvogel. Jij brengt het nog heel ver bij het Bureau. Iedereen zal voor je buigen. Het Bureau heeft schoonheden als jij nodig. Er lopen te veel lelijke mannen en onooglijke vrouwen rond. Wees standvastig en ze gaan voor je door het stof. Als je hun laat zien dat je bang bent, moet je voor hen door het stof en daar zit je niet op te wachten. Telkens als je bang bent, denk je aan je vader. Wreek hem.' Waarop zijn stemming omsloeg en hij haar kietelde en knuffelde. Dan lachte ze door haar tranen heen.

Kort na de staatsgreep bracht hij haar naar een trainingskamp waar ze maandenlang verbleef. Ze probeerden haar af te breken en te herprogrammeren. Eerst schoren ze haar haar af, verbrandden haar kleren in een kampvuur en gaven haar een legeruniform. Haar naam werd vervangen door een nummer. Er werd verwoed gescholden, waarbij 'flapdrol' nog een van de zachtere varianten was. Met zware legeroefeningen putten ze haar lichaam en geest uit totdat ze het gevoel had dat ze flauwviel. Het eten was bedroevend, het onderdak afschuwelijk. Ze moesten dagen in gaten slapen, in struiken kamperen. Urenlang galmden ze als mantra's lofliederen op Amin. Ze moesten hem eeuwige liefde en trouw zweren, en hun leven aan zijn voeten leggen. Ten slotte legden ze de eed van gehoorzaamheid en trouw af, kregen bij een uitreikingsceremonie die werd bijgewoond door legerofficieren en hoge pieten van het Bureau de macht over leven en dood en werden losgelaten op de wereld.

Als Victoria dacht dat ze er gemakkelijk af zou komen, had ze het mis. Haar eerste opdracht was een vrouwelijke arts te grazen te nemen, door haar ervan te beschuldigen dat ze medicijnen aan dissidenten verstrekte. Ze wist dat ze die opdracht had gekregen om na te gaan of ze wel een mede-zuiderlinge koud kon maken. Ze had de grens al overschreden, ze hoefde alleen nog maar het onruststokertje vanbinnen onder een lawine van woede te bedelven. Op een avond vielen ze de vrouw aan. Ze zou omkomen 'bij een poging te ontsnappen'. Het huis werd bestormd, de vrouw en haar twee kinderen moesten op de grond gaan liggen. Zij werd naar de slaapkamer gesleurd, gedwongen elke cent en kostbaarheid af te geven en daarna doodgeschoten. Het leek of Victoria in een andere wereld was, een wereld van goden, reuzen en reuzinnen. Er was een uitbarsting van angst, daarna een roes. In een flits zag ze de dagen dat ze nog slachtoffer was. Vanbinnen was ze uitzinnig, bevrijd van verantwoordelijkheid, in een zweefvlucht boven de goddelijke en menselijke wet. Het zoet van de redeloosheid, de objectwording, smoorde elk gevoel. Het lichaam schokte, kreunde niet meer; er daalde een stilte neer; de rook dreef weg; de roes trok langzaam op. Als treffend geheugensteuntje dat er iets was gebeurd voelde ze nog dagenlang een gedeeltelijke doofheid. Nu en dan leken de schoten in haar hoofd na te dreunen als donderslagen die gevangen zaten.

De kolonel, kort daarop bevorderd tot generaal-majoor, was opgetogen. Hij nam haar weer mee naar de stad. Hij vond een baan voor haar bij het ministerie van Openbare Werken. Als geliefden was het afgelopen tussen hen, al hield hij wel een oogje op haar. Victoria ging van tijd tot

tijd door een persoonlijke hel: diarree, black-outs, brandende pijnen, flashbacks. Tevergeefs probeerde ze alles uit
te wissen met alcohol. Ze besefte dat de generaal haar had
gebruikt en haar toen had laten vallen. Ze wilde iemand
om mee te praten, maar ze kon niemand vertrouwen. Ze
overwoog ermee te kappen, maar waar moest ze zich
schuilhouden? Ze dacht aan haar familie en voelde zich
buitengesloten, ten onder gaan. De generaal riep haar op
zichzelf te aanvaarden en vergeven, schijt te hebben aan
het verleden en te genieten van het heden. De gedaantever-
wisseling van mens tot flapdrol, tot god en weer tot mens,
bleef voor haar heel moeilijk te verwerken. Die cycli waren te gecompliceerd, ondanks de altijd parate vergeving
van het Bureau en de roesmomenten die eraan verbonden
waren.

Naarmate de toestand verslechterde, hunkerde ze naar
iemand om lief te hebben, wie dan ook. Haar onvermogen
om haar vader te vinden liet haar maar niet los. Ze wilde
een man die haar gerust zou stellen dat ze nog altijd een
mens was. Ze was het zat om zich maar mee te laten drij-
ven en niets van waarde vast te houden. Ze wilde een kind.
Ze betwijfelde of dat er zou komen. Niet van de intellectuelen, kooplui en ambtenaren die zij naar dood of verderf
moest lokken. Ze werd nooit zwanger. Was onvruchtbaarheid haar kruis, haar straf? Een mens, flapdrol, godin, hoezeer ook één met het geheel en soepel in gedaanteverwis-
seling, bleef zich wentelen in het menselijk tekort en was
toch nog altijd te straffen.

Hoe meer ze erbij stilstond, hoe meer ze geloofde dat
Bat haar reddende engel was.

Door het zover te brengen als velen van hem hadden verwacht, was Bat in de familie, in zijn geboorteplaats, een man van gewicht geworden. Hij trok bezoek van familieleden die naar de grote stad kwamen op zoek naar banen, leningen, referenties, relaties. Hij deed wat hij kon om dat nieuwe verschijnsel tegemoet te treden. Hij dacht erover om geld te beleggen en met de opbrengst zulke mensen te helpen. Hij dacht erover om zijn broer en zuster bij die opzet te betrekken. Maar toen hij ze benaderde werd dat een teleurstelling. Zijn zuster had het te druk met haar baan als verpleegster om zich nog meer op de hals te halen. En zijn broer had geen belangstelling voor vast werk. Die verdiende de kost door vuurwerk af te steken op bruiloften, en als hij zin had repareerde hij auto's en droomde ervan om mee te doen aan de Oost-Afrikaanse safarirally. Bat probeerde met hem te praten maar wist niet tot hem door te dringen of hem op andere gedachten te brengen. Hij was kwaad en maakte zich ongerust om zijn jonge broer. Ten slotte schrapte hij het project en bedacht dat de familie nu eenmaal geen zakelijke inslag had.

Niet lang daarna kreeg hij bericht dat zijn zuster een vrijer had gevonden. Opeens besefte hij dat ze groot geworden was. Ze was in de twintig en meer dan klaar om een gezin te stichten. Het was voor hem of het bericht uit een hinderlaag kwam, en toen ze hem zelf op de hoogte kwam stellen kon hij maar moeilijk oprecht blij zijn. Het feit dat de man van ambtenaar planoloog was geworden verbijsterde hem.

'Planoloog? Vandaag de dag! De meeste steden krimpen en verpieteren alleen maar. De paar die zich wel uitbreiden doen dat zonder plan, spontaan als een kolonie paddestoelen. Wat moet hij dan nog?'

41

'Het is zijn vak,' zei zijn zuster kalm, bijna met klem.

Bat was er altijd van uitgegaan dat zij met een van zijn vroegere schoolvrienden zou trouwen, academici die jurist of arts waren geworden, hoofd van een semi-overheidsinstelling of een particulier bedrijf. Ook was er nog de professor met zijn ziekelijke vrouw. Misschien zou die wel van haar scheiden en met zijn zuster trouwen. Bat vond dat ze het aan zichzelf verplicht was om een man te krijgen die haar naar behoren zou verzorgen. Zij leek daar ook bij stilgestaan te hebben, maar nam eigengereid genoegen met die planoloog, in zijn ogen een nietsnut. Dat is zijn vak, dacht Bat. Punt uit. Niks te maren. Graag of niet, Grote Broer. Hij besefte dat hij haar al kwijt was aan die middelmatige man. Hij voelde zich opeens heel ver van haar afstaan, waarbij alle warmte en genegenheid uit het verleden werden weggevaagd door een vlaag van woede en verzuurde goede wil.

'Waar wou je gaan wonen?' zei hij bij gebrek aan beter.

'Na de bruiloft willen we naar buiten verhuizen. Er is een nijpend gebrek aan verpleegsters op het platteland.'

Kan je niet in zo'n stad gaan wonen die die lul van lucht dacht te bouwen? wilde hij vragen. Hij had zijn zuster altijd gezien als dynamisch, vooruitziend, berekenend, maar het beeld dat hij nu kreeg was anders, ontmoedigend. Dit was berusting, die verzoet moest worden door die zendingsgeest. Was ze zo diep onder invloed van dat oude roesmiddel: de liefde? Was daardoor alles uit model geplet en gewalst?

In Cambridge had hij haar een paar brieven geschreven waarin hij haar vertelde hoe moeilijk hij het financieel had, hoe rijk sommige studenten waren, dat hij om rond te ko-

men borden moest wassen. Hij had niet uit zelfbeklag geschreven, maar om te waarschuwen voor de gevaren van
de armoede. Nu was het duidelijk dat ze zich daar niets van
had aangetrokken en het huwelijk niet zag als een bedrijf
met aandeelhouders. Ze had kennelijk andere waarden en
had misschien zelfs wel minachting voor hem omdat hij
het juk van de armoede ontvluchtte door bij dat tuig te werken.

'Wat zeiden pap en mam ervan?'

'Die zijn opgetogen. Vader staat te springen om zijn eerste kleinkind vast te houden.'

'Ik ben blij voor je.'

'Ik ben blij dat te horen. Als het jouw beurt is zal ik voor
jou ook blij zijn.'

Vergeet het maar, dacht hij. Als ik mijn geld verdiend
heb, ben ik als de sodemieter uit dit land vertrokken.

Ze hadden het over familie, hun jongere broer Tajari,
trouwplannen, en ten slotte vroeg Bat haar mee uit eten.
Hij reed met haar rond in zijn XJ10 op zoek naar een be-
hoorlijk restaurant. Zijn sombere stemming klaarde op. Hij
besefte dat hij het leven van zijn zuster niet kon sturen, dat
ook nooit van plan was geweest. Zijn genegenheid voor
haar kwam terug en hij wenste haar het beste.

De hoop van Bats zuster dat de twee belangrijkste mannen
in haar leven het goed konden vinden en een hechte eenheid zouden vormen, kwam niet uit. De kennismaking tussen Bat en Mafoeta Mingi verliep stroef. Uiteindelijk kon
Bat zijn gevoelens over zijn aanstaande zwager niet verbergen. Het was een grote gezette man met een dikke pens.
Bij iemand die nog zo jong was leek die pens te duiden op

een lui zittend leven of op onmatigheid. Hij kwam op bezoek in een slordig pak en voelde zich duidelijk niet op zijn gemak. De villa van Bat, het personeel, de weelderige omgeving, vooral het uitzicht op het meer, deden hem aan zijn eerste vrouw denken. Hij had de gave om vrouwen uit welgestelde families te krijgen. Hij leek altijd boven zijn macht te reiken. Met als gevolg dat hij nooit helemaal door zijn schoonfamilie was geaccepteerd.

Hij vond Bat afstandelijk, kil bijna, met de houding van iemand aan wie iets kostbaars werd ontfutseld. Dit was bepaald niet het soort ontvangst dat hij voor ogen had gehad, gelet op het enthousiasme van zijn schoonvader en de warme persoonlijkheid van zijn aanstaande vrouw. Waarom was die man zo onbereikbaar? Dan had Mafoeta liever nog die andere zwager, die malle vuurwerkmaker. Hij had de indruk dat die vent een doodswens of een ander soort moeizame verhouding met het leven had. Er kwam haast geen woord uit, maar hij had wel aangeboden om een vuurwerk voor de bruiloft te maken. Mafoeta was Bat liever uit de weg gegaan, maar met diens positie leek dat onmogelijk. Hij zou aan die hufter moeten wennen.

Mafoeta begon uitgebreid over zijn werk, hoe hij zich tot planoloog had opgewerkt. Hij had het over de ambtelijke doolhof bij de planologische dienst, die nu er geen steden meer werden gebouwd en alles uit de hand leek te lopen een beerput was geworden. Hij had het over plannen die almaar zoekraakten, over de inspectie volksgezondheid die tegen de raad van deskundigen in ontheffingen verleende, over aanvragen die maar in een kringetje rondgingen totdat er een ambtenaar werd omgekocht. Bat nam hem doordringend op, alsof hij peilde of hij wel goed genoeg bij zijn verstand was om het leven en welzijn van zijn zuster aan toe te vertrouwen, en toen de monoloog afgelopen was, ging hij er niet op in. Mafoeta was een moedig man, hij slikte zijn onbehagen in en begon over de trouwplannen. Bats zuster keek naar de twee mannen en was gekwetst.

Aan het slot van het bezoek bood Bat aan de gasten naar de stad te brengen. Mafoeta wilde per se geen hekel aan hem krijgen en besloot hem te nemen zoals hij was. In zekere zin bewonderde hij 's mans onafhankelijkheidszin. Die bracht hem op het idee om terug te vechten. Het beste was om in zaken te gaan en vlug het een en ander te ritselen. Tenslotte was dit de tijd om snel rijk te worden. Onderweg kwamen ze nieuwe rijken tegen, die rondreden in Boomerangs en Euphoria's, rondvlogen in Avenger-helikopters. Mafoeta bedacht dat hij een leeftijdgenoot van Bat was. Hij wilde niet achterblijven. Het succes van zijn zwager stelde hem in een kwaad daglicht. Mafoeta wilde ook zijn deel.

Opeens was Mafoeta bang voor een herhaalde mislukking. Hij was zijn pogingen op de huwelijksmarkt begonnen door een prinses te strikken, een vrouw die in de verte familie was van de koningen van Boeganda. De prinses was grootgebracht met de gedachte dat iedereen haar vanzelfsprekend moest vereren. In het begin vond Mafoeta het romantisch aan de wensen van zijn vrouw tegemoet te komen. Hij bracht haar ontbijt op bed, hij zorgde dat alles voor haar gereed was als ze wakker werd. Hij vond het wel mannelijk om zich haar scherpe tong te laten welgevallen en haar gekat te slikken dat hij maar een gewone man was, in de goede oude tijd niet goed genoeg om met een prinses te trouwen. Hij hoorde zijn vrouw graag jammeren dat ze in ongenade was gevallen, want daarmee was ook het koninklijk huis gevallen. Hij hoorde graag verhalen over het leven aan het hof, het kleinere hof waar zij was opgegroeid. De koning kwam driemaal per jaar op bezoek en bleef dan een maand. De aandacht verschoof daarbij naar hem en het wemelde van de stamhoofden, edelen, militairen, muzikanten, eunuchs, boeren. Elke hoveling koesterde zich in de glorie die op hem afstraalde en vergat de vetes en het gekonkel totdat de koning weer wegging.

Mafoeta was er trots op een deel van de koninklijke familie onder zijn dak te hebben. Hij stak zich gretig in de schulden om de levensstijl aan te houden die de prinses wilde. Tegen ieders raad in verkocht hij zijn deel van zijn vaders land. Hij genoot van het drama, de status. Hij hield ervan dat ze altijd in het meervoud sprak: 'Mafoeta, geef ons onze zakdoek eens', 'Mafoeta, wij hebben hoofdpijn'... In elke zin die ze uitsprak voelde hij zich inbegrepen. Hij leek elke week kokkinnen en dienstmeisjes aan te nemen want zodra ze er waren ontsloeg hij ze weer. Niemand was goed genoeg, schoon genoeg, bekwaam genoeg.

Hij vond het wel vermakelijk dat de prinses zo grof was want aanmatigend gedrag zat in de koninklijke familie. Tenslotte bezat de koning nog tot aan de eeuwwisseling alles en iedereen in zijn koninkrijk. Als je hem zijdelings aankeek, konden door zijn lijfwachten ter plekke je ogen worden uitgerukt. Als het zijne majesteit behaagde, konden je ledematen worden afgehakt. Een groot stamhoofd of een onderdaan kon van zijn laatste cent worden beroofd. Alles wat de hufter beval werd gedaan. Ook prinsen konden zich zowat alles veroorloven zolang ze geen staatsgreep beraamden of probeerden de koninklijke harem te verkrachten. De wapenfeiten van prinsessen waren niet minder kleurrijk, zij het minder goed vastgelegd. In de loop der jaren was de macht van het koninklijk huis geneutraliseerd door de Engelsen, de plaatselijke politiek en het leger, maar in de ogen van de loyale monarchisten kon het nog altijd geen kwaad doen. Mafoeta zag zichzelf als verlengstuk van die ongelooflijke trouw van het volk aan zijn koningen.

Pas veel later had hij bedacht dat je nooit naar bed ging met de geschiedenis of de koninklijke familie, maar met een persoon. En de zeer gezonde geslachtsdrift van deze prinses moest plichtsgetrouw worden bediend. Geslachtsverkeer werd net als eten niet gevraagd maar geëist. Prinsessen werden nooit bereden of geneukt, ze neukten en bereden jou tot je op apegapen lag. Mafoeta lag elke avond op zijn dikke rug en werd als een ezel afgeragd, of Hare Hoogheid nu ongesteld was of niet. Hij hoefde nooit met halfslachtige erecties aan te komen. De koninklijke opening ontving alleen pikken die stijf genoeg waren. Hij nam zijn toevlucht tot lustmiddelen, heel bitter spul dat uit de schors van bepaalde bomen werd gewonnen. Vaak werd hij bevangen door faalangst en verspeelde hij gezonde erecties. Dan lag hij daar en vroeg zich af wanneer hij geen verlengstuk van de boerenstand meer zou zijn en een man zou worden, gewoon een individu. De aanhoudende verkrachting van zijn persoonlijkheid in dienst van de aristocratie eiste gaandeweg haar tol. De verhouding leek al zo lang te bestaan dat hij wist dat hij zijn prinses zou missen als er een eind aan kwam.

Op een dag ontmoette hij bij een bushalte de zuster van

Bat. Ze had twee grote kartonnen dozen met boodschappen waarmee ze naar het dorp ging. Ze leek iemand die niet gewend was aan de stad en wel wat hulp gebruiken kon. Hij vroeg haar hoe laat het was, waar ze naartoe ging, waar ze op school had gezeten, waarom ze verpleegster was geworden. Voor de grap zei hij dat hij altijd ziek was en veel verpleging nodig had. Toen de bus kwam, tilde hij haar dozen op en verspeelde daarbij twee knopen van zijn overhemd. Hij wees op zijn harige buik, trommelde erop en ze schoten allebei in de lach. Ze voelde zich bij hem op haar gemak. Zijn lage stem beviel haar, zijn gevoel voor humor, zijn vriendelijkheid. Ze spraken af contact te houden. Dankzij haar kreeg hij op zijn werk iets te doen. In plaats van plannen te maken voor gigantische fantasiesteden voorzien van zonne-energie, schreef hij haar brieven waarin hij zijn eeuwige liefde beleed. Hij praatte over zijn huwelijk, de fouten die hij in zijn leven had gemaakt, zijn bereidheid te veranderen en de rest van zijn leven met haar door te brengen, de bergen die ze samen konden verzetten. Ze troffen elkaar nu geregeld, gingen naar de film, uit dansen, naar de botanische tuin. Het bewijs dat Mafoeta verliefd was geworden was dat hij haar schaamteloos alles vertelde wat hij van de prinses moest doen. Het rolde er allemaal uit als nooit tevoren. Begerig slokte hij haar medeleven op. Waar andere mannen zouden hebben gelogen om een goed figuur te slaan, stroomde hij alleen maar leeg als een overvolle blaas. Alles, met inbegrip van het besmeurde koninklijke maandverband dat ze overal liet slingeren. Hij deed haar na: 'Koninklijke bloede, onderdaan. Bewaren voor het nageslacht, Mafoeta.' Dan schoten ze allebei in de lach en ploften tegen elkaars schouder. Bats zuster hoopte

48

dat hij zo open en voorspelbaar zou blijven als ze getrouwd waren. En ze was trots dat ze een prinses was opgevolgd.

Bats zuster herinnerde Mafoeta aan die dagen, gewoon om hem op te vrolijken, nadat Bat hen had afgezet.

'Waar heb ik een prinses voor nodig als ik jou hier heb?' zei hij trots.

Bat bleef Victoria af en toe zien; het leek wel of ze er telkens was als hij haar nodig had. Haar verhouding met de generaal was uit; de enige band die er nog restte was een lauwe dreiging van geweld, want hij had haar nooit met zoveel woorden laten gaan. Hij leek alleen een oogje te hebben toegeknepen. Maar zoals alles verliep, stond ze klaar om haar kans te grijpen. Voortaan logeerde ze drie dagen per week in Entebbe en meldde ze zich met tegenzin op haar werk. Ze koesterde dromen waarin ze haar verdere leven met Bat doorbracht. Doordat hun verhouding vanzelf leek te zijn ontstaan, had ze het gevoel dat die voorbeschikt was. Ze had Bat tenslotte geen brieven geschreven of cadeaus gestuurd, of het soort rare streken uitgehaald waarmee vrouwen mannen probeerden te strikken. Ze verscheen gewoon op het juiste moment en hij had haar als het ware aangenomen als een cadeau, zonder al te nieuwsgierig te zijn. Ze was een paar keer met hem naar officiële gelegenheden geweest en had wel reprimandes van de generaal verwacht, maar die waren nooit gekomen.

De kennismaking met het echtpaar Kalanda was minder geslaagd verlopen. Ze waren te ontwikkeld, spraken abracadabra in haar oren. Ze hadden het over de economie en het geld- en bankwezen, en dat ging haar boven de pet. Mevrouw Kalanda was ook niet erg behulpzaam geweest.

Niet één keer begon ze over vrouwenzaken. Ze praatte met de mannen mee totdat het Victoria ging tegenstaan en ze het gevoel had dat ze vastgelopen was. Ze had spijt van het voortijdige einde van haar opleiding. Ze was opeens bang dat Bat haar wel eens zou kunnen laten vallen om haar opleidingsniveau. Halverwege de kennismaking probeerde ze het onderwerp af te kappen door mevrouw Kalanda iets over politiek te vragen. Dat was vanzelfsprekend verboden terrein. Daar begaf niemand zich op met onbekenden. Mevrouw Kalanda snoerde haar ruw de mond door te zeggen dat de politiek het domein was van spionnen en haar volstrekt niet interesseerde. Victoria had het gevoel of ze ontmaskerd was. Ze verontschuldigde zich en vroeg een glas water.

Later die avond zei mevrouw Kalanda tegen haar man dat ze Victoria niet vertrouwde. Ze vond zelfs dat Bat haar door iemand moest laten natrekken.

'Het aantal vrouwen bij dat Bureau is om versteld van te staan. Huisvrouwen, onderwijzeressen, verpleegsters, bankiers, noem maar op.'

'Wou je beweren dat ze een spion is?' zei Kalanda geamuseerd.

'Het is een vrouw zonder geschiedenis. Het is net een vlinder; niemand weet waar ze vandaan komt. Ze is op een receptie als een verdwaalde vleermuis zomaar uit de lucht komen vallen. Dan kan ze toch ook zonder spoor weer wegvliegen?'

'Bedoel je dat ze een goudzoeker is?' zei Kalanda, en dacht terug aan zijn studietijd. Ook toen al wist Bat knappe vrouwen uit te zoeken. Victoria was geen uitzondering. Zoals ze met die ogen rolde!

'Misschien nog wel erger.'

'Hoe zeg je zoiets tegen Bat?' peinsde Kalanda, in gedachten nog vol van Victoria's lichaam. Hij hield van vrouwen met een wild trekje; zo eentje had hij alweer heel lang niet gehad. Kon hij er maar eentje hebben zomaar voor de lol. Hij hoopte dat Bat genoot.

'Jij kent hem al God weet hoe lang. Als hij naar jou niet luistert, luistert hij naar niemand.'

'Hij is toch niet hulpeloos. Hij zal heus wel op zijn tellen passen.'

'Dat klinkt mij te zelfvoldaan.'

'Die vrouw is verliefd, voor zover ik kan zien,' zei Kalanda, 'je hoefde alleen maar te zien hoe ze telkens stiekem naar Bat zat te kijken.'

'Misschien heeft ze op de toneelschool gezeten.'

'Geloof mij nou maar, schat. Ze is helemaal weg van Bat.'

Al met al vroeg Kalanda Bat nooit om Victoria na te trekken. Tenslotte kende Bat het soort mensen met wie hij werkte. Als ze elkaar spraken hadden ze meer dan genoeg te bepraten. Maar om zichzelf gerust te stellen, vroeg hij aan Bat of die Victoria bijvoorbeeld zou vertellen over een geheim handeltje of vermogen.

'Ben jij gek?' lachte Bat. 'De ene hand mag nooit weten wat de andere doet.'

Victoria ging zich druk bezighouden met de bruiloft van Bats zuster. Zijn zuster was zo iemand met wie iedereen het kon vinden. Victoria ging naar veel van de eindeloze bijeenkomsten die aan bruiloften voorafgingen. Die verveelden haar nooit; ze had omgang met de levenden, mensen die vol waren van alledaagse dingen, niet van ontvoeringen of andere narigheden. Dat hielp haar om haar achtervolgingswaan te overwinnen, want die mensen probeerden de regering zoveel mogelijk te vergeten. Ze was jaloers op hun schone handen. Zij hadden geen nachtmerries, tenminste niet omdat ze anderen kwaad hadden gedaan. Op zulke ogenblikken bad ze om een zwangerschap, een huwelijk, het leven. Als generaal Bazooka gelukkig getrouwd was, en dat al jaren, en de meeste mensen bij het Bureau een gezin hadden, waarom werd het dan toch niets met haar? Ze bereidde zich op de bruiloft voor alsof zij de bruid was. Ze kocht een heel mooie japon en zag er begeerlijker uit dan ooit. Op de grote dag moest ze in de kerk denken aan haar kindertijd, voor de ramp. Ze kon amper haar ogen van de bruid en haar bruidegom afhouden. Ze bedacht almaar dat ze de volgende keer zelf in het middelpunt van de belangstelling zou staan.

Toen ze een paar maanden met haar opdracht bezig was, meldde ze de generaal dat ze van Bat geen enkele nuttige informatie loskreeg. Hij vroeg haar om door te gaan. Ze was nu gewend aan Bats hebbelijkheden. Na een heel lange dag wilde hij het niet over zijn werk hebben. Als ze aandrong, vroeg hij haar om het over iets anders te hebben of kreeg een driftbui, zodat zij zich moest verweren en verontschuldigen. Ze zag geen kans hem aan de praat te krijgen als hij niet meedeelzaam was. Soms ging ze met hem mee naar het meer, in de hoop dat hij opener zou worden door de golven en de wind. Dan ging hij met zijn voeten in het water op een steen zitten en liet de golven het woord doen. Ook zijn financiën waren verboden terrein. Als ze geld wilde, gaf hij dat zonder vragen. Er bleven haar twee keuzen: ze kon informatie verzinnen of de generaal wat dit betreft dood laten vallen.

Generaal Bazooka gaf met tegenzin toe dat hij nog nooit zo'n goede medewerker als Bat had gehad. Hij zag met lede ogen hoe voortreffelijk zijn toekomstige vooruitzichten waren. Het was moeilijk te zeggen hoe hij de janboel op het ministerie had opgeruimd. Als er tegenwoordig informatie nodig was, had Bat die met zijn team bij de hand. Hij hoorde van zijn spionnen bij de stuwdam hoe goed alles daar liep. Wat had hij graag gewild dat een stamgenoot die verandering had doorgevoerd! Het was allemaal heel pijnlijk omdat Bat nog niet eens was ingewijd. Hij had hem geen persoonlijke trouw gezworen. Als hem iets werd gevraagd, zei hij altijd dat hij de overheid of het volk diende, alsof de leiders geen mensen waren, alsof hij een gekozen functionaris was, niet iemand die door hem was uitgezocht. Hij bleef de man die in Cambridge had gestudeerd, met allerlei Engelse manieren, die reed in een Engelse auto en ingewikkelde -ismen uitstraalde. Hij moest de lucht van het bederf nog opsnuiven die elke ware volgeling moest inademen voordat hij werd vertrouwd, aanvaard. Hij had aanleg om te studeren, maar wat had hij afgezien daarvan ooit gedaan om zijn geluk te verdienen? Onder ministers had zich het bericht al verspreid dat hij een geniaal organisator was en een paar generaals hadden het erover gehad om hem te schaken en hem elk minstens een half jaar op hun ministerie neer te zetten. Ze wilden zelfs een munt opgooien of dobbelen om te zien wie hem het eerst zou krijgen. Dobbelen! Generaal Bazooka bezwoer dat hij dat nooit goed zou vinden. Hij wist zeker dat een aantal van die generaals zich tot astrologen had gewend, misschien wel tot de Heilloze Geest zelf, en dat die hun succes hadden beloofd. Maar ze zouden Bat nooit van hem krijgen. Als het daarop aankwam, dan zouden ze hem allemaal kwijtraken. Hij wist dat veel generaals jaloers waren omdat juist het ministerie van Energie pas nog door maarschalk Amin als bijzonder lofwaardig was genoemd vanwege de vooruitgang die het toonde.

Generaal Bazooka had ook nog andere zorgen. Hij werd opgeslokt door de taak om in de gunst van maarschalk Amin te blijven en zo mogelijk nog hoger in de top-vijf te komen. Voor en kort na de staatsgreep was het heel gemakkelijk geweest om uit te vissen wat de maarschalk dacht en wilde. Maar in de loop der jaren, met de groei van de internationale druk en nationale onvrede, was de maarschalk grilliger, argwanender, wispelturiger geworden. Hij had meer macht verleend aan de Eunuchs, de presidentiële lijfwacht, en het was nu veel moeilijker om een afspraak te maken of hem rechtstreeks aan de telefoon te krijgen. In de loop der jaren was het leger presidentiële astrologen, medicijnmannen, waarzeggers, verviervoudigd. Sommige generaals legden de schuld van Amins wispelturigheid bij die mensen, vooral bij hun leider, dr. Ali alias God, Jezus, de Heilloze Geest, de Spreekbuis van de regering, maar generaal Bazooka wist wel beter. De sfeer van onzekerheid vormde een vruchtbare grond waarin astrologie en allerlei hekserij konden gedijen. Hij had geen hekel aan dr. Ali, met zijn enorme macht, zijn Learjet, zijn Armani-pakken, zijn vertrouwelijke omgang met de maarschalk. Hij benijdde hem gewoon, want hij wist hoe Amin over zijn toeren raakte als die man langer wegbleef dan verwacht. Hij schatte dat dr. Ali op twee na de machtigste man van het

land was, ondanks het feit dat hij buitenlander was, buiten
regering en strijdkrachten stond en het land maar tienmaal
per jaar bezocht. Het was moeilijk om die hufter in diskre-
diet te brengen; hij was de enige astroloog die dingen had
voorspeld die waren uitgekomen. Hij was de enige persoon die dag en nacht zonder afspraak de werkkamer van
Amin kon binnenlopen. Hij was ook de enige in het land
die zijn leven zeker was omdat niemand, en Amin al helemaal niet, zo'n machtige astroloog durfde te vermoorden.
Tot overmaat van ramp was de man onkreukbaar. Hij
zwom in het geld, want hij werkte niet alleen voor maarschalk Amin maar ook voor president Moboetoe van Zaïre,
keizer Bokassa van de Centraal-Afrikaanse Republiek en
generaal Bochari van Nigeria. In al de voorbije jaren had
generaal Bazooka eenmaal een seance bij hem gehad,
waarvoor hij zegge en schrijve 10.000 dollar had betaald,
en pas kort geleden had hij gehoord dat de maarschalk de
astroloog had verboden om nog generaals of overheidsfunctionarissen te ontvangen. Dat was een teken dat de
maarschalk nog weer banger was geworden en iedereen
nog meer wantrouwde. Hij kon zich indenken wat de
maarschalk doormaakte. De vermeende en echte pogingen
tot een staatsgreep werden talrijker. Het was haast niet mogelijk ze uit elkaar te houden. Ook de achterklap onder de
generaals was toegenomen. Vrijwel dagelijks schoten er
als paddestoelen allerlei belangengroepjes uit de grond,
die allemaal om aandacht, overwicht vroegen. Alles werd
er niet gemakkelijker op door de wedijver tussen het leger
en de veiligheidsdiensten, vooral het staatsonderzoeksbureau en de openbare-veiligheidsdienst, en de Eunuchs, de
oppermachtige presidentiële garde. Tussen dat explosieve

55

mengsel bevonden zich de zogeheten adviseurs van de president. Het verstandigste was uiteindelijk om niemand te vertrouwen. Als hij de bevoegdheid had bezeten, had generaal Bazooka alle leiders van belangengroepjes afgezet en doodgeschoten, de veiligheidsdiensten samengevoegd en de orde hersteld. Hij had dit zelfs de maarschalk aangeraden, maar die had geweigerd. De verwarring groeide.

Ondanks dit alles wist generaal Bazooka dat het echte kruitvat in huis West-Europa was, met name Groot-Brittannië, en de vs. Die twee landen hadden de hulp aan Oeganda afgekapt. Ze stuurden almaar spionnen of vermeende spionnen, je wist het haast niet meer. Ze stimuleerden de koffiesmokkel via Kenia en ontwrichtten daarmee de economie. Ze moedigden Kenia aan om goederen uit Oeganda de toegang tot de haven van Mombasa te ontzeggen. Ze maakten Oeganda te schande in het buitenland door de maarschalk van verzonnen misdaden te betichten.

De maarschalk was zich steeds meer bewust geworden van de leemte in zijn draagvlak, namelijk het onvermogen om een passend beleid jegens die staten uit te stippelen, en dat verweet hij de generaals. Generaal Bazooka vond die beschuldigingen onbillijk, al voelde hij wel met zijn leider mee. Bij vergaderingen van het kabinet en de defensieraad had de maarschalk de gewoonte aangenomen om in onhebbelijke driftbuien uit te barsten, op tafels te slaan, wapens af te vuren, te vloeken en iedereen voor lui en overbodig uit te maken. Die algemene beschuldigingen deden pijn en verscherpten de verdeeldheid. Generaal Bazooka besefte dat het gedrag van Amin een voorbode was van een daad die hij niet kon voorspellen. Zou de maarschalk nog meer Libische en Saoedische adviseurs aantrekken? Waren er al niet genoeg daarvan? Er was groeiende paniek onder de generaals. Het laatste wat iedereen wilde was nog eens een invloedrijke buitenlander erbij.

Generaal Bazooka vermoedde dat de maarschalk een onbeduidende maar hoog opgeleide zuiderling tot een heel belangrijk ambt ging bevorderen. Hij meende dat de maarschalk treuzelde omdat hij met zijn besluit verlegen was. Dat zou niet voor het eerst zijn. Volgens sommige generaals was het geen zuiderling, maar een zwarte Amerikaan. Hij dacht terug aan Roy Innis en diens beloften om zwarte Amerikaanse deskundigen te sturen op het gebied van geneeskunde, onderwijs, management, techniek. Generaal Bazooka wist niet of hij moest toegeven aan het gevoel van opluchting bij de generaals dat ontstond doordat een zwarte Amerikaanse burger niet moeilijk te manipuleren of tegen te werken zou zijn. Die kreeg een paleis van een huis op een grote heuvel, een stoet Boomerangs, lijfwachten, werd als een vorst behandeld. Het zou niet moeilijk zijn om zijn lijfwachten om te kopen en zo aan inlichtingen te komen. En als hij te lastig werd, konden ze hem altijd laten verdwijnen of in het wrak van een verongelukte auto stoppen. Generaal Bazooka hoopte dat de generaals gelijk hadden, ook al bracht dat scenario niet de oplossing voor zijn probleem dat hij dichter tot de maarschalk wilde doordringen.

De aankomst van de Engelse delegatie, waardoor alles voorgoed zou veranderen, was een middelmatige toestand, even onopvallend bijna als laatst het vertrek van de Learjet van dr. Ali. Generaal Bazooka had er niet eens erg in gehad, als hij niet toevallig minister van Energie en Communicatie was geweest. Hij was bij de ontvangst omdat die gekken, of slangen, zoals de maarschalk ze noemde, beweerden dat ze eersteklas communicatieapparatuur aan de regering konden verkopen zonder de doolhof van het internationale protocol te hoeven doorlopen. Generaal Bazooka had niet zoveel op met het idee, want Copper Motors leverde goed werk bij de invoer van Engelse goederen, wettig of onwettig. Waarom zouden ze er dan nog een club uit hetzelfde land bij halen? En als het erom ging dat die nieuwe slangen onder de prijs van dat oude stel gingen zitten, dan konden ze Copper toch gewoon onder druk zetten om de prijzen te verlagen? Als die nieuwkomers Duitsers of Canadezen waren geweest, dan had er nog wat in gezeten: spreiding. De generaal rook een persoonlijke vendetta. Waarschijnlijk had iemand bij Copper iets gedaan wat de maarschalk niet beviel.

De delegatie bevestigde zijn ergste vrees: de aanblik was allesbehalve indrukwekkend. Iemand die miljoenendeals ging sluiten moest zich stijlvol kleden. Een beetje klasse uitstralen. Zo niet dit stel. Ze verschenen in zwaar gekreukte pakken en op afgetrapte suède schoenen. Hij merkte op dat de oudste, een man van in de vijftig, niet eens de moeite had genomen een stropdas om te doen. Hij kon er niet bij dat de maarschalk had toegestemd om mensen in die staat van verval te ontmoeten. Hij werd woedend omdat die oude slang tegen de maarschalk praatte alsof ze dikke vrienden waren. Hij stak steeds zijn grote handen in zijn zakken, streek slierten onzichtbaar haar op zijn hoofd naar achteren en schudde van het lachen. Op een gegeven moment leek het wel of hij de maarschalk op de arm ging kloppen of zijn vinger in diens buik zou steken. Van een

58

bevriende adjudant van de maarschalk wist generaal Bazooka dat het onverzorgde stel twee dagen daarvoor was
aangekomen en had gelogeerd op het buiten van de president in Nakasero. Hij rook lont. De maarschalk was niet iemand die snel vrienden maakte, behalve in een paar uit-
zonderingsgevallen. Generaal Bazooka kreeg het vermoeden dat de Heilloze Geest misschien wel iets met dat stel te
maken had, die had misschien voortekenen geraadpleegd
en de maarschalk aangeraden ze te ontvangen. En zo te
zien was het misschien wel liefde op het eerste gezicht geweest. Hij wist nog dat hij zelf in de jaren zestig ook zo'n
indruk op de maarschalk had gemaakt. Hij had gehoord dat
hetzelfde gold voor de Heilloze Geest. Deze blanke slang
had het misschien ook wel zo getroffen. Hij voelde opeens
een aanval van angst en een enorme dreun van jaloezie.

Maar de ontvangst bleek net zo'n rommeltje als de haren
op het hoofd van die ouwe. Hij kreeg geen enkele kans op
een fatsoenlijk gesprek met dat groepje, en wilde dat ook
helemaal niet. Hij zou de bijzonderheden wel aan Bat
overlaten, als het zover kwam. Hij hoopte dat de delegatie
geen succes zou hebben. Om de tijd te doden dronk hij iets,
praatte met een enkele collega, en was opgelucht toen de
maarschalk om stilte vroeg en een onbeholpen toespraakje
hield. Het enige vermeldenswaardige was een cocktailpar-
ty twee dagen later, waarvoor hij iedereen uitnodigde. Die
zou worden gehouden in Paradise Villas, een buiten van de
president aan de oever van het Victoriameer. Hij wist dat er
groot nieuws ophanden was want die plek werd door Amin
uitsluitend voor bijzondere gelegenheden gebruikt. Later
hoorde hij dat er ook ambassadeurs en andere hoogwaardigheidsbekleders waren uitgenodigd. De dag erna hoorde

59

hij van een spion bij het ministerie van Buitenlandse Zaken dat de delegatie naar huis was vertrokken.

Op de grote dag gaven zo'n honderd hoogwaardigheidsbekleders acte de présence. De West-Afrikanen vielen op
door hun kleurrijke stijlvolle kledij. De rest was in smo-
king, safaripak of japon. Er hing een sfeer van grote welstand. Elke haar leek op zijn plaats te zitten, elke schoen
was glimmend gepoetst. Zware horloges blonken in de zon
aan harige polsen, de sieraden van vrouwen fonkelden,
knipoogden. Een onderstroom van duur parfum dreef diplomatiek door de lucht, vergezeld van chic getemperd gelach. Generaal Bazooka was trots dat hij zich tussen deze
mensen bevond. Op zulke momenten waren de inspanningen om·aan de macht te blijven de moeite waard. Met een
lachje keek hij op zijn Oris Autocrat. Die deed hem denken
aan de weg die hij had afgelegd om hier te komen. Vandaag was een bijzondere gelegenheid en had zijn moeder
toegestemd om met hem mee te gaan. Normaal hield zij
zich verre van overheidsgelegenheden. Ze wilde op haar
oude dag alleen nog maar een rustig en voldaan leven leiden. Ze was dankbaar voor de welstand die haar en haar
zoon ten deel was gevallen. Ze had van de generaal een
zaak gekregen in Jinja. Ze importeerde en verkocht visnetten en het geld stroomde binnen. Ook had hij voor haar een
villa gebouwd in Aroea. Die werd voor haar verzorgd door
haar familie. Eens per maand ging hij bij haar op bezoek en
dan maakte ze zijn lievelingskost, gierstbrood met vis, en
haalden ze herinneringen op, lachten en genoten van hun
voorspoed. Soms nam hij de kinderen mee, want hij wilde
dat die een hechte band met hun oma hadden. Ze vroeg
nooit naar zijn werk. Hij vertelde haar wel eens hoe het

toeging in de wandelgangen van de macht, maar ze hengelde nooit naar bijzonderheden, geruchten. Het enige dat ze betreurde was dat haar man niet meer de glorie van zijn zoon had mogen meemaken. Die was aan alcoholvergiftiging ten prooi gevallen. Ze woonde nu samen met een andere man, die er door de generaal van werd beschuldigd dat hij haar uitbuitte. Ze keek haar zoon aan en ze lachten allebei. Ze was trots dat ze was uitgenodigd. Er waren tal van generaals met hun vrouwen die haar taal spraken. Ze bewonderde die goed geklede vrouwen. Door hen bedacht ze hoe ze er zelf zou hebben uitgezien als zij zo'n voorspoedig begin had gehad. Maar dat maakte niet uit, ze aten nu allemaal van dezelfde tafel. Zo te zien kon haar zoon alleen nog maar hoger stijgen. Zijn ministerie was een van de meest succesvolle. De strijd tegen smokkelaars verliep goed. De Russen hadden beloofd hem nog tien speedboten erbij te geven, wat de taak om die luizen uit het meer te kammen zou verlichten. Hij had haar uitgenodigd omdat hij van een adjudant van de president had gehoord dat de maarschalk elk moment een aantal hoge officieren kon bevorderen. Haar zoon werd sterrengeneraal. Dat was een plechtigheid die ze voor geen goud wilde missen. Sterrengeneraal voor zijn veertigste! Wat moest hij de rest van zijn leven nog?

De dag had niet mooier gekund. Het was fabelachtig weer, te mooi om waar te zijn. In de verte glinsterde het meer. Het verkleurde van blauw tot grijs tot groen, alsof er boven iemand aan de knoppen zat. Er was een roeiwedstrijd, een schouwspel van coördinatie, timing, precisie. Volksdansers huppelden en wiegden op de muziek. Vlugge korte toespraakjes joegen elkaar op alsof iedereen haastig naar het verpletterende hoogtepunt wilde. Uitgedost in een smetteloos legeruniform betrad maarschalk Amin het podium. Hij stak een tirade af tegen het racistische Zuid-Afrikaanse bewind, de Amerikanen, de Engelsen, de Israëliërs. Op het thuisfront kreeg de legertop ervan langs wegens inefficiency, zelfvoldaanheid, corruptie. Hij verkondigde dat hij een wondermiddel voor die kwalen had gevonden. Achter de baldakijn vandaan kwam Robert Ashes te voorschijn. Op een teken van Amin begonnen de hoogwaardigheidsbekleders te klappen. Ashes was naar de kapper geweest en de verwilderde haren rond de oren en op zijn achterhoofd stonden nu in het gelid. Hij droeg een keurig pak met glimmende schoenen en een rode das. Hij liep met de zelfverzekerde houding van een man die gereed is om in actie te komen. Amin verklaarde dat hij Ashes met onmiddellijke ingang de leiding had gegeven van de antismokkeldienst. Hij omarmde hem. Ashes grijnsde. Ze lieten elkaar weer los en Amin keek heel zelfvoldaan.

Generaal Bazooka kon zijn ogen en oren haast niet geloven. Hij wist niet of hij moest schreeuwen of beschaamd zijn hoofd laten hangen. Er kwam een stille woede over hem. Zijn onderlip trilde. Hij wilde die blanke ter plekke vermoorden. Hoe kon de maarschalk hem dit aandoen? Zonder ook maar enige waarschuwing! Waar zijn moeder bij was! Zijn thuisbasis, zijn mooie eilanden, op een presenteerblad overhandigd aan die slang! En ook heel Jinja, de noordwestoever, zijn watervallen en krokodillen!

Maarschalk Amin kwam op hem en zijn moeder af, stelde Ashes voor en gaf Bazooka opdracht zijn opvolger wegwijs te maken. Bazooka gruwde van de grijns van die blanke, zijn tanden, alles aan hem. Hij was niet van plan om ook maar in zijn buurt te komen, of het moest zijn om hem te vermoorden, want dat was hij wel van plan. Hij wilde Ashes' tong, ogen en penis in een pot. De laatste keer dat hij een man zijn penis had laten roken was in 1971 geweest. Om de stad, de streek tot rust te brengen. Drie jaar later zou Ashes de tweede worden. Om bevriende generaals tot rust te brengen. Om het meer en zijn mooie eilanden terug te krijgen.

'Je bent nog altijd minister,' zei zijn moeder. 'Maak je niet druk. Zie de zonzijde. Nu heb je tijd om je te richten op het ministerie, je gezin, andere plichten.'

Hij was te kwaad om antwoord te geven.

Robert Ashes kwam oorspronkelijk uit het industriegebied van Noordoost-Engeland en was geboren in Newcastle. Zijn vader was een ontevreden fabrikant, zijn moeder een lieve zachtaardige huisvrouw. Zijn vader was in alles de baas, behalve over zijn drankgedrag en zijn humeur. Iedereen noemde hem de weerman, de man van donder en bliksem. Op de fabriek leek altijd wat aan de hand: stakingen, niet gehaalde productie, liquide problemen, minder opdrachten. Zijn huis was niet meer dan een verlengstuk van zijn kantoor. De manieren waarmee hij aan de top was gekomen hield hij er daar ook op na. Er was geen ruimte om adem te halen. Later hoorde Ashes dat zijn vader niet zijn biologische vader was en dat de weerman teleurgesteld was dat zijn eigen lijf geen zoon had weten voort te brengen. Toen had Ashes toch al besloten weg te gaan. Hij was niet van plan om te gaan werken in fabrieken, mijnen of havens. Hij verlangde naar vrijheid, avontuur, niet naar bulderende bazen en engtevrees. Voordat hij wegging besloot hij zijn ouders uit hun lijden te helpen. Het huis ging op in heel mooie vlammen. Zijn ouders raakten gewond maar bleven wel leven. Hij liftte naar Londen voordat er iemand vragen ging stellen.

Er hing oorlog in de lucht. De mensen hadden de naam van Hitler op de lippen. Ashes raakte op drift en werd ten slotte koerier in de onderwereld. Drank, verdovende middelen, zwart geld. Hij liet zich in met beroving, afpersing, brandstichting, georganiseerde misdaad. Op zijn negentiende nam hij dienst. Hij werd beloond met een behoorlijke legeropleiding, discipline, een brede kennis van wapens. Verder was hij snugger en niet bang uitgevallen, zodat hij een uitstekende soldaat was. Hij werd naar Noord-Afrika gestuurd. Hij vocht tegen de restanten van de Duitse strijdkrachten. Afrika was een openbaring. De ruimte. De luchten. Het zand. De kansen. Later werd hij overgeplaatst naar Oost-Afrika en in Kenia gelegerd. De kust was een droom, een plek om van te watertanden die deed denken aan de escapades van hedonistische gangsters. De Keniaanse hooglanden, de bergketens: een visioen van grootsheid. Voor het eerst van zijn leven dacht hij dat er wel eens een God zou kunnen zijn. Hij wist dat hij op een dag terug zou keren. Met het geld en de vrijheid om van dit alles te genieten. Hij ging zich gaandeweg vervelen doordat er niet werd gevochten. Hij wilde nog altijd in actie komen om meer ervaring op te doen. Hij was geen stom rund. Hij wilde de krijgsmacht verlaten als een geoefend strijder, als een eenmansleger.

Terug in Engeland vroeg hij ontslag. De oorlog was afgelopen. Hij stortte zich fanatiek op de bouw en vergaarde een vermogen met afpersing en ontvoering. Mettertijd werd dat te voorspelbaar, te gemakkelijk, had het iets van zijn vaders verleden van snauwen en grauwen. Hij wilde graag terug naar Afrika. Hij speelde met het idee piraat te worden. Een vriend wees hem op het bestaan van huursoldaten. Hij kon zich verhuren aan de hoogste bieder als legerinstructeur voor nieuwe terroristische groeperingen of guerrillabewegingen. Hij nam dienst in de strijd tegen de Mau Mau in het naoorlogse Kenia. Dat was een kolfje naar zijn hand, de jager en de prooi, de vage grenzen tussen goed en kwaad. Die bange blanken en opgewonden zwarten gaven hem een kick. Hij was gek op de verhoren. Hij trok tanden, nagels, spleet knieschijven. Hij kreeg de naam 'De engelbewaarder'. Voor hem hadden beide partijen gelijk, en daardoor werd het leuk. Hij had stiekem bewondering voor het koppige verzet van de Mau Mau. Als hij zulke mooie bergen te verdedigen had, dacht hij telkens, had hij net zo gedaan. Kwestie van territoriumdrift. Het rare was dat hij nu harder werkte dan in de oorlog. In het heetst van de strijd leek die wereldoorlog heel ver weg. Hij vroeg zich zelfs af waar die over was gegaan. De kampen? Totalitarisme? Democratie? Geld?

Geld, ja. De strijd tegen de Mau Mau was leuk, maar er was weinig mee te verdienen. Hij was inmiddels voor een deel bedorven. Hij verlangde duizenden, honderdduizenden. Hij wilde weg. Die zwarten en die blanken moesten maar hun eigen moeilijkheden oplossen. Rond die tijd bood een officier van de Engelse geheime dienst hem de kans om spion te worden. Hij kon naar Rhodesië, Namibië, Zuid-Afrika. Het zuiden van Afrika lonkte vanwege zijn diamanten en goud. Een paar deals en dan was hij binnen. Eind jaren zestig zat hij in Zuid-Afrika, begin jaren zeven-

tig in Rhodesië. Er werd stevig gevochten. De diamant-
handel was legendarisch. De heilige drie-eenheid van gevaar, dood en geld was nog altijd even verleidelijk. Hij
nam de tijd en sloeg één grote slag. Na een jaar voorbereiding en een monsterlijke schietpartij legde hij de hand op
een kilo ongeslepen diamanten. Hij kreeg een kogel in zijn
been. Hij sloop weg, hinkte langs lijken en dwaalde vier
dagen in ijlende toestand rond. Op een gegeven moment
bezwoer hij zelfs nooit meer het avontuur op te zoeken. Hij
werd opgepikt door een blanke boer op een tractor. Later
werd hij naar Zuid-Afrika gevlogen. Dit keer werd hij verliefd op Kaapstad, de pracht, de geschiedenis, de wijn. Een
jaar later vloog hij naar Londen.

In Londen hoorde hij van Amin – een echt beest. Hij
ging krantenknipsels over hem verzamelen. In de biblio-
theek zocht hij nog meer informatie op over Amin en Oeganda. Hij las de verslagen van Winston Churchill en bestudeerde zelfs Speke, Burton, Baker en Stanley. Zijn vast-
beslotenheid om niet meer het avontuur na te jagen begon
te tanen. Hij verlangde nu naar een enorme slag, een laatste
klapper. Daar leek Oeganda een heel goede plek voor.
Maar zijn ontluikende plannen werden bedorven door de
massale uitwijzing van buitenlanders in 1972. Hij ging
naar het vliegveld en de vluchtelingenkampen, op zoek
naar ooggetuigenverslagen van de gebeurtenissen in Oeganda. Hij raakte ervan overtuigd dat hij de leeuwentem-
mer zou worden, de man die Amin zou bedwingen. Hij had
alleen een plan nodig. Verdwaasd zwierf hij door de straten
van Londen. Hij probeerde de Engelse ambassade. Die
hadden hem niet nodig. Hij probeerde vijf missiegenoot-
schappen, katholieke en anglicaanse. Hij werd afgewezen.

Hij raakte ontmoedigd, kreeg een knagend gevoel van overbodigheid. Kapers, terroristen, Koude-Oorloghitsers zaten allemaal hoog te paard. Maar aan hem ging het leven voorbij en hij werd er niet jonger op.

De IRA bood hem een gouden kans. Die bombardeerde het Grand Empire-hotel, doodde leden van de regerende Conservatieve Partij, verminkte anderen, bracht vreselijke schade aan bebouwing toe. Bekend werd dat Herbert Williams, het meesterbrein, naar Afrika was ontkomen. Menigeen geloofde dat hij zich schuilhield in Oeganda, omdat Amin flirtte met de IRA, *Black September* en andere nationalistische organisaties. Hij kreeg hulp van de officier van de geheime dienst die hem naar Rhodesië had gestuurd. Die zocht iemand van zijn leeftijd die levensmoe genoeg was om naar Oeganda te willen gaan en de geruchten over Williams na te trekken. Ashes tekende onmiddellijk. Algauw was hij lid van de nep-delegatie uit het Engelse bedrijfsleven.

Het was liefde op het eerste gezicht tussen hem en maarschalk Amin. Een maand eerder had dr. Ali in de levers van tien witte stieren de voortekenen gelezen en de maarschalk een redder uit het buitenland beloofd. Zodra de delegatie aankwam wist Amin dat dr. Ali zoals gewoonlijk gelijk had gehad. Het bleek ook een ontmoeting van verwante geesten te zijn. Amin had steun nodig, want zijn vrienden dunden uit en zijn achterdocht zwol als een kathedraal. Ashes kreeg de antismokkeldienst vanwege zijn botenkennis. Hij raadde Amin aan een marine op te bouwen. Ze praatten over wapens, whisky, muziek. Na verloop van tijd scherpte hij Amins achterdocht. Vertelde hem welke generaal te degraderen of als ambassadeur naar het buitenland te sturen of aan het hoofd van een verzonnen couppoging te plaatsen. Hij trouwde met een zwarte vrouw en vestigde zich.

Victoria wachtte twee maanden voordat ze het nieuws vertelde: het wonder was geschied, ze was zwanger. Het was zondagmiddag en ze liepen zij aan zij langs het meer. De zon scheen stralend. Ze pakte Bat bij de hand, keek hem in de ogen en vertelde hem het nieuws. Hij keek als iemand die uit een slaap vol dromen was gewekt. Zijn gezicht vormde een vraagteken en ontspande zich toen tot een neutrale uitdrukking, niet blij en niet droevig.

'Zwanger!'

'Twee maanden zwanger.'

'En dat vertel je me nu pas?'

'Ik wou het eerst zeker weten.'

'Wat wil je ermee doen?'

'Het houden, natuurlijk.'

'Laat het weghalen.'

'Ik wil het kind houden.'

'De toestand is te link. Elke dag komen er mensen om. Kan je de veiligheid van dat kind garanderen?'

'Je praat als een wiskundige. Er bestaan geen garanties in het leven.'

'Ik wil de risico's beperken.'

'Ik wil dat kind krijgen.'

'Het zou het beste voor je zijn als je weer naar je huis ging. Ik zal je steunen.'

'Ik wil hier bij jou blijven. Ik heb geen familie.'

'Je hebt vrienden. Je kan ook hulp nemen.'

'Dat is niet hetzelfde. Ik wil bij jou zijn, voor je koken.'

'Ik heb al een kokkin. Ik heb alleen maar ruimte nodig

68

om me op mijn werk te concentreren. Als je per se wil blijven, nou ja, het is een groot huis. Je gaat je dood vervelen. Als je besluit om weg te gaan, laat het me dan weten.'

Het klonk niet bepaald romantisch, maar ze wilde een voet tussen de deur houden. Sommige dromen moeten een handje geholpen worden. 'Dat is best. Ik wil blijven en Gods gave met je delen.'

Een week later kreeg Bat het bericht dat de broer van de professor dood was gevonden in de buurt van zijn huis. Hij reed naar het huis van de professor, gelegen tegen de heuvel van de Makerere-universiteit. De tocht riep een aantal herinneringen op, zijn studietijd, de politieke toestand na de onafhankelijkheid. Bij de beschieting van het paleis van de koning was hij op de heuvel geweest. Het was het langste en meest angstaanjagende bombardement dat hij ooit had gehoord. Op een gegeven moment dacht hij dat de hele stad was platgegooid.

Hij parkeerde voor het huis van de professor, haalde diep adem en stapte uit de auto. Zijn vriend kwam hem tegemoet, met rood betraande ogen. Toen hij hem omarmde, voelde hij de armen van de professor trillen. Ze gingen op de veranda zitten en keken in de verte.

'Als het zo doorgaat, denk ik er ernstig over om te emigreren. Wat is dit voor een land waar mensen zomaar vermoord worden? Jongens van het staatsonderzoeksbureau zagen hem naar huis lopen, beschuldigden hem van steun aan dissidenten, pakten zijn horloge en zijn geld af en toen hij zich verzette hebben ze hem vermoord. Op klaarlichte dag!' zei de professor, wiens woede hem bijna te veel werd.

69

Bat vond het moeilijk om met een reactie te komen. 'Het is heel erg. Ik wou maar dat ik wat kon doen. Ik zou je echt niets verwijten als je besloot om naar het buitenland te gaan. Dit land is een slangenkuil geworden. Het is een schande dat we maar niet weten hoe we van die adders af moeten komen.'

'Ik heb mijn dierbaarste bezit verloren: het plezier in mijn werk,' zei de professor, en schudde zijn hoofd als een natte zebra. 'Ik denk vaak dat veel van mijn studenten lid van het Bureau zijn, bereid om mijn woorden te verdraaien en me te laten vermoorden.'

'Misschien moet je inderdaad het land uit,' zei Bat, benieuwd hoe het zijn vriend in het buitenland zou vergaan. Inburgeren, werk vinden, een evenwicht zoeken tussen zijn nieuwe en zijn oude rol.

'Ik heb erover gedacht om in Kenia of Zambia te gaan doceren. Daar heb ik collega's. Als jij en Kalanda en zijn vrouw er niet waren, was ik al weg geweest. Maar eigenlijk wil ik niet. Ik denk telkens dat het wel weer beter zal worden.'

'Ik kan je helaas niet helpen beslissen,' gaf Bat toe, 'maar wat je ook besluit, ik sta achter je.'

'Na de begrafenis zal ik erover nadenken.'

Op de dag dat de man werd begraven, nam Bat 's middags vrij. In de auto verdiepte hij zich in de krant van die dag. Die las als de agenda van Amin. De dag ervoor had hij kennisgemaakt met de nieuwe Libische ambassadeur, een ziekenhuis bezocht en snoep uitgedeeld aan kinderen die ledematen misten en ook een toespraak gehouden bij een diploma-uitreiking aan politiecadetten. De rest van de

krant stond vol advertenties van astrologen. Hij gooide de
krant weg en startte de auto. Hij dacht terug aan de Learjet
op het vliegveld en vroeg zich af wie dr. Ali was. Hij kwam
vaak bij overheidsgelegenheden maar hij had de man nog
nooit ontmoet. Toen hij de weg naar Jinja insloeg, bedacht
hij dat dr. Ali een heel slimme man moest zijn. Hij profi-
teerde van het bewind zonder zijn gezicht te laten zien,
zo'n man die zonder herkend te worden over straat kon.
Duizend dollar per consult was niet gek. Geen wonder dat
zijn volgelingen hem God noemden. Als er iemand was die
Amin kon vermoorden en het land van die plaag af kon
helpen, bedacht hij, was het deze geheimzinnige man.

Bij het begin van het Mabira-woud liepen Bat de rillingen over de rug. De dichtheid en de hoogte van de bomen,
de mogelijkheden tot beroving, autokaping. Het gerucht
ging dat soldaten ergens diep in het bos lijken dumpten.
Hij zette zijn voet op het gas en de adrenaline pompte.
Vele kilometers later klaarde de lucht op en slaakte hij een
zucht van verlichting.

De overledene was aannemer. Zijn huis was een kloek
bouwwerk van baksteen met een rood dak. Het wemelde er
van de begrafenisgangers. Bat werd altijd zenuwachtig
van begrafenissen. Tussen het lijk en het rauwe verdriet
van de nabestaanden voelde hij zich overbodig, een indringer. Woorden van troost voelden zo gewichtloos, zo afgezaagd. Elke keer kwam je voor het feit te staan dat mensen
nooit wenden aan een gewelddadige dood: die was altijd
een schok, en de klaagzangen waren doortrokken van oprecht verdriet. Zijn eigen toestand werd nu gecompliceerd
doordat hij een kind verwachtte. Daarmee werd de binnen-
dringing van de dood in zijn leven aangrijpender. Tot nu

toe was het hij tegen de wereld. Het had zelfs wel een eer geleken om bij zijn werk de dood te vinden. Maar nu voelde hij zich verantwoordelijk voor het kind. Dat moest hij beschermen, verzorgen. Wat hem het meest dwarszat was dat niemand tegenwoordig nog met enige zekerheid beschermd kon worden.

Onder de begrafenisgangers werd gezegd dat er achter de moord een zakelijk motief school. Dat de overledene de moordenaars was aangewezen door een concurrent. Er klonk de roep van oog om oog. De professor hield zich wijselijk buiten die ophef.

De overledene lag in de zitkamer en zijn kaak was opgebonden met een witte doek, terwijl zijn neusgaten waren dichtgepropt met watten. Toen hij de weeskinderen zag vroeg Bat zich af welke wijze woorden een ouder tegenwoordig nog aan een kind te bieden had. Keer je andere wang toe? Wees braaf terwijl boeven hun gang maar gaan? Gebruik je verstand terwijl verstandigheid met straf beloond wordt? De erfenis voor de volgende generatie leek hem een van de moeilijkste dingen die zijn generatie moest zien voort te brengen. Hij had de indruk dat langs iedereen de kwade wind was gestreken, en dat de kilte daarvan zou doorwerken op de volgende generatie. Misschien nog wel verder. Wat voor uitwerking zou een generatie van passieve ouders en verwarde kinderen op de toekomst hebben?

De begrafenisplechtigheid duurde wel een uur. De aandacht van Bat dwaalde gaandeweg af toen hij een jonge vrouw zag die hem al eerder was opgevallen. Toen hij haar voor het eerst zag, leek ze op iemand te wachten. Misschien wel op hem. Waarom hij dat dacht, kon hij niet zeggen. Ze droeg een rok en een blouse en platte schoenen. Ze was welgevormd en had zachte trekken, een open gezicht. Ze leek precies het tegendeel van hem, maar ze gaf hem wel een bepaald gevoel. Hij stuurde iemand naar haar toe. Waarom keek ze verbaasd? Ze keek stijfjes zijn kant op, alsof ze naar iets verbodens gluurde. Uiteindelijk kwam ze. Hij stond tegen zijn auto geleund, met zijn armen op zijn borst. Het deed hem genoegen dat ze een warme stem had en heel aandachtig was. Ze luisterde nauwlettend, alsof ze op zoek was naar fouten, leugens, tegenstrijdigheden in een beëdigde verklaring. Algauw ging het regenen. Hij zocht beschutting in de auto en zag haar doornat worden, in dubio of ze zich bij hem zou voegen of ergens anders zou gaan schuilen. Ze ging achterin zitten en hij bekeek haar in zijn binnenspiegel. Ze heette Babit. Ze zei dat ze twee broers en drie zusters had, en kraakte nerveus met haar knokkels. Bij het horen van haar stem droomde hij ervan haar met zich mee te nemen. Wilde hij jaar in jaar uit diezelfde stem horen? Waarschijnlijk wel. Datzelfde gezicht zien, naast datzelfde lichaam liggen? Waarschijnlijk wel. Hoe lang zou dat duren? Waarschijnlijk heel lang. Wie zou het als eerste opgeven? Waarschijnlijk hij. Zouden de goede herinneringen ten slotte zwaarder wegen dan de slechte? Hoe zou ze hem bijblijven? Als een schim, een vage zintuiglijke waarneming? Een beminnelijk geheel? Een stem? Of gewoon als de opvolgster van Victoria? Hoe zou hij haar bijblijven?

Victoria had haar banden met generaal Bazooka verbroken. Ze bracht geen verslag meer aan hem uit, ten dele omdat er niets te melden viel, ten dele omdat ze wist dat hij Bat als het hem ernst was natuurlijk nog door meer spion-

73

nen liet schaduwen. Ze was te verdiept in de wereld van zwangerschap, moederschap, de toekomst, om goed in de gaten te houden wat Bat of wie dan ook deed. Ze was verzot op het gevoel van vrijheid dat ze had. 's Ochtends werd ze wakker met de dag voor zichzelf en dan gaf ze zich over aan mooie fantasieën. Dit was de beste tijd van haar leven. God had haar gebeden verhoord en leek haar te hebben vergeven. Toen het kind eenmaal kwam, voelde ze zich verjongd, gelouterd, in de pas met de levenden.

De geboorte van zijn dochter greep Bat aan op een wijze die hij niet had verwacht. Hij had een jongen gewild, maar als hij zijn dochter zo zag liggen, met haar dikke knuistjes, ontbrandde er iets in hem. Een meisje zou onmiskenbaar meer werk betekenen voor Victoria, als rolmodel en zo. Dat leek een kwestie van gerechtigheid. Tot zijn verrassing kreeg hij met het begrip onschuld te maken. Dat kind leek zo hulpeloos, zo'n speelbal van de krachten om zich heen. Even zag hij haar als een oase van zuiverheid in een woestijn van waanzin. Een scheidslijn tussen dat wat misgelopen was en hoe het ook had kunnen gaan. Daarna was hij verdrietig. Hoe moest hij haar belangen beschermen? Hij voelde zich te kijk staan. Met zijn karakter. Zijn beperkingen. Hij voelde zich niet opgewassen tegen de gekken die als bezetenen met vuurwapens zwaaiden. Hij was nu verwikkeld in het eeuwige verhaal van de fakkel die werd doorgegeven. Hij voelde zich gespeend van wijsheid, kennis om over te brengen. Hij was van zijn voetstuk van onafhankelijkheid en verheven afstandelijkheid gevallen. Hij was nu net als de landgenoten die hij had proberen te ontvluchten afhankelijk van onbeheersbare krachten, maakte fouten, schaadde anderen doordat hij te zwak was om nee te zeggen. Was hij ten dele teruggekomen op zoek naar verbondenheid, hoe indirect ook, met het volk, het land? Of wat dan? Hij voelde de tedere emoties die de meeste ouders voelden, maar wat zou hij daar naderhand mee doen? Hij hield de baby in zijn armen. Ze worstelde, kwam daarna tot bedaren. Zijn zegen, zijn vloek. In haar zoekende ogen had ze iets zachts, het vermogen om hem te bekoren en te sussen. Ze was zijn antidepressivum.

Telkens als Victoria Bat met het kind in zijn armen zag, nam haar liefde voor hem met een veelvoud toe en zwol en bonkte in haar borst. Hij leek het zich zo niet bewust wat hij had gedaan, de droogte die hij had beëindigd, het leed dat hij had verlicht. Op zulke ogenblikken wilde ze zich aan hem overleveren, open kaart spelen, het kwalijke verleden opbiechten, alles uitleggen. Maar het risico was te groot. Ze zou misschien zijn afkeer wekken. Misschien wilde hij haar wel nooit meer zien. Op zo'n moment werd haar blijdschap bedreigd door het gewicht van haar geheimen en sloeg bij haar de twijfel toe.

Ze voelde zich gezegend omdat de ouders van Bat verheugd waren toen ze het kind zagen. Vooral zijn vader was een steun. Maar zijn moeder wilde met iemand uit haar familie kennismaken. Bats broer toonde zich niet erg enthousiast. Ze wist niet waarom ze bang voor hem was. Was hij te zwijgzaam voor een man? Hij leek een man die op een berg geheimen zat. Hij leek alles te weten van iedereen, haar inbegrepen, en met zijn verheven kennis verveelde hij zich bij iedereen. Toen het kind werd gedoopt kreeg het van hem een paar witte schoenen en daarna gaf hij Victoria een rode bijbel. Ze was geschokt: wat bedoelde hij? Was het een waarschuwing? De legitimatiebewijzen van

het staatsonderzoeksbureau waren rood; wilde hij haar
zeggen dat hij haar geheim kende? Ze maakte tegen Bat de
opmerking dat hij een geheimzinnige broer had.

'Hij houdt te veel van auto's.'

'Jij ook.'

'Hij is er bezeten van. Daar kan ik ook best inkomen.
Machines zijn meegaand, zolang je aardig voor ze bent.'

'Is hij daarom zo onbereikbaar?'

'Misschien wel, misschien ook niet,' zei Bat, en keek
Victoria even aan. 'Maar ja, kijk nou in wat voor staat dit
land verkeert. Wat voor houvast heeft zo'n jongen nou?
Familie? Als er mensen worden vermoord en soldaten een
vader kunnen dwingen om voor hun ogen met zijn dochter
te paren? Godsdienst? Als God passief is en het enige
groeiende geloof de astrologie is? Onderwijs? Als ontwikkelde mensen de vijand zijn? Ik begrijp wel wat hij door-
maakt.'

'Ja,' zei Victoria vaag.

'Vond je zijn vuurwerk mooi?'

'Hoe komt hij aan een vergunning?'

'Misschien wel door de goede diensten van een bevriende generaal. Militairen houden van spektakel en die jongen
is geniaal.'

'Hij is goed,' zei Victoria zorgelijk. Ze had het vermoeden dat hij lid was van de openbare-veiligheidsdienst. Ze
had naar zijn dossier gezocht op het hoofdkwartier van het
Bureau, maar tevergeefs. Dat kon natuurlijk een aantal
dingen betekenen. Misschien stond hij bekend onder andere namen. Misschien was zijn dossier zoekgeraakt in de
riolen van de Bureau-inventaris. Naar ze uit alle macht
hoopte was hij niet bij de openbare-veiligheidsdienst, de

aartsvijand van het Bureau, want dan was het eenvoudiger om hem te vermoorden als hij haar ontmaskerde. Ze hoopte niet dat hij iets stoms zou doen. Ze wilde niet dat haar eerherstel werd vertraagd.

Na verloop van tijd kreeg Victoria te horen dat Bat verliefd was op een andere vrouw. Ze vroeg twee collega's bij het Bureau om haar aan een foto van dat mens te helpen. Het ouderlijk huis van Babit werd doorzocht: ze sneden banken open, rukten kleden van de vloer, scheurden beddengoed aan flarden, gooiden koffiebalen leeg. Ze namen Babits bescheiden fotoverzameling mee. Het zou nog erger zijn geweest, maar Victoria had de mannen opgedragen om verder niets mee te nemen en de mensen geen kwaad te doen. En om zeker te weten dat haar opdrachten werden uitgevoerd, had ze hen vooruit betaald. Het had haar wat moeite gekost, maar zo hoorde volgens haar iemand te handelen die naar eerherstel streefde en een droom najaagde.

Toen de foto's kwamen, waren die fnuikend voor haar ego. Qua uiterlijk kon Babit niet aan haar tippen. Ze was jonger, maar miste de lengte, de statigheid. Het was haar een raadsel dat een dynamische, rijke man als Bat zich aangetrokken kon voelen tot dat slome mens op die foto's. Hoe kon dat mens haar man van haar afnemen? Hoe durfde ze? Een overvloed van valse ideeën ging haar door het hoofd. Ze wilde Bat kwaad doen. Ze wilde die vrouw kwaad doen. Ze wilde zichzelf kwaad doen. Ze werd bang dat haar leven met haar eerherstel ook weer niet zozeer was veranderd. De oude gewoonten lonkten, verleidelijk in hun bondige doelmatigheid.

Ze ging naar de kinderkamer en tilde de baby op. Die sliep, zonder erg te hebben in het noodweer waarin het schip verzeild raakte. Ze voelde dat ze werd doorstroomd door liefde. Ze werd nog feller door de hulpeloosheid van het kind. Om haar belangen te verdedigen vond ze alles geoorloofd. Ze had gezworen na de bevalling nooit meer in de slangenkuil terug te vallen, maar nu wist ze het niet meer. Ze was teleurgesteld in zichzelf en in de wereld. Ze leek te worden teruggedreven naar dingen die ze ontvluchten wilde. Bat had gezegd dat hij niet verliefd was. Ontnam dat haar het recht om zielsverliefd op hem te zijn? Ze had toch ook van de generaal gehouden hoewel hij getrouwd was en meisjes bleef oppikken? Ze was misschien alleen verliefd geweest op de macht van de generaal over leven en dood? Bat had die macht niet, zij was degene met de vinger aan de trekker. Ze kon hem heel gemakkelijk vernietigen, en die vrouw ook, en hun beider families.

Toen Bat die avond om elf uur thuiskwam, barstte haar woede los. 'Waar zat je?' vroeg ze nog voor ze hem gedag had gezegd.

'Op mijn werk,' zei hij en keek haar aan, verbaasd dat ze het lef had om tegen hem te schreeuwen.

'Waar ben je na je werk geweest?'

'Dat gaat je niet aan. Als ik wil dat er iemand mijn gangen nagaat, klop ik wel aan bij het Bureau en de openbare-veiligheidsdienst.' Hij vroeg zich af waarom hij de moeite nam zich nader te verklaren. Dit was toch zijn huis?

'Het gaat me wel aan. Ik ben je vrouw. Ik heb een kind van je. Ik hou van je.'

'Bij mijn weten zijn we nooit getrouwd. Zo ja, dan moet ik misschien wel echtscheiding aanvragen. Hoewel, echt-

scheiding is niet nodig in dit land. Ik vraag de vrouw gewoon om weg te gaan. Ik hou van mijn dochter, maar ik
ben niet van plan bevelen van haar moeder aan te nemen.'

'Zo makkelijk kom je er niet af,' zei ze verhit. Het leek
wel of ze elk moment op kon springen om hem te wurgen.

'Waar af?' zei hij hooghartig.

'Hoerenlopen.'

'Bij mijn weten ben ik heel mijn leven nog niet bij een
hoer geweest,' zei hij als het ware bij zichzelf. Hij was al
een week bezig de bescheiden voor een delegatie naar Saoedi-Arabië bij elkaar te krijgen. Het drong tot hem door
dat hij die zelf zou moeten leiden. Generaal Bazooka had
zijn handen vol om een oproer in het leger te onderdruk-
ken. De Loegbara's, de gewezen lievelingen van Amin,
waren in opstand gekomen omdat ze moesten wijken voor
Nubiërs en Kakwa's. Ze hadden geprobeerd een staatsgreep uit te voeren door met geweren en bommen het paleis van de president te bestormen. Nu maakte 'De Hamer', zoals ze de generaal noemden, met behulp van de
Eunuchs gehakt van hen. Bat besloot naar Saoedi-Arabië
te gaan.

'Geef antwoord, ik praat tegen je,' zei Victoria, en stond
op van de bank. In een oogwenk stond ze over hem heen
gebogen, met haar wijsvinger op zijn oog gericht. Hij kon
er wel om lachen. Hij sloeg de vinger weg en zei haar dat
ze moest gaan zitten. Ze weigerde. Hij bedacht weer dat hij
niets van haar wist, de neiging had weerstaan om haar na te
trekken. Hij had aangenomen dat zijn status hem zou beschermen. Hij stond op, duwde haar weg en zei dat ze hem
nooit meer een grote mond moest geven. Blind van woede
gaf ze hem een klap tegen zijn slaap. Op het witte doek

leek dat wel spannend, erotisch zelfs. In die beladen kamer, met vlak achter de muren het donker, was het eng. Bat
zag het als een onthulling van Victoria's ware gedaante.
Hij duwde haar weg en zei dat ze zijn huis uit moest. Was
ze te ver gegaan? Maar wat was te ver gaan als de generaal
hem in haar handen had geplaatst? Dan moest een klap
toch kunnen. Dat was beter dan een hamer, een houw van
een machete, een pistoolschot. Wat ze vergat was dat Bat
haar niet zag als een agent van het Bureau, met de macht
over leven en dood, maar als een vrouw die hij uit goedhar-
tigheid in zijn huis liet wonen.

'Ik ga hier niet weg.'

'Als je dit kan, wil dat zeggen dat je nog tot veel meer in
staat bent waar ik geen weet van heb. Het zijn vreselijke
tijden, Vicki. Alles is mogelijk. Om ellende in de toekomst
te voorkomen, wil ik dat we uit elkaar gaan zolang we elkaars gezicht nog kunnen uitstaan.'

'Jij bent mijn eerste liefde. Je hebt een wonder verricht
en ik heb een kind gekregen. Je ontkomt niet aan je lot, de
rol die God je heeft toebedacht.'

Toen ze over God begon, wist Bat dat er iets mis was.
Welke God bedoelde ze: de christelijke of dr. Ali? Had ze
de beroemde astroloog geraadpleegd? Hoe kwam ze aan
het geld? Wanneer? Hij verwierp het idee. Ze bedoelde
waarschijnlijk de christelijke God.

'Ik wil dat je morgenochtend weggaat. Je verdient een
beter leven.'

Victoria barstte in tranen uit. Ze vroeg vergeving. Ze
probeerde het kind als schild en speer tegelijk te gebruiken. Bat werd opeens door twijfel bevangen. Wat voor wereld stuurde hij zijn dochter in? Wat voor mannen kregen

invloed op haar leven? Hij kreeg een gevoel van onvermogen. Was het onvermogen dat hij niet op abortus had aangestuurd? Abortus in een land waar hoofden met hamers werden ingeslagen en lijken gedumpt? Behoorde hij tot de goede, de normale mensen? Of was hij even slecht als degenen die met wapens zwaaiden?

Het was een heel gespannen nacht, de stilte in het huis had de lading van een ton dynamiet. Hij dacht erover om weg te gaan en ergens anders te slapen. Maar hij wilde per se niet vluchten. Het was zijn huis. Om twee uur ging hij naar de kamer van zijn dochter. Hij ging in het donker zitten kijken hoe ze sliep. Ze pufte een beetje, want door een naderend koutje zat er een neusgat verstopt. Hij hoorde de lucht die zich naar buiten perste, met een geluid dat werd versterkt door het donker. Dit was zijn laatste kans. Voortaan zou het werken zijn om haar te zien, een strijd. Hij voelde zich een schepper wiens scheppingen uit de hand gelopen waren.

Na heel lange tijd voelde hij een verandering in de lucht, een geur, een tersluikse ademhaling. In de deuropening stond Victoria, met haar nachthemd tegen haar huid en haar lichaam in schaduw geëtst. Hij dacht terug aan hun eerste ontmoeting. Een generaalsvrouw? Misschien wel. Ze was nu net een schilderij aan de muur: mooi, zonder hartstocht. De stilte verdiepte zich. Het leek wel of er niemand ademhaalde. Ze voelde dat haar liefde werd vergiftigd door afstoting, een rivier bezaaid met lijken. Ze had een enorm gevoel van onvermogen, wanhoop. Ze had al het geweld van de wapens achter zich, maar hem kon ze niet treffen. Eens zou ze zegevierend terugkeren. Dat was alleen maar een kwestie van tijd. Ze sloop de kamer uit. Nu de betovering verbroken was, slaakte Bat een diepe zucht van verlichting en ging de kamer uit, met een vleugje babypoeder in zijn neus.

De Learjet van dr. Ali Achmed bin Mohammed Machrani Ali cirkelde boven het vliegveld van Entebbe. Hij had een hekel aan nachtvluchten, ten dele omdat hij dan niet van het uitzicht kon genieten, ten dele omdat hij in zijn vliegtuig nauwelijks kon slapen. En hij had speciaal aan deze vlucht een hekel omdat die zijn agenda overhoop haalde. Hij had pas over twee maanden weer naar Oeganda willen komen, maar maarschalk Amin had hem gesmeekt zijn verblijf in Zaïre af te gelasten en hem te hulp te komen. Twee grote couppogingen in drie weken gaven genoeg ellende om zelfs de koelste kikker van zijn stuk te brengen. In het begin van hun contact had hij de maarschalk duidelijk gemaakt dat hij geen oppas voor presidenten was. Zijn rol was de voortekenen te bestuderen, offers te brengen, maar niet in de politiek van een bepaald land te verzanden. Maar in de loop der tijd was de aard van hun contact veranderd. De twee mannen waren bevriend geraakt. Gaandeweg had de maarschalk hem hier en daar om raad gevraagd. En hij moest toegeven dat hij daar wel plezier in had gekregen. Hij merkte dat hij met behulp van informatie die hij had verkregen van keizer Bokassa, president Moboetoe en andere leiders, de moeilijkheden van de maarschalk probeerde op te lossen. Ze voerden lange gesprekken over de persoonlijkheidsproblemen van verschillende dictators, van degenen die hoge schoenen droegen om groter te lijken, tot degenen die bij foto-opnamen hun buik introkken om een beschamend dikke pens te verbergen, tot degenen die verslaafd waren aan cocaïne, heroïne of marihuana. Ze lachten om de narigheid van andere dictators, vooral van degenen die bij een paleisrevolutie in het holst van de nacht werden afgezet. Een geliefd onderwerp was de positie van Nixon, vooral omdat de maarschalk zijn best had gedaan om hem van advies te dienen. Ze lachten om het duivelse systeem waaronder zo'n machtig man door het stof moest.

Dr. Ali wilde niet de eer opeisen voor de gang van zaken in Oeganda, maar hij had wel enkele gebeurtenissen voorspeld, zoals de nadering van de huidige opstand, en hij was ook degene geweest die Amin had aangeraden om van de Eunuchs een gespecialiseerd persoonlijk leger te maken, uitsluitend trouw aan hem en verder niemand. Dr. Ali voelde de adrenaline stromen bij het besef dat hij tot de machtigste mannen in Oeganda behoorde. Waarom hem dat opwond? Omdat hij van dat land was gaan houden. Het was zo mooi, maar ook zo in de versukkeling. Het leek wel een meisje dat niet goed wijs was maar met haar ongewone schoonheid mannen verleidde haar te redden. Hij had graag het idee dat hij zijn rol goed had gespeeld. Neem nu de verbreiding van de astrologie. Die praktijk had hij eigenhandig ingevoerd. In zijn kielzog was de zaak door de Zanzibari's overgenomen. Het was verbazend en vermakelijk om te zien hoe vlug de revolutie wortel had geschoten. Vermakelijk vond hij ook de bijnamen die hij en passant had verzameld: God, Jezus, Satan, De Heilloze Geest, De Droom, De Reus, De Spreekbuis van de regering. Hij kon begrijpen dat ze hem De Droom noemden. Hij was degene geweest die Amin had aangeraden om zijn aura te versterken door te beweren dat God in dromen tot hem sprak. Hij had hem ook aangeraden om impopulaire wetten en maatregelen af te kondigen en pijnlijke berichten bekend te maken door middel van de Spreekbuis van de regering. Waarom velen dachten dat hij dat schrikbeeld was wist hij niet en kon hem ook niet schelen.

Het vliegtuig landde veilig. Hij werd snel van het vliegveld weggevoerd in een Boomerang met donkere raampjes. Hij wenste altijd incognito te reizen. In een dictatuur was anonimiteit onbetaalbaar. Het beviel hem wel dat maar heel weinig Oegandezen, laat staan generaals, zijn identiteit kenden. Tijdens seances gebruikte hij maskers en wijde mantels en zat hij op een troon, waardoor hij groter leek dan hij was. Bij gesprekken met Amin mochten van hem maar heel weinig mensen zijn. Tijdens zijn bezoeken deden zijn assistenten het meeste werk, en hij liep altijd te midden van een schare lijfwachten.

De Boomerang parkeerde in Entebbe voor het *State House* en dr. Ali liep omringd door tien man het gebouw in. Er was onrust en overal waren soldaten. Hij was benieuwd wat er van hem werd verwacht. Toen bedacht hij dat hij hier was om zijn vriend gerust te stellen, hem aan te moedigen, hem te verzekeren dat zijn tijd nog niet gekomen was. Hij wist dat de meeste mensen niet stilstonden bij de druk die elke leider ervoer. Die druk was van oudsher de belangrijkste reden dat veel leiders gek werden. Zelf zou hij ook gek worden als hij aan het roer stond van een dictatoriale staat. Gelukkig had hij een betere loopbaan gekozen. En hij had geen moeite met het leiden van zijn rijk en het beheer van zijn geld.

Maarschalk Amin veerde op uit zijn stoel toen de astroloog de kamer in kwam lopen. De twee mannen omarmden elkaar. Robert Ashes en twee generaals keken toe, klaar om de astroloog een hand te geven en terzake te komen. Maar Amin vroeg hun een andere kamer te gebruiken en bleef achter met zijn gast. Hij dacht er wel eens over om de kleine man in zijn land gevangen te zetten. Hij betekende zoveel voor hem. Vroeger zou een koning hem verminkt en onder voortdurende bewaking geplaatst hebben. Dat ging tegenwoordig niet meer. Hoe erg Amin het ook vond, hij liet de man weggaan en wachtte dan tot hij weer terug-kwam. Daarbij kwam dat hij bang was voor de woede van de astroloog: een man met zulke gaven kon je vervloeken, knoeien met je voortekenen en je val verhaasten. Het enige beschikbare wapen was de man tevreden te houden. En hem bij hoge nood te smeken om te komen. Amin was op-gelucht dat de man bereid was geweest om op zo korte ter-mijn te komen.

'Er staan tien witte stieren klaar,' zei Amin zodra de twee mannen gingen zitten.

'Wilt u de voortekenen nu meteen gelezen hebben? Het is drie uur in de nacht. De wereld slaapt,' zei de astroloog bij wijze van grap.

'Ik werk vierentwintig uur per dag,' zei Amin woedend, smachtend naar zijn volgende dosis cocaïne. Die had hij nodig, nee, die verdiende hij. Hij kon net zo goed feestvie-ren. Hij had zijn gemoedsrust terug. Hij geloofde inmid-dels dat de opstand zou worden neergeslagen. En vlug daarna zou hij zijn persoonlijke leger reorganiseren en het tienmaal zo sterk maken, en de mannen alles geven wat ze wilden.

'Aan de slag dan maar. Naderhand kunnen we dan nog wel even gaan slapen,' zei de astroloog geeuwend.

85

'Je zal wel een flinke jetlag hebben.'

'Maakt niet uit. Voor een vriend is niets mij te veel.'

In het maanlicht werden de tien stieren geslacht, waarbij Amin volgens de regels de kelen afsneed. Dr. Ali bekeek zorgvuldig elke lever en keerde de kwabben om. Langdurig bestudeerde hij de sterren. De voortekenen waren gunstig. Nu kon iedereen nog wat gaan slapen. De volgende ochtend zou hij de zon bestuderen en de voortekenen daarvan mededelen.

De astrologie was al driehonderd jaar bij dr. Ali in de familie. Hij was geboren in een islamitisch gezin op het kleine eiland Pemba in de Indische Oceaan. Hij was een kleine man van gemengde afkomst met een donkere huid. Zijn voorouders waren in 1001 n.C. uit Arabië gekomen en aan de Oost-Afrikaanse kust neergestreken. Ze waren met Afrikanen getrouwd en zo was het Swahili-erfgoed ontstaan. Op zijn zesde werd dr. Ali terwijl hij buitenspeelde door de bliksem getroffen. Toen zijn ouders hem een uur later vonden was hij steenkoud en zagen ze het wit van zijn ogen. Ze gingen met hem naar de dokter, baden voor hem en wachtten op zijn dood. Maar hij bleef leven. Hij lag een jaar lang op zijn doodsbed, vertrok bijna geen spier en praatte met een klein stemmetje. Hij zei tegen zijn moeder dat hij dromen had, de zon zag, de sterren, geesten. In een astrologenfamilie was dat niets nieuws; toen hij vol bleef houden, dachten ze dat hij misschien zijn verstand had verloren of hun vertelde wat hij grote mensen had horen zeggen.

Na zijn herstel ging hij weer naar school. Tot verbazing van leraren en leerlingen vertelde hij hun dingen over zichzelf, over een familielid dat ziek was geworden, of getrouwd, of op bezoek gekomen. Hij kon ook zeggen wanneer iemand loog.

'Dat komt van de bliksem. Door die elektriciteit zijn je hersenen geroosterd. Je hoeft heus niet te denken dat je nou bijzonder bent,' zeiden ze.

In zekere zin hadden ze gelijk. Er waren overal astrologen en waarzeggers. Wie niet slaagde zocht zijn heil op het grootste eiland, Zanzibar, of ging naar Tanzania of Arabië. Om de andere week beweerde er wel iemand dat hij profeet of genezer of messias was, boordevol boodschappen van de zon of de andere wereld.

Ten slotte besloot hij zijn mond maar te houden en nooit meer te zeggen wat hij van mensen zag of wist. Na school las hij boeken over de astrologie en het Arabisch. Hij was vast van plan naar Iran te gaan en oude godsdiensten te bestuderen. Op zijn twintigste was het zover. Vijf jaar later studeerde hij af aan de universiteit. Inmiddels werd zijn gave door mensen erkend. Ze kwamen van heinde en verre om hun voortekenen te laten lezen. Hij kreeg een baan aangeboden in Saoedi-Arabië, waar hij uitsluitend voor prinsen zou werken, maar hij bedankte. Hij wilde vrijheid. Hij ging terug naar de kust en streek neer in Zanzibar, vanwaar zijn roem zich verder verspreidde.

Toen hij voor het eerst voet in Oeganda zette, was hij inmiddels de duurste astroloog op het continent. Hij verleende zijn diensten al aan president Moboetoe van Zaïre, keizer Bokassa van de Centraal-Afrikaanse Republiek en generaal Gowon van Nigeria. Hij had ook beroemde klanten in Arabië en Europa. Bij hun eerste ontmoeting zei hij tegen Amin dat die als oude man zou sterven. Hij vertelde hem ook vrijwel tot in detail van komende moordaanslagen, waarvan er één een week later plaatsvond. Amin werd een volgeling. Hij voorspelde de naderende dood van twee van Amins vrouwen, ook tot in detail. Amin huiverde. Zijn moeder was medicijnvrouw geweest, en hij had zijn eigen clubje astrologen en tovenaars, maar hij had nog nooit een man als dr. Ali ontmoet. Dr. Ali werd de enige man voor wie Amin werkelijk bang was. Om hem bij zijn generaals vandaan te houden verhoogde hij het honorarium van de astroloog tot duizend dollar voor een consult en tienduizend voor een seance. Ter verzwakking van de gevestigde godsdiensten bevorderde hij de verbreiding van de astrologie. De geschriften van dr. Ali werden alom verspreid, vandaar de bijnaam God. De astrologie kreeg een faculteit aan de universiteit.

Nu, drie jaar later, waren de twee mannen heel goed bevriend geraakt. Amin vond het prachtig dat De Droom een hekel aan de schijnwerpers had. De mystieke sfeer kwam beide partijen goed uit. Hij had ook maar weinig ondeugden, afgezien van zijn extravagantie. Elke avond verorberde hij een fles rode wijn van duizend dollar, een gewoonte die hij had gepikt van president Moboetoe, wiens kelder kon bogen op de duurste wijnen ter wereld.

'Voor duizend dollar pis!' riep Amin dan uit.

'Ik heb wel wijn gedronken van vijftigduizend dollar per fles,' reageerde de astroloog dan. 'Die heb ik voor het laatst gedronken op de verjaardag van Moboetoe.'

'Godzijdank is whisky niet zo duur. Geef mij maar elke dag John Walker. En een zak cocaïne,' zei Amin lachend.

'We hebben het over de geneugten van het leven.'

'Steek maar in je reet,' zei de maarschalk bulderend van de lach. Hij drukte op een bel en er kwam een soldaat.

'Haal voor mijn vriend zijn pis van duizend dollar. En breek de fles niet. We gaan een toost uitbrengen.'

Intussen ging de telefoon. Goed nieuws. Generaal Bazooka had de opstand in de kiem gesmoord. Hij was nu bezig de operatie af te ronden.

Toen Bat naar Saoedi-Arabië vertrok was de opstand in het leger inmiddels neergeslagen. Hij leidde een delegatie die de opdracht had te onderhandelen over de levering van bouwmaterieel door de Saoedische overheid. Er waren offertes uitgebracht door twee bedrijven die eigendom waren van Saoedische prinsen. Het was aan Bat om te beslissen aan welk bedrijf het contract werd gegund en dan de zaak te beklinken. Generaal Bazooka en enkele andere generaals kregen een deel van de commissie, overhandigd in contanten. Wat hij niet wist was hoe fel de concurrentie tussen die twee prinsen was. Daardoor werd een verder prettige reis bijna vergald.

Bat was in een goede stemming aangekomen. Victoria was weg uit het huis en Babit kon nu bij hem intrekken, al waren haar ouders daartegen en zagen zij liever dat ze eerst trouwde. Peinzend keek hij naar de zee van zand en hoopte dat de ouders van Babit te vermurwen waren. Hij wou zelfs dat Babit mee was gegaan en dit zand had kunnen zien, en de steden die er middenin lagen. Hij wou dat ze het paleis kon zien waar de delegatie zaken deed onder plafonds hoog als een erepoort, in zalen even overzichtelijk als een leeg pakhuis.

Daar kreeg Bat het gevoel dat hij zijn tijd had verdaan, dat hij allang binnen had moeten zijn. De prins die de opdracht het liefst leek te krijgen nodigde hem uit bij zich thuis. Ze gingen per helikopter, met een weelderig ingerichte witte cabine. Zijn gedachten gingen terug naar de Avenger van generaal Bazooka. Hij had het gevoel of hij op een heel hoge heuvel stond en neerkeek op een gigantische stad omgeven door zand. Wilde hij die innemen? Was hij bereid de prijs te betalen?

Bats gastheer was een lijvige, bebaarde man met grote ogen, een haakneus, een ernstig gezicht. Hij was gehuld in een bruine˙wapperende mantel en leek op een oudtestamentische profeet die brandde van geloofsijver. Hij praatte over zijn zakenrijk; aandelen in Amerikaanse bedrijven, huizen in New York, Montego Bay, Buckingham, aan de Spaanse kust. Hij was van plan ook een stuk van Afrika en Zuid-Amerika te bemachtigen. 'De continenten van de toekomst,' verklaarde hij.

De helikopter landde ergens in de woestijn. Het leek wel of ze nog precies op dezelfde plaats waren: nog altijd was er zand, glooiend, glanzend, in de vorm van billen en venusheuvels. Ze betraden een bouwwerk als een kathedraal, volgepropt met allerlei luxe. Zittend of hangend in de ruimte maakte de prins duidelijk dat dit voor hem een heel belangrijke zaak was.

'Als ik vaste voet heb in Oeganda kan ik honderd eilanden kopen in Oeganda, Kenia en Tanzania en het toerisme ontwikkelen. Ik ben uiteindelijk van plan een hotelketen aan de Keniaanse kust te bouwen en het op te nemen tegen de Italiaanse maffia. Op het ogenblik hebben die het rijk alleen. Dat is gewoon niet eerlijk. De Arabieren waren het eerste aan die kust. Mombasa, Malindi en Lamoe zijn Arabische steden. Die wil ik opeisen van de Keniaanse regering. Als al mijn plannen uitkomen word ik de invloedrijkste zakenman van Oost-Afrika en laat ik het gekibbel om de Saoedische troon aan mijn broers over.'

Bat wist niet of hij zijn oren moest geloven of niet. Hij wist dat de eerste Arabieren aan de Oost-Afrikaanse kust afkomstig waren uit Arabië, gevlucht voor vervolging. Het had alleen iets vreemds dat iemand 1400 jaar later hun nalatenschap nog wilde opeisen. Maar wilde die man Oost-Afrika dan overnemen? Was dat mogelijk? En zo ja, in hoeverre zou hij daarin slagen?

'Ik kom hoe dan ook tot zaken. Ik win, wat er ook voor nodig is. Ik wil dat wij vrienden worden, want we krijgen nog heel wat met elkaar te maken. Mijn vrijgevigheid is nog nooit versmaad. Mijn broer weet dat. Iedereen weet dat. Ik heb een besluit genomen. Het normale tarief is 10% commissie, wat neerkomt op vijf miljoen dollar. Van mijn mannen krijgt u koffertjes met genoemd bedrag in contanten voor de generaals. Voor u persoonlijk heb ik een nummerrekening geopend en daarop de tegenwaarde van 5% commissie gestort. Dat is niet genoeg om een fatsoenlijk huis te kopen, maar ik hoop dat u het aan wil nemen. Eerlijk is eerlijk.'

In zijn fantasieën werd Bat altijd wat beschaafder rijk. Dit was handje-drukken. Met als ondertoon dat het geld als hij het weigerde zou dienen om hem als hij terug was allerlei ellende te bezorgen, een risico dat geen normaal mens zich kon veroorloven. Maar als hij het wel aannam zou dat de andere prins niet aanstaan. Hij moest het erop wagen. In zijn verzameling geheimen viel dit nieuwste uit de toon; het was te opzichtig. Even vroeg hij zich af welke ambities de jongste prins had. Om alle bergen in Oost-Afrika te kopen? Het zweet brak hem uit. Zijn gastheer bemerkte zijn onbehagen.

'U vertelde me dat u van auto's houdt. Als wij eens een ritje maakten? Ik heb wel een paar ouwe brikken in de garage staan,' zei de prins met een lachje om zijn eigen humor.

'Dat zou me een waar genoegen zijn.'

In de hangar waarin de garage was gehuisvest stonden een Cadillac, een Rolls en een op bestelling gemaakte Porsche 999. Toen hij zag dat Bat glunderde bij de Porsche legde hij zijn hand daarop en zei: 'Hier ben ik heel dol op. Ik heb er niet veel aan veranderd. Ik heb hem alleen voorzien van een massief gouden versnellingspook en uitlaat.'

Bat floot peinzend. Wat een weelde, wat een schande. De 999 voelde heel anders dan zijn XJ10, alleen al doordat de stoelen lager bij de grond zaten en alles zo compact was. Hij vond het mooi zoals hij ronkte toen hij de binnenplaats op reed. Langzaam voelde hij het leven in zich terugstromen. Snelheid werkte altijd. Hij hield van het gevoel om hard te rijden, demonen te snel af te zijn, voort te zweven op een golf lucht. Even kon hij nog vergeten welke moeilijke beslissing hij moest nemen, en de gevolgen die eraan vastzaten. Het was alleen zo jammer dat er op dit stuk weg geen auto's in te halen waren. Het zou leuk geweest zijn om een paar beroemde namen te kijk te zetten.

Bruisend van energie en met trillende benen stapte Bat uit de auto. Er was niet veel meer te doen. Hij moest zich later bij de hoofdmoot van de delegatie voegen voor het staatsbanket.

'Hoe zal de andere prins zijn verlies opnemen?' vroeg hij berustend.

'Maak u over hem niet ongerust,' zei de man met een lachje. 'Ik laat het hem wel weten. Zo is het altijd al gegaan. Maar het zou wel goed zijn om als u weer thuis bent een lijfwacht in dienst te nemen.'

'Ik wou er maar tien nemen,' zei Bat om zijn onbehagen te verbergen en de grap nog even aan te houden.

'Als ik u was zou ik me niet ongerust maken. Ik heb alles in de hand.'

Bat besloot niet verder door te vragen. Wat voor zin had het? De knoop was doorgehakt. Hij kon er beter van genieten. Opeens was hij zich bewust van een fraai zwevend gevoel, alsof hij op een heel snelle motorfiets zat. Hij beleefde de doorzichtigheid die voortkomt uit schuldgevoel, alsof zijn geheim klokken luidde. Meer dan ooit besefte hij dat er in Afrika enorme vermogens werden vergaard en verloren. Het was het bijbelse land waar rijkdommen door kakkerlakken werden opgevreten. Het heden was niet houdbaar, de toekomst was ranzig voor je haar aanraakte, aangetast door het dreigende verleden. De kolonialisten, de Aziaten, de vorsten, de dictators, hadden allemaal de bittere waarheid geproefd. Amin en zijn trawanten wisten het: ze hadden hun koffers klaarstaan. De laatste koning van Boeganda, een gewezen officier van de *King's African Rifles*, was overleden in Londen, arm, want de Engelsen weigerden hem een pensioen te geven. Bat was benieuwd wat de toekomst voor hem in petto had.

De eerste twee weken na zijn terugkomst waren moeilijk. Hij trof generaal Bazooka en gaf hem de koffertjes vol dollars, en lichtte hem in over de zakelijke bijzonderheden. Hij vervulde zijn plichten in de vage angst dat de rivaal van de prins er misschien iets uit zou flappen over dat andere geld. Hij probeerde zijn zenuwen in bedwang te houden door aan Babit te denken. En dan kwam de angst weer terug en maakte hij zich ongerust of Babit niet door hem in gevaar zou komen.

Hij had kostbare sieraden voor haar gekocht, spullen die in Oeganda niet meer verkrijgbaar waren. Haar ouders hadden hem terugverwelkomd met een feestmaal. Het echtpaar Kalanda en de professor waren meegegaan. Omringd door zijn vrienden, die niets van zijn geheim wisten, had hij zich veilig gevoeld, dicht bij hen en bij het leven. Hij had zich ook een verloren zoon gevoeld die werd terugverwelkomd in de familie. Babit had van haar ouders bij hem mogen intrekken, mits ze binnen een jaar zouden trouwen. Hij was blij haar om zich heen te hebben, want met het soort zorgen dat hij zich soms maakte had het huis anders dubbel zo groot en eenzaam gevoeld.

Na drie maanden samenwonen besloot Bat een feest voor Babit te geven. Hij zag hoe ze zich tussen de gasten bewoog. Ze leek zich te veel bewust van zichzelf en van de status van de gasten. Ze leek wel een conciërge die zich verantwoordde tegenover de bewoners. Bij uitzondering vertoonde de vrouw van de professor zich weer eens in het openbaar. Ze zag er goed uit, zij het wat te mager. De professor week niet van haar zijde, alsof hij bang was dat ze opeens misschien een aanval kreeg. Het echtpaar Kalanda was alomtegenwoordig. Mevrouw Kalanda zag er heel verleidelijk uit in haar dure kleren, toegestuurd uit Kenia en Engeland door twee van haar zusters. Bat volgde haar een aantal malen met zijn ogen. Haar atletische lichaam riep lome fantasieën bij hem op. Ze was zich bewust van de bekoring, maar vond die nooit vervelend. Ze genoot van bewondering uit de juiste hoek. Bats zuster was de dag ervoor gekomen, met een dikke, zwangere buik die sinds kort als een last op haar voeten drukte. Ze brandde van verlangen om haar eerste kind te krijgen. Haar man leek zelfs nog dikker. Hij ontwierp geen spooksteden meer en zat nu in de veehandel. Hij reisde veel en Bat was benieuwd of hij zijn zuster trouw was. Ook Bats broer, Tajari, gaf acte de présence. Hij was blij hem te zien, maar ongerust over zijn drankgebruik.

'Waarom drink je zoveel?'

'Het is een verzetsdaad. Ik verzet me tegen het geweld van een bewind dat zich bedrinkt aan bloed en chaos.'

Bat wist niet of hij hem serieus moest nemen of niet.

'Hoe lang blijf je nog vuurwerk afsteken?'

'Als je bedoelt dat ik een baan moet nemen, vergeet dat dan maar. Ik verdien genoeg als automonteur, en als ik meer nodig heb weet ik waar het te halen is.'

'Wil je nog altijd die Oost-Afrikaanse safarirally rijden?'

'Ik ben niet snel of constant genoeg om te rijden. Er zijn zelfs betere rijders te over. Ik kan alleen maar navigeren, maar ik heb een hekel aan kaartlezen. Ik heb besloten om maar af te wachten. Ik ben zo best tevreden.'

Op het feest stak Tajari een paar spektakelstukken af. Die stegen met luid geraas de lucht in, ontvouwden zich en beheersten met korte hortende tussenpozen de hemel. Bat kon niet genoeg krijgen van het schouwspel, ook al was Babit bang de aandacht te trekken.

Te midden van de knallen parkeerde er een huis verderop een Euphoria 707 met agenten van het Bureau. De mannen stapten uit en beloerden de gang van zaken. Ze hoopten op actie, zagen zich al tafels omgooien, portefeuilles leeghalen, misschien zelfs wel een vrouw ontvoeren. Helaas voor hen moesten ze hun speeksel inslikken. Het was weer eens zo'n onaantastbaar huis, met onaantastbare gasten. Er werd druk gescholden en gevloekt. Een van de meest frustrerende kanten van het werk voor het Bureau was dat je beheersing moest opbrengen en uit moest kijken dat je niet in een vuurgevecht belandde met de openbare-veiligheidsdienst of de beruchte Eunuchs, ook al was je in de stemming. Met liters overtollige adrenaline en testosteron réden de mannen weg op zoek naar een sukkel die in hun jeukende handen zou vallen.

Tussen de bedrijven door werd Bat aan de telefoon geroepen. Hij vloekte binnensmonds.

'Waarom heb je mij niet uitgenodigd?'

'Wat er in dit huis gebeurt gaat jou niks aan.'

'Dat gaat mij wel aan. Jij bent de vader van mijn kind, mijn eerste liefde.'

'Bij mijn weten heb ik die nacht geen maagdenbloed gezien.'

'Je snapt er niks van. Misschien weet je wel niet wat liefde is.'

'Ik ben niet van plan om les te nemen. En ik wil niet dat je me hier zomaar belt.'

'Het kind wil je zien.'

'Ik zal langskomen. Maar hang nou op. Mijn gasten wachten.'

'Eens zul je mij smeken om terug te komen. Ik ben de echte vrouw des huizes.'

'Droom maar verder. Welterusten,' zei hij en legde de hoorn op de haak.

Een halfuur later ging de telefoon weer.

96

'Spreek ik met het dienstmeisje?'

'U spreekt met de vrouw des huizes,' antwoordde Babit kortaf.

'Ik ben de vrouw des huizes, kind.'

'Ik ben jouw kind niet, vrouw. Val ons niet lastig. Zoek een man.'

'Bat is mijn man. De indringer ben jij. Voordat jij met je dikke kop in huis kwam, was er niks aan de hand. Jij hebt het leed van mijn kind op je geweten, en mijn leed, en het leed van iedereen. Waarom ga je niet gewoon weg?'

'Bat heeft zijn keus gemaakt. Dat heb je maar te slikken. Hij neemt je nooit meer terug.'

'Dat zullen we nog wel eens zien. Jij bent zo onvruchtbaar als een steen. Je maakt het daar niet lang. Bespaar je de vernedering en ga nog met enige waardigheid. Ga voordat je wat overkomt.'

'Mij overkomt niks. Jij blijft waar je bent. En ik blijf hier, met of zonder kind.' Ze legde de hoorn op de haak. De telefoon ging meteen weer. Ze legde weer neer. Hij bleef maar gaan. Ze trok hem eruit.

Toen de meeste gasten weg waren en ze voordat ze naar bed gingen nog op de bank zaten, vertelde Babit hem van het telefoontje.

'Ze had eerst mij al gebeld. Waarom valt ze jou nou lastig?'

'Ik weet niet.'

'Ik zei dat ze niet meer moest bellen. Ik zal een hartig woordje met haar spreken.'

'Ze zei dat jij niet van onvruchtbare vrouwen houdt.'

'Wie zegt dat jij onvruchtbaar bent?'

'Ik ben toch nog niet zwanger? Hoeveel maanden is het nu al sinds...?'

97

'Ik denk niet aan kinderen, schat.'

'Het zou fijn zijn om je een zoon te geven.'

'Hoe kom je daarop? Heb je opeens zin om te concurreren?'

'Een man heeft toch een erfgenaam nodig,' zei ze peinzend.

'Je hebt pas een erfgenaam nodig als je dood bent, en ik leef nog. Ik ga nergens naartoe.' Hij pakte haar hand en streelde veelbetekenend haar palm.

'Het was een heel leuk feest. Ik voelde me bijzonder.'

'Op een dag ga ik met je naar Engeland. Ik wil je Cambridge laten zien en je voorstellen aan mijn vriend Villeneuve, de politicus. Dan logeren we in luxehotels en is alleen het beste goed genoeg voor ons.'

'Dat klinkt allemaal fantastisch, maar hoe wou je dat betalen?'

'Hier, jij maakt je alweer ongerust.'

'Neem me niet kwalijk.'

'Een goede vrouw houdt de boel goed in de gaten. Ik denk dat ik gewoon trots op je ben.'

'Ik ook op jou.'

Bat bedacht telkens dat hij alles wat hij wilde die avond in huis had. Het voelde als een fort, een kasteel met een slotgracht. Buiten hield de lijfwacht een oogje op de nacht. In een van de kamers sliep zijn zuster met haar man. In een andere zijn broer met zijn knallende dromen. In de grote slaapkamer lag hij naast Babit en voelde haar warme huid terwijl ze sliep. In de kamer zelf was het koel, en stiekem kwam met de wind de geur van wilde bloemen binnen. Hier hadden twee koloniale bestuurders geslapen. Twee blanke koningen. Zelf voelde hij zich ook een soort ko-

ning. Het koningschap was door geld en macht gedemo-
cratiseerd. De nieuwe vorsten waren militairen en de elite.
Die de prinsen van weleer nadeden door elkaar op zoek
naar meer neer te steken, te vergiftigen en te verbranden.
De verliezers die geluk hadden gingen in ballingschap, wie
pech had ging dood. Hij was niet van plan in ballingschap
te gaan. Hij wilde in dit land doodgaan. Hij wilde dat dictators kwamen en gingen, en steeds weer nieuwe ministeries
aan hem overlieten. Zijn vriend Villeneuve was ook pas
een soort koning geworden. Hij was nu parlementslid in
het Lagerhuis. Hij was blij voor hem. Met een lachje bedacht hij dat het conservatieve parlementslid dat door Villeneuve werd opgevolgd dood in zijn flat was aangetroffen
met een vuilniszak over zijn hoofd en zijn stijve blauwige
pik in zijn hand. Vorstelijk.

De Saoedi's hielden woord. Ze begonnen met de levering
van bouwmateriaal, grote agressieve machines die de aarde openreten om plaats te maken voor kazernes en leger-
installaties. Bat wist inmiddels dat het ministerie van Energie was gebruikt om gelden van andere ministeries voor
legerdoeleinden aan te wenden. De speelruimte die de
Saoedi's genoten was onmetelijk. Was dit het begin van de
massale opkoop van eilanden? Werden die eilanden dan
ook gebruikt voor legerdoeleinden? Niemand leek de antwoorden te hebben. De toestand werd nog mistiger door
geruchten dat Amin had toegestemd in de sloop van het koninklijk paleis, dat zou worden vervangen door de grootste
kazerne van het land, met moskeeën, speelweiden, zwem-
baden en een vliegveld dat zou pronken met Mig 200
jachtbommenwerpers. Gezegd werd dat hij dat grootse

project op tijd klaar wilde hebben ter gelegenheid van het tienjarig jubileum van zijn overwinning op de strijdkrachten van de koning in 1966. Het gerucht ging dat er burgerlijke onrust onder zuiderlingen in de lucht hing als hij die plannen durfde door te zetten. Er werd gedreigd met vergiftiging van voedsel en water voor het leger, en verspreiding van dysenterie en diarree in de kazernes. Het land werd overspoeld door dromen en wanen, waarbij voor- en tegenstanders de schaarse feiten vermaalden en royaal met fantasie vermengden.

De koortsige wedijver tussen de Saoedische prinsen moest natuurlijk wel gevolgen hebben die ook in Oeganda aan de oppervlakte kwamen. De ellende kwam via een omweg. Op een dag werd generaal Bazooka aan een staatsbanket door Robert Ashes apart genomen en aangesproken over geld dat van hand tot hand was gegaan voordat de oudste prins het contract had verworven. Het bericht trof de generaal als een verzengende tegenwind. Hij was woedend dat hij dat juist van zijn aartsvijand moest horen. Was er geen grens aan de macht die Ashes bezat? Trok die lul straks alles naar zich toe en bemoeide hij zich dan met ieder ministerie? Was Ashes naar dit land gekomen om hem volledig uit te kleden? Sinds zijn overname van de antismokkeldienst waren zijn bevoegdheden vertienvoudigd: hij onderzocht nu ook corruptie. Stel dat hij de maarschalk over al dat geld vertelde? Probeerde die man hem te chanteren of bedreigen? Of pronkte hij alleen maar met zijn macht, uit leedvermaak? Nog zorgelijker was het voor de generaal dat hij had verzuimd spionnen in het kamp van zijn vijand te posteren. Hoe lang zou die scheve machtsverhouding nog zonder gemor voortduren? Waarom kwa-

men er geen andere misnoegde generaals tegen die slang in
het geweer?

Binnen heel korte tijd was Ashes Amins dierbaarste vertrouwensman geworden. De generaal had gehoopt dat de
verhouding na een jaartje zou bekoelen, maar het werd alleen maar erger. Ashes had nu ook de rol van hofnar op zijn
repertoire gezet. Hij tapte moppen en haalde grappen uit
die niemand in zijn hoofd moest halen. Hij liet generaals
ongewild op ballonnen gaan zitten die het geluid van een
langgerekte scheet maakten. De maarschalk genoot. Op
een dag reed hij met een vuile vrachtwagen naar een staatsbanket. Daarin zaten vier Engelsen verkleed als achttien-
de-eeuwse edelen. Amin lachte terwijl de clowns een wedstrijd hielden in bier drinken en vlees eten. Toen uitkwam
dat de clowns varken in plaats van koosjer vlees hadden
gegeten, waren de islamitische generaals geschokt en wilden de zaak gebruiken om van Ashes af te komen. Maar
van Amin hoefde Ashes zich alleen maar te verontschuldigen en de storm woei over. Een andere keer kwam Ashes
met drie blanke nonnen gekleed als traditionele Kakwa-
danseressen. Ze droegen een uitbundige hoofdtooi, lende-
doeken van dierenhuid, kralen, amuletten, en hadden spe-
ren en stierenhoorns. Ze sprongen en wiegden onbeholpen
terwijl het geschokte publiek klapte en fluisterde. Er werd
een grote kuip gebracht en ze hielden een wedstrijd mod-
derworstelen. Na afloop ontdekte Amin dat de vrouwen
geen nonnen waren maar de echtgenotes van medewerkers
van Copper Motors. Hij vond het een moordgrap. Bij een
andere gelegenheid kwam Ashes in een gorillapak. Het publiek verstijfde, want het verwachtte dat Amin diep beledigd zou zijn. De gorilla danste rond en griste verbouwe-

MOSES ISEGAWA

reerde generaals de pet van het hoofd. Amin klapte het hardst. Sommige generaals vermoedden dat Amin opdracht had gegeven om die petten weg te grissen, alleen maar om hen te vernederen en van hun stuk te brengen. Misschien waren zij de gorilla's wel. In een wereld van wisselende verhoudingen en onzekerheid leek Ashes de enige die daar allemaal boven stond, afgezien van God, De Droom of Satan, die kwam en ging naar het hem beliefde. Hij kon geen kwaad doen. Hij was een geladen wapen waar niemand veilig voor was. Tot overmaat van ramp had Amin hem onlangs bevorderd tot de rang van kolonel in het Oegandese leger, als beloning voor zijn onvermoeibare inspanningen om de kanker van de koffiesmokkel uit te roeien. En wel op een moment, dacht generaal Bazooka verbitterd, dat die kanker zich naar zijn hoogtepunt sleepte.

Tot dan toe was de generaal maar voor één man bang geweest: de maarschalk. Nu merkte hij dat hij ook bang was voor kolonel Robert Ashes. Hoe lang zou het nog duren eer die slang werd bevorderd tot sterrengeneraal? En hoeveel gevaarlijker werd hij dan nog?

'Ik denk erover om die zaak eens goed uit te zoeken,' zei Ashes grijnzend. Hij stak zijn sigaar aan en zoog een grote hoeveelheid rook in zijn longen. 'Oeganda kan het zich niet veroorloven om in een slecht blaadje te staan bij het Saoedische koningshuis. Die mensen hoeven maar met hun ogen te knipperen om dit bewind te laten vallen.'

Generaal Bazooka raakte in paniek. Hij wist gewoon niet wat hij moest doen. Hij dacht erover om die man te smeken om tijd, genade, hij wist niet wat.

'Wind je niet op. Zo erg is het niet,' zei hij dapper.

'Maarschalk Amin zal wel beslissen wat erg is en wat niet, generaal.'

Inmiddels wist de generaal dat er een spion op zijn ministerie was. Hij was vastbesloten om snel in te grijpen. Hij wist dat hij als die spion weg was, Ashes weer tegen kon houden.

'Een prettig feest, generaal,' zei Ashes raadselachtig, en liep weg.

Generaal Bazooka werd zo kwaad dat hij zowat een beroerte kreeg. Zijn onderlip trilde en zijn handen beefden. Hij besefte dat hij zijn greep verloor. Wat had hij met die Victoria gedaan? Niets. Hij had haar een opdracht gegeven en in plaats van haar werk te doen was ze zwanger geworden. Hij had een aantal dingen aan die toestand kunnen doen, maar hij had het laten passeren. Nu vond hij dat hij slap was geworden, zijn prioriteiten uit het oog had verloren. Hij besloot harder te worden, en het bederf in de kiem te smoren.

Een paar minuten over vier die middag werd Bat gebeld dat hij naar het Nijlbaars-hotel moest komen. Het was niet ongewoon om midden in iets belangrijks te worden weggeroepen. Hij werd er altijd nijdig om, maar hij leerde ermee leven. Hij zette alles opzij, schoot zijn jas aan, trok zijn das recht en liep naar buiten. Vloekend stapte hij in zijn auto en reed weg. Het was een mooie dag: helder, warm, winderig, geen spoor van vochtigheid in de lucht. Het parlementsgebouw zag er verheven uit, een uit ivoor gesneden monument. De soldaten stonden als standbeelden bij het hek en van hun sigaretten kwam groteske rook. Er reed een sliert Boomerangs voorbij, gevolgd door Stinger-jeeps met wuivende antennes.

Een paar minuten later was hij op zijn bestemming. Hij zette zijn auto neer, deed hem op slot en liep ervandaan. Even dacht hij aan de Porsche 999 van de prins. Nog kon hij de trillingen voelen die hem in de woestijn door die monsterlijke motor waren bezorgd. Hij liep vlug, bijna zonder erg te hebben in de soldaten die in het gras lagen, met hun wapens lui in de hand als stokken. Scherpte die verveling het moordenaarsinstinct en werden de knallen erdoor versterkt? De soldaten bekeken hem met opperste onverschilligheid. Als ze hem al zagen, dan lieten ze er niets van merken. Er was niets aan die gezichten te merken. Ze leken wel dood, begraven in de diepten waar geen mens erbij kon. Ze leken onberoerd door liefde, haat, hartstocht. Tot ze bevel kregen om op te treden. Weer dacht hij aan de Porsche 999 en hoe het zou voelen om er hier mee te racen, met de kap omlaag, terwijl de wind probeerde om je hoofd eraf te rukken.

Hij ging het hotel binnen. In de gang werd hij omringd door vier soldaten in gevechtstenue, die een helm met camouflagenet op hadden. Ze draaiden zijn armen op zijn rug, duwden zijn hoofd omlaag en sleurden hem in de richting van de kamers. Hij schrok zo dat hij geen woord zei. Zulke griezelige gezichten had hij hoogstens gezien in zijn akeligste dromen. Het hele voorval duurde amper een minuut. Plotseling was hij in een heel donkere kamer. Zag hij een van de mannen met zijn wijsvinger langs zijn keel strijken en een onthoofdingsgebaar maken? Of had hij dat gedroomd, een gruwelfantasie verdrongen uit zijn hersenen bij wijze van zelfverdediging? Ze rukten hem de kleren van zijn rug als hyena's die de huid van hun prooi verscheuren. Ze lieten hem achter in zijn ondergoed. Slecht voorteken. Neergestoken, doodgeschoten, gewurgd in zijn ondergoed: het gebeurde dagelijks.

De kamer was leeg. Hij strekte zijn handen uit en zocht op de tast zijn weg. Hij botste nergens tegenaan, behalve tegen de bedompte lucht die ergens van afkwam. De ramen waren verduisterd met een laag lappen die veilig achter strak draadgaas zaten. Van nu af aan: duisternis, angst. De kamer was niet geluiddicht. Hij kon legerschoenen horen die over de vloer klosten, legerwagens die buiten parkeerden, mannen die met angstaanjagend schelle stemmen bevelen brulden. Hij ging met zijn rug tegen de muur op de grond zitten en probeerde niet te denken. Hij wilde aanleggen bij de pleisterplaats tussen waan en rede. Zijn eigen pijn kon hij goed aan: hij had nog de geest van de sportman in zich. Hij was een man. Hij nam risico's. Het was de pijn die anderen door zijn toestand zouden lijden, Babit, zijn familie, haar familie, zijn vrienden, die als een zak rotte aardappelen op zijn borst drukte. Wat moest Babit? Eindeloos wachten, wanhopig worden en maatregelen nemen? In een land waar alles kon, was het ergste scenario het beste tegengif tegen optimisme, nodeloze pijn. Wie moest wie inlichten? Had er iemand iets gezien? Natuurlijk. Waagde hij het iets te zeggen? Dat was de vraag. Zou dit gewoon de zoveelste verdwijning worden? Wat zouden zijn medewerkers doen? Hij besefte hoe slecht hij die mensen persoonlijk kende. Hij hoorde zware nadrukkelijke voetstappen. Ze weergalmden in zijn borst, riepen het koude zweet bij hem op en klosten de deur voorbij. Waar was generaal Bazooka? Vanwaar dat vertoon van beheersing? Een man die sollicitanten ontving in een helikopter moest doortrapt zijn, berekenend. De vraag was waarom hij dit spel speelde.

Laat op de avond vloog de deur open. Bat werd opge-
schrikt door een verzengende vlaag angst. Er kwamen soldaten binnen die hem van de grond tilden, blinddoekten en
hem met zijn armen op zijn rug gedraaid meesleurden. Hij
voelde dat zijn hart oversloeg. Buiten sloeg de koude wind
tegen zijn huid. In gedachten zag hij de stad, waar werd gegeten en gedronken en uit zelfbehoud in onverschilligheid
gevlucht. De koude vinger van de nietigheid ging over zijn
rug. Ze gooiden hem in een Stinger, klemden hem vast met
hun benen en schoenen en reden weg. Hij kon voelen dat
de wagen almaar in de rondte reed, heuvels op, dalen in. Ze
wilden zijn beproeving rekken of wilden niet dat hij wist
waar ze hem naartoe brachten. De stad was allang een ca-
tacombe, die onaangedaan mensen opslokte. De heuvels
van Nakasero en Nagoeroe herbergden beruchte gevangenissen. Ook de politiebureaus waren besmet met het dodelijke virus. Mensen werden daar van de buitenwereld afgesneden vastgehouden terwijl familieleden als bezetenen de
bekendere gevangenissen afspeurden.

Eindelijk was de rondrit afgelopen. Ze reden door een
hek: hij kon bewakers horen die brulden en snauwden, en
een hek dat dichtklapte. Toen dook de wagen omlaag en
remde. Ze trokken hem eruit en beenden een trap met hem
op, en toen een paar gangen door. Ze smeten hem in een
souterrain. Ze maakten zijn handen los, rukten de doek van
zijn gezicht en deden het licht aan. Het was een grote kamer met een eenpersoons spiraalbed, een flinterdunne ma-
tras, een rafelige deken en een po. Het raam was zo klein
als een schoenendoos en keek uit op de binnenplaats. Van
verre kon hij blinkende lichten zien lonken. Ze gingen hem
dus niet vermoorden, althans niet vanavond. Hij ging op

het bed zitten en probeerde na te denken. Had dit met zijn werk te maken? Wilde de generaal hem kwijt, nu het ministerie was uitgemest? Misschien had die Saoedische prins wel toegeslagen. Hij liet zijn gedachten, plannen, ideeën de vrije loop. Oeganda was een vrijbuiter, onderworpen aan rekenliniaal noch kristallen bol. Geduld werkte beter dan loze bespiegelingen.

Tot nu toe was het leven spannend, elke dag was een mysterie. Die spanning werd nog verhoogd door het knagende schuldgevoel. Nu hij was opgepakt had hij een kalm gevoel. Die kalmte verlamde zijn woede. In zijn hoofd stuiterde hij als een bal met schuld en onschuld. Oeganda was een land van schuld, waar zonen soms verantwoordelijk werden gesteld voor de zonden van hun vaders, grootvaders. Maar schuldgevoel was niet helemaal negatief; het kon ook een vriend zijn en je in staat stellen het standpunt van je vijand te begrijpen. Soms moest je geloven in je schuld om een overlevingsplan te bedenken. Onschuld was nu juist een vijand, de duivel zelf. Die lokte je op de gladde weg van sentimentaliteit en zelfbeklag, ook onder betere omstandigheden een dodelijke combinatie. Door te denken dat hij voor zijn zonden boette, vond Bat de kracht om door te gaan. Tenslotte waren zijn bestraffers niet in de morele positie om hem te veroordelen. Door zijn straf als een schuldig man te ondergaan, de pijn de juiste plaats in het geheel te geven, werd zijn last verlicht terwijl zijn innerlijke kracht groeide of gelijk bleef. Hij was in de steek gelaten, zoals zoveel Oegandezen, en moest vechten voor zijn leven. Hij was niet de eerste en hij zou ook niet de laatste zijn. Hij had persoonlijk nergens spijt van. Hij wou niet dat hij het land was ontvlucht. Hij wilde alleen maar met zomin mogelijk schade uit zijn gevangenschap komen.

Tegen de verwachting in sliep hij. De volgende ochtend maakte een soldaat de deur open en gaf hem opdracht zijn po te pakken. Werd hij gedwongen te ontbijten met zijn uitwerpselen? De drol dreef in de urine als een mishandelde worst. Hij kon natuurlijk de po omkeren over de soldaat en zich halfdood laten schoppen of met geweerkolven tot moes laten slaan. Hij beende de kamer uit, met zijn vergankelijkheid voor zich uit gehouden als een soort heilige offerande. Onderweg zag hij andere gevangenen, sommigen aangekleed, sommigen in verschillende stadia van ontkleding. Sommigen waren dik, sommigen mager, met opvallende botten. Sommigen waren gewond, mank, opgezet, gekneusd; sommigen waren ongeschonden als Boomerangs van de president. Ze werden allemaal verbonden door het stilzwijgen, het geluid van spattend water, schrapende po's, het genies, het geproest, het gehoest. Toen het ritueel voltooid was, werden ze weggeleid als priesters na een mis.

Weer in de kamer keek Bat uit het raam. Hij kon een deel van een kamp zien, een betonnen muur, bladeren van een loofboom. Daarachter was een deel van een laan, krijtachtige gebouwen, beweging. Het leek hem zo vertrouwd. Het drong tot hem door dat hij in het hart van de parlementsgebouwen was, amper honderd meter van zijn werkkamer! Was dit een grap?

Het gebouw had een lange geschiedenis op dit terrein. Amins voorganger Obote had hier zijn werkvertrekken. Met op de etages onder en boven zich zijn veiligheidsdiensten. Hier werden politieke gevangenen vastgehouden en hij kon meeluisteren als zijn jongens zijn geliefde gevangenen bewerkten. Op de trappen van dit gebouw had iemand hem in zijn kaak geschoten, maar de bom die voorgoed met hem af moest rekenen was nooit afgegaan. In de woelige jaren zestig waren hier vier ministers vastgehouden. Het voornaamste verschil tussen toen en nu was dat gevangenen op een snelle dood mochten rekenen. Amin verspilde liever geen belastinggeld aan eten voor mensen die toch doodgingen.

Om mensen vast te zetten was het gebouw ideaal: het was groot, ondoordringbaar, communicatie-vriendelijk. Gevangenen konden naar buiten kijken, flarden opvangen van dat wat ze misten, totdat ze opgaven of gek werden. Bat bedacht dat parlementen nooit schone gebouwen waren. Gezien de genomen besluiten, de gemaakte afspraken, de verklaarde oorlogen. Ten tijde van het Britse Rijk was het Lagerhuis de drijvende kracht die bepaalde wat er overal gebeurde. Na dat Rijk bleef het toch nog het zenuwcentrum voor de Koude Oorlog, de Derde Wereld en de economische wereldpolitiek. Onbillijkheid in overvloed. Bats politieke cynisme verhevigde. Hij zou sterven als onpartijdig dienaar. Als hij de kans kreeg, zou hij anti-Aminkrachten natuurlijk helpen, maar hij zou zich politiek afzijdig houden.

Aan het eind van de dag kreeg hij een gevangenistenue, een ruw witkatoenen hemd met een korte broek. Ze gaven hem ook een paar *sapatoe*, dunne badsandalen. De sleur sloeg toe: dunne havermout als ontbijt. *Posjo* met bonen op een aluminium bord als middag- en avondeten. Met de sleur ging de tijd op hem drukken, verpletterend als de kont van een nijlpaard. Om die in hanteerbare stukken te hakken met het gereedschap dat een verontruste geest verschafte, werd een religie, een baan, een obsessie.

Het nieuws van zijn verdwijning werd niet opeens bekend, het sijpelde gewoon druppelsgewijs het bewustzijn van de betrokkenen binnen. Babit voelde het als de doorbreking van een inmiddels vertrouwd patroon. Ze werden elke ochtend om zes uur wakker. Zij stond meestal als eerste op, begroette hem, haalde zijn handen van haar lichaam en ging naar de badkamer. Dan rolde hij van het bed, trok de gordijnen open, ging bij het raam staan en keek wat voor ochtend het was. Vanwege de modder had hij een hekel aan ochtenden dat het regende. Hij wilde geen spatten op zijn XJ10. Dan stond hij daar te geeuwen en nam de ochtendlucht, de kleur, de geur in zich op terwijl zij zijn bad klaarmaakte. Ze wilde per se zijn rug schrobben en hem met stevige vingers een nieuwe dag in sturen. Terwijl hij verder baadde, ging zij toezien op het ontbijt. Ze wilde er zeker van zijn dat de kokkin vier groene bananen in zout water had gekookt, met een tomaat, precies zacht genoeg. Ze zag toe op de thee, het gekookte ei, de groenten. Als ze klaar was, hoorde ze hem roepen dat ze moest komen kijken of hij er goed uitzag, of de das recht zat, of het hemd, de das en de schoenen bij elkaar pasten. Ze sprak haar goedkeuring uit en kondigde het ontbijt aan. De bananen werden opgediend op een bord waarop ze in de vleessoep dreven. Zij zat tegenover hem te kijken terwijl hij at en dronk een kop thee om haar maag te warmen. Als hij weer van tafel opstond, bedankte hij haar en woelde door haar haar voordat hij naar de slaapkamer liep. Hij ging met zijn koffertje naar de garage en parkeerde de XJ10 voor het huis. Dan stond zij met haar kamerjas om zich heen geslagen en wapperende haren in de deuropening en zwaaide hem uit. Ze was wel eens bezorgd over de opzichtigheid van die auto. Wekte die niet te veel aandacht, te veel afgunst?

Ze had de rest van de dag aan zichzelf, want dan was ze van drukte bevrijd als een pastoor die in zijn parochie de bisschop op bezoek had gehad. Ze ging in bad, deed haar haar, maakte zich klaar voor de dag. Ze ontbeet, noteerde boodschappen, kleren die in de was moesten, oppervlakken die gereinigd en gelakt moesten worden. 's Middags ging ze soms de stad in, bracht bezoeken, hield siësta of las het een en ander ter voorbereiding op een lerarenopleiding die ze in de toekomst nog eens wilde doen.

Ze hadden onlangs afgesproken dat hij één à twee dagen per week tussen de middag thuis kwam eten. Op zo'n dag werd alles vroeg bereid, zodat het eten op het middaguur klaar was. Dan stak ze zich in haar beste kleren, sieraden, schoenen en wachtte op hem als een bruid die haar bruidegom verwacht. Het onmiskenbare geluid van zijn auto dreef haar naar de deur. Dan zag ze hem naar binnen stormen, met zijn das los en de eerste twee knoopjes van zijn overhemd open. Een kwartier later gingen ze aan tafel en aten. Hij vertelde haar grappen, verhalen over mensen die hij bij zich had gekregen op zijn werk, hoe ze praatten of deden. Als zij verhalen te vertellen had luisterde hij. Zo niet, dan beheerste hij het gesprek, plagend, onderhoudend. Uit tijdgebrek hield hij het vaak kort. Ze liet hem uit, hield een warme plek op haar been waar de hitte van de uitlaat tegen haar aan pufte en in haar neus bleef de lucht van verbruikte brandstof hangen. Als ze in de stad wilde worden afgezet, beklaagde hij zich dat ze hem ophield. In de stad bleef ze dan staan voor een winkel en zag hem invoegen en tussen het verkeer in de hoofdstraat verdwijnen.

De middagen verstreken traag. Het duurde zo lang voor hij thuiskwam. 's Avonds aten ze meestal om tien uur. Als hij dan nog niet terug was, at ze alleen. Toen hij deze keer niet op kwam dagen verwachtte ze hem de volgende ochtend te zien. Ze nam aan dat hij was opgehouden, door besprekingen met ministers en alles wat hij te doen had. Aan het eind van de volgende ochtend was ze rusteloos, benieuwd of dit de eerste was van vele opeenhopingen van ontspoorde uren zonder ritueel. Ze belde zijn werk nog eens. Hij was er niet. Ze belde mevrouw Kalanda en lichtte haar in. Mevrouw Kalanda nam contact op met Bats werk en kreeg hetzelfde onschuldige verhaal te horen. Ze maakte melding van de zaak bij het hoofdbureau van politie in Kampala. Babit nam contact op met de plaatselijke politie in Entebbe. Niemand verwachtte dezer dagen veel van de politie, en terecht. De corruptie en onmacht tierden welig. Arrestanten konden weer vrijkomen door tussenkomst van het leger. Het rechtsstelsel kreunde onder de grove inmenging van de regering. Er waren rechters vermoord, bedreigd, uit het ambt of het land verdreven. Het bureau vermisten had overvolle lijsten namen, karikaturale overblijfselen van mensen die niemand verwachtte nog terug te zien. De dienstdoende beambte schreef Bats naam op en beloofde actie.

Babit reisde naar Kampala om het echtpaar Kalanda op te zoeken terwijl ze amper een idee had wat er gaande was. Ze had behoefte aan verplaatsing want die gaf haar de geruststellende verzekering dat er iets gebeurde. In de stad stapte ze in een ander voertuig over. Ze werd vlak bij haar

bestemming afgezet, tussen huizen omringd door draad-
hekken die schuilgingen achter dikke muren van cipres-
sen. Ze liep het huis zo voorbij. Ze maakte rechtsomkeert,
ging zitten en verzamelde haar gedachten.

Mevrouw Kalanda deed haar best om positief te zijn en
smeerde haar woorden met welgemeend optimisme. Achter die woorden, en de telefoontjes die ze pleegde, verborg
ze haar verwarring. Babit gaf inmiddels zichzelf overal de
schuld van. Alsof ze voor Victoria sprak. Ze leek te denken
dat zij ongeluk had gebracht. Anders kon hij toch niet zo
vlug na hun verbintenis verdwijnen? Mevrouw Kalanda
riep haar op zich te vermannen, zich op te maken voor een
lange strijd en het niet al zo vroeg in de wedstrijd af te laten
weten. Dit is een nationale ramp die overal families treft,
zei ze. Babit noemde het een vloek: eerst een kijkje in de
hemel, op het leven dat ze wilde, en daarna werd ze in de
hel geworpen. Mevrouw Kalanda liet haar uitrazen. Het
verstand had vaak veel langer nodig om zich te doen gelden in een verwarde geest.

De twee vrouwen worstelden nog met de situatie toen
Kalanda thuiskwam. Hij wist amper wat hij moest zeggen.
Ze hadden het erover dat Bats zuster moest worden ingelicht, en daarna zijn ouders. Ze gaven een opsomming van
iedereen die ze kenden die misschien wel iemand kende bij
de veiligheidsdiensten. Het was nu wel duidelijk dat het
geen zin had om verdwaasd door de stad te hollen. Het was
beter om de bloedhonden op het spoor te zetten. Ingewij-
den hadden meer kans om het raadsel op te lossen. Er vielen evenwel maar weinig namen in de pet. En als die werden benaderd, waarschuwden ze tegen te veel optimisme.
Een refrein van een afgezaagd liedje.

Het lukte niet om Bats zuster te bereiken. Ze had geen telefoon. Babit bood aan haar te gaan inlichten. Ze was opgelucht dat ze weer onderweg was, de wervelende wereld om zich heen voelde. Kabasanda was een kleine stad die deed denken aan een moderne cowboystad, en lag op een landtong tussen twee grote asfaltwegen. Het was een schakel in een keten van stadjes die de grote stad voedden.

Zodra ze Babit zag, wist Bats zuster dat er iets mis was. Tot overmaat van ramp was Mafoeta weg voor zaken. Ze ondervroeg Babit uitvoerig, tot in alle bijzonderheden. De auto was niet gevonden, een zorgelijk teken. Het was met verdwijningen net of je in het donker werkte. Bijzonderheden betekenden soms iets, soms niets. Waarom had er niemand van zijn werk gebeld, anonieme informatie aangeboden?

Naarmate de ernst van de toestand dieper doordrong, vreesde Bats zuster voor zijn leven. Het was een raar gevoel dat zij geheimen kende waar Babit niets van wist. Ze overwoog wat ze los zou laten en wat ze voor zich zou houden. Vooral doordat zij en haar broer elkaar weinig spraken was de ernst van het vertrouwen zo klemmend. Ze wist dat zij de sleutels – een aantal van de sleutels – tot zijn vrijheid bezat. Het gewicht van zijn leven had een slopende uitwerking op haar zenuwen. Zuster *Cool*, de verpleegster die onder druk haar zenuwen in bedwang hield, had het gevoel dat ze bezweek. Nog nooit was ze zo dicht bij een paniekaanval geweest.

Op de dag dat hij haar van het geld vertelde had ze gebeefd, en een tijd lang had ze haar man in een ander licht bekeken. Het ging de gewezen ontwerper van fantasiesteden op dat ogenblik slecht. Onwillekeurig trok ze een vergelijking en voelde zich ergens in de steek gelaten. Maar algauw had ze beseft dat haar broer op een ander niveau opereerde. Op een ander halfrond, qua macht. Ze had bijna het vertrouwen geschonden en het aan Mafoeta verteld. Nu stond ze weer op het punt, want nu wilde ze de last met Babit delen. Het deed haast lichamelijk pijn om in zo'n ijselijke toestand de druk van het vertrouwen te bewaren. Het leek haar dat Babit ervan zou moeten weten. Maar stel dat het averechts uitpakte? Dan raakte ze het vertrouwen van haar broer kwijt en haalde zich het ongenoegen van Babit op de hals. Ze besloot nog maar even op haar tanden te bijten.

Ze keek naar Babit en vroeg zich af of ze bewust had besloten om verliefd op Bat te worden. Had ze haar prijs genoemd en lag ze nu in het bed dat ze zelf had opgemaakt? Ze vroeg zich af waarom ze over Bat dacht alsof hij al dood was. Was dat begrijpelijk hebzuchtig gepeins, nu zij enig eigenaar van dat geld was? Ze wist nog dat ze mee naar het vliegveld was gegaan voordat hij naar Cambridge vertrok. En dacht terug aan de brieven uit Cambridge, de sport, de goede studieresultaten, de armoede. Ze wist nog dat ze een verward gevoel had. Toen hij terugkwam was ze trots maar tegelijk nog verwarder. Hoe kon hij op zo'n moment terugkomen, terwijl de meeste intellectuelen juist weggingen? Zou hij in Engeland geen betere baan hebben gekregen? Maar binnen twee weken had hij een baan. Wat was dat een verrassing geweest! Nu hoopte ze op een nieuwe verrassing.

Die nacht kreeg Bats zuster een zware aanval van weeën, het was net of het kind zich een weg naar buiten baande. Haar wereld leek in te storten op de puinhoop die het leven van haar broer inmiddels was. Het had iets heel oneerlijks als ze haar kind verloor terwijl haar man er niet was. Een zenuwslopende nacht lang verkeerde ze tussen verschillende werelden, gemoedstoestanden. Ze werd verzorgd en uiteindelijk waaide de bui over.

's Ochtends ging Babit terug naar de stad. Ze hoopte op nieuwe ontwikkelingen. Helaas was de toestand onveranderd. Alle sporen waren doodgelopen en er heerste pessimisme, met eufemismen ter verbloeming van inertie en mislukking. Ze vluchtte naar Entebbe, in de hoop troost te vinden in een vertrouwde omgeving.

Het huis voelde akelig, alsof er boze geesten rondwaarden. Het stond in de weg als een ijselijke dreiging. Het miste de warmte, de terloopse geruststelling van weleer. Het huispersoneel leek verstrikt in verwarde matheid, als het ware in afwachting van onbekende bazen. Ze bekeken haar argwanend alsof ze hen in het ongewisse liet of hen niet zou betalen. Het meer was van zijn troostende vermogens beroofd, de onvermoeibare golven waren een onverschillige plaag. Ze ging met haar voeten in het water op een steen zitten en haar gedachten bestreken de hele lucht. Het was geen goed idee; ze was telkens in de waan dat ze mee werd gesleurd. Ze ging het huis weer in. Ze bedacht dat ze van de kokkin had gehoord dat er de afgelopen dagen wel meer dan tien keer door Victoria was gebeld. Ze besloot snel te pakken en te vluchten. Ze betaalde het personeel, alleen maar om te zorgen dat het zou blijven, en maakte aanstalten om te vertrekken. Toen ging de telefoon. Die stelde in haar borst een gong in werking. Vlug nam ze op.

'Dit is aan jou te danken. Daar zal je voor branden,' riep Victoria aan de andere kant.

'Waarvoor?' riep Babit terug.

'Jij hebt zijn huis verwoest. Het is jouw *kisirani*. Het onheil achtervolgt jou als een stank.'

'Laat ik nou denken dat jij het allemaal bekokstoofd hebt om hem betaald te zetten dat hij je eruit gegooid heeft.'

'Dat zou ik nooit doen. Hij is de vader van mijn kind, weet je nog wel? Ik hou van hem. Jou zouden ze de nek om moeten draaien.'

'Dan jou toch eerst.'

'Nee, dat verdienen onvruchtbare vrouwen als jij. Wat hebben jullie nou te bieden?'

Babit had opeens een moe gevoel. Ze werd verteerd door pijn, vreemde vurige vlagen zenuwpijn. Ze was hier niet goed in. Ze had nooit geleerd om vuil en vals te vechten. Daarom hapte ze ook altijd. Tot overmaat van ramp waren twee tantes van haar onvruchtbaar. Ze voelde rillingen van onzekerheid, van angst.

'Heb je een hartaanval gekregen?'

'Jij bent een zieke, gestoorde vrouw. Ik verdoe geen tijd meer aan jou.'

'Arme stakker. Ik wijd juist al mijn tijd aan jou. Jij bent mijn project. Ik heb je ontworpen, ik heb je uitgevoerd. Ik zal je tot het eind toe volgen en evalueren. Blijft hij een maand weg, dan bel ik je een maand. Is het een jaar, dan hou ik me een jaar lang met je bezig. Komt hij nooit meer terug, dan blijven wij de rest van je leven met ons tweeën. Als ik jou was, ging ik maar voorgoed weg.'

'Voordat ik wegga zal jij eerst met je vader moeten slapen.'

'Die is dood,' zei Victoria op verslagen toon.

117

Babit hield het idee dat ze hier niet goed in was. 'Wat verwacht je nou van me? Bloemen?'

'Dat laat ik je te zijner tijd wel weten,' zei Victoria nuchter.

Babit smeet de telefoon op de haak en zag dat de kokkin haar aankeek. Ze was oud genoeg om haar moeder te zijn, en het leek wel of ze haar boekje te buiten wilde gaan en raad wilde geven. Ze keken elkaar even in de ogen. Met een verward gevoel liep Babit weg.

Het lastige van chique woonwijken was het schreeuwende gebrek aan openbaar vervoer. De dichtstbijzijnde bushalte was twee kilometer verderop. Met tegenzin belde Babit een taxi. Hoe lang zou ze met het geld toekomen? Overigens had zij geen gezamenlijke rekening willen hebben, uit angst dat hij haar wel eens op de proef zou kunnen stellen om te zien of ze op zijn geld uit was. Hij had aangeboden een rekening voor haar te openen, maar zij had hem weerhouden. Hij kwam wel weer terug, zei ze bij zichzelf toen de taxi wegreed. Donkerblauwe luchten, groene bladeren, rode bloemen, namen haar verbeelding in hun greep.

De aankomst in haar ouderlijk huis was voor Babit een beproeving. De stralende gezichten en de glinsterende ogen die haar kwamen begroeten moesten ruw worden teleurgesteld. Ze had zich gesterkt met de woorden uit de bijbel, maar ten slotte bezweek ze. Haar vader keek toe, met open mond, verbluft. Hij bedacht dat zijn dochter als ze al met Bat was getrouwd, nu wel eens weduwe had kunnen zijn. Ze gingen allemaal zitten en namen de bijzonderheden door. Iedereen leek overspoeld te worden door de lauwe wateren van de onzekerheid, die waarschuwden tegen

118

buitensporige reacties, uitbarstingen. Ze dachten terug aan de eerste dag dat hij was gekomen, en het soort klasse uitstraalde dat elke ouder zijn kinderen toewenst. Ze dachten terug aan het feest van laatst, de cadeaus uit Arabië. Ze dachten terug aan de keer dat hij op de nationale televisie was geweest, toen hij op het vliegveld een hoogwaardigheidsbekleder uitgeleide deed. Daar had Babits vader het met zijn vrienden over gehad. De televisie was iets bijzonders, één kanaal maar en dan nog alleen voor mensen met status, macht, kennis, met iets te zeggen of te laten zien. Hij was een beetje bang geweest, alsof zijn schoonzoon te veel in het oog was gelopen.

2

IN HET LIJKENHUIS

H ET LIEFST BRAK generaal Bazooka de
spanning die zich in hem ophoopte als gevolg van achterdocht, te veel werk en de oneindige druk van macht en verantwoordelijkheid, door orgiën te houden. Op dat moment
liet hij zich gaan en deed alles wat er in zijn hoofd opkwam.
Dan had hij een huis vol vrienden die tot diep in de nacht
dronken, marihuana rookten, gokten, ontucht pleegden en
vloekten. Zijn geliefde truc was dat hij schoot op bierfles-
sen die naast zijn vrienden stonden en om zijn kunst te ver-
volmaken oefende hij elke week. In de trektijd daagde hij
zijn vrienden dikwijls uit om te schieten op vogels die over
zijn huis vlogen, à vijfhonderd dollar per vogel. Meestal
won hij zelf en zijn vrienden namen de uitdaging steeds
schoorvoetender aan. Midden in de nacht, als elke gast heel
dronken of stoned was, ging de hele groep naar buiten en op
de sterren staan schieten. Vaak werd er Russische roulette
gespeeld, waren er wedstrijden bierdrinken en werden er
duels in kogelvrije vesten uitgevochten. De generaal vond
het leuk om met bier in zijn wangen zijn gasten nat te
sproeien, vooral de vrouwen die er voor hem waren. Andere keren piste iedereen de hele avond in de badkuip, en dan
werd er aan het einde van het feest gedobbeld en moest de
verliezer zich uitkleden en een bad nemen in de pis. Op die
woeste ogenblikken, met knallende wapens, schuimend
bier, walmende drugs, verbeeldde hij zich dat er iemand,

123

een concurrerende generaal, iemand van de militaire politie, op het feest kwam binnenstappen. Hij vroeg zich altijd af hoe dat treffen zou eindigen. Hoogstwaarschijnlijk in een noodlottige schietpartij.

'Ik ben een prins,' zei hij altijd dronken, 'ik kan doen wat ik wil. Als ik iemands oog wil, ruk ik het uit. Als ik iemands arm wens, krijg ik die, ha ha haaa.' En juichend viel de groep hem bij.

'Hier hebben we voor gevochten,' zei dan een generaal of kolonel. 'Lang leve maarschalk Amin Dada.'

Er waren keren dat hij dronk en in zijn broek piste en scheet. Dan moest zo'n vrouw die er voor hem was hem uitkleden en de troep opruimen. Terwijl zij zich inspande, keek hij toe en vuurde nu en dan vloekend zijn pistool af. Zijn lijfwachten genoten van de ophef en in aangrenzende kamers was hun gelach te horen.

Voor die orgiën had de generaal twee huizen in de buitenwijken. Voor fatsoenlijke feesten, als hij gewone gasten ontving, ging hij naar het huis van zijn eerste vrouw. Die had een buiten van hem gekregen in Kasoebi, een plaats die beroemd was om de graven van de verbannen koningen. Als hij met zijn stoet Boomerangs langs die graven reed, met voor en achter Stingers waaraan soldaten als vleermuizen gevaarlijk aan de zijkant hingen, gaf hem dat een onuitsprekelijke voldoening. Op zulke momenten voelde hij een band met de oude koningen wier eeuwenlange absolute heerschappij hij had helpen beëindigen, eerst met de aanval op het paleis, daarna toen maarschalk Amin weigerde de koninkrijken in ere te herstellen. Terwijl de heuvel voorbijrolde zweefde hij terug naar 1942, toen de laatste koning werd gekroond. Die man, met titels als de Professor der Almachtige Wetenschap, de Vader Aller Tweelingen, de Kok met Al het Brandhout, de Macht der Zon, de Veroveraar, was gevlucht toen hij, kolonel Bazooka, zijn paleis had aangevallen. De Veroveraar was in ballingschap toen maarschalk Amin, koning van Afrika, de nieuwe lijn van koningen en prinsen in het leven riep die nu aan de macht was. Het was een verheven gevoel om de man van het moment te zijn.

Toen in 1973 het lijk van de Veroveraar terug naar Oeganda werd gebracht om begraven te worden, was hij de officier belast met de bewaking op het vliegveld, in de Namirembe-kathedraal, op de begraafplaats. Het leek wel of de maarschalk wilde dat de mensen die met de sloop van dit instituut waren begonnen de laatste nagel in de doodkist sloegen. Hij mocht graag denken dat zijn vader met genoegen zou hebben gezien dat zijn zoon zoveel macht bezat. Welterusten, ouwe, zei hij dan, ik hoop dat er geen gebrek aan drank is waar jij bent.

Het enige dat de generaal die oude koningen benijdde was de trouw van hun onderdanen. Hoe bespottelijk ze hun macht ook misbruikten, hoeveel mensen ze ook vermoordden, de mensen bleven hen liefhebben en gehoorzamen, bereid om hun leven voor hen te geven. Hij dacht terug aan de stoet die langs de kist liep, ordelijke kilometers betraande mannen en vrouwen die de warmste zon en zwaarste regenval trotseerden, alleen maar om de kans te krijgen een laatste blik op hun koning te werpen. Als niet-monarchist was hij misselijk geworden van dat schouwspel. Zeker nu hij wist dat er niet zoveel zuiderlingen het einde van het bewind van maarschalk Amin zouden betreuren, maar ja, niemand kwam ook aan de macht in de hoop op een weidse

rouwstoet. Macht was voor primaire zaken, zoals een co-
lonne Boomerangs, geld, bewondering, het vermogen
jouw woord als wet op te leggen.

Door zijn rookglazen autoraampje zag hij lopende, fiet-
sende burgers, die zich naar hun bestemming haastten voor
de avondklok inging. Vermoedelijk hadden ze in het verleden dezelfde gezichten getrokken, dezelfde kleren gedragen, dezelfde wegen bewandeld. Vermoedelijk zouden ze
dezelfde schijn ophouden als dit allemaal dood en begraven was. Ze deden hem denken aan zijn slachtoffers; voor
hen had hij ook geen ontzag. Eens was hij net als zij geweest: een machteloos slachtoffer, tot zijn nek in de stront.
Kijk wat er met hem was gebeurd! Nu scheet hij anderen
onder. Hij wist heel goed dat ze als ze de kans kregen hem
zouden aandoen wat hij hun aandeed. Oog om oog. Dat gaf
hem zijn gemoedsrust. Hij was één met hen, verenigd door
de onverzadigbare hang naar bewondering en onsterfelijkheid. Hij was één met de heiligen. Tweeëntwintig plaatselijke jongens waren levend verbrand op zoek naar bewondering en onsterfelijkheid; gelukkig kregen ze die van de
paus. Een Franse vrouw at de stront van lepralijders die ze
hielp; nu was ze een heilige. Hij ging tekeer en moordde
met hetzelfde doel. Hij wist zeker dat hij op een dag in de
hemel naast die heiligen en die oude koningen zou blijken
te zitten omdat hij eerlijk was en trouw aan zichzelf. Maar
die burgers zouden in de hel terechtkomen, wegens schijn-
heiligheid, behalve zij die het slachtofferteken met trots en
overtuiging droegen.

Zo had hij ook geen ontzag voor intellectuelen. Hij had
geen ontzag voor mensen die betaald werden voor muggenzifterij. Dat Bat nog leefde was een wonder in zijn

ogen. Hoe vaak had hij hem al niet willen vermoorden? Maar telkens werd hij weerhouden door zijn hoogste adviseur, die vanachter hem zijn hand vasthield. Zijn adviseur was van mening dat Bat bijzonder was. Bijzonder, die dolle hond? Die met Ashes praatte? Die Dolle Hond moest worden afgemaakt, al was het maar om de kudde te redden. En wat het ministerie aanging, dat kon heus wel door iemand anders worden geleid. Die Dolle Hond moest weg. Die had te gauw te veel geld verdiend. Waarom had de regering dat soort lui nog nodig?

De auto's begonnen aan de klim naar de heuvelkam. Hij kon de nok van het huis van zijn vrouw zien lonken, pochend, bestand tegen de opdringende nachtsluiers doordat het helemaal bovenop stond. Aan de voorkant keek je uit op de stad, die zich in een enorme halve cirkel aan je voeten uitspreidde. Aan de achterkant reikte tot de horizon moeras en oerwoud dat in de verte ook vlak leek. De heuvel was getooid met hoge bomen, velden en bebouwing met veel gras. De eigenaars van de huizen onderweg waren uitgekocht of gedwongen verhuisd. Die huizen werden nu bezet door zijn lijfwachten of heel vertrouwde vrienden. Dit was de plek in de stad waar hij het meest van hield. Hij hield van heuvels in het algemeen. Hij vergat nooit dat hij in een moeras was geboren en dat Bat was geboren in de beschutting van een heuvel.

Hij stapte uit de limousine en liet zijn ogen over het buiten gaan. Hij hield van de zware bouw van het huis, de enorme ramen, het grote dak. Hij hield van de baksteenrode muren en de bruine tegels. De reusachtige bomen vervulden hem met een visioen van grotere macht dan de zijne. Met hun duizend jaar gaven ze hem het gevoel dat hij

127

nog jong was, aan het begin van zijn leven stond. Eerst had hij al die bomen willen kappen om als brandhout te gebruiken, maar zijn vrouw had hem gezegd dat het goden waren, visioenen van de eeuwigheid. Nu hield hij van ze als verlengstuk van zichzelf. Met geheven gezicht en blikkerende tanden drongen gasten zich naar voren om hem te begroeten. Het leek wel of ze verwachtten dat hij wonderen zou verrichten en watertonnen in gouden vaten zou veranderen. Hij zag mensen onder hen die nog grotere dingen van hem verwachtten. Die bleven op de achtergrond, wachtten op zijn blik van herkenning, zijn zegening. Hij gaf handen en schouderklopjes, maakte grappen. Hij liep tussen de menigte, voelde dat zijn mantel werd betast, zijn lichaam gestreeld, en dat zijn geest zo groot werd dat hij hen allemaal omvatte. De lucht was vol muziek. Er hing een geur van bier en gebraden geit waardoor hij een vraatzuchtige honger kreeg. Voor het eerst die week voelde hij zich gelukkig, in zijn element.

Zijn vrouw, lang, donker, rijzig, kwam hem tegemoet bij de deur. Ze begroetten elkaar alsof ze al de hele week samen waren. Dat betekende dat alles goed ging. Ze had niets met zijn soldaten op, maar had geleerd met ze te leven. Ze was opgegroeid tussen soldaten en had geen hoge dunk van ze. Om die reden ook had ze een chauffeur annex lijfwacht geweigerd. Ze bleef buiten de schijnwerpers en ging alleen naar heel bijzondere gelegenheden met hem mee. Ze deed haar uiterste best om het gezinsleven te scheiden van de waanzin van de macht. Ze hadden een volwassen overeenkomst gesloten om elkaar nooit in de weg te staan. Ze namen afscheid alsof het voor het laatst was en begroetten elkaar weer alsof de ander niet was weggeweest. Ze mengde zich nooit in zijn zaken, want ze wist liever niet wat hij met zijn vrienden uitspookte. Van begin af aan had ze duidelijk gemaakt dat ze geen drinkgelagen toe zou staan. Haar huis was een thuis, geen café. Hij was teleurgesteld geweest want hij had wel iets van de losbandigheid met haar willen delen, als blijk hoe hoog ze waren gestegen, maar daar moest zij niets van hebben. Hij had gesmeekt, gesoebat, bevolen. Tevergeefs. Omdat ze zijn eerste vrouw was, die armoe met hem had geleden, met wie hij kon praten, die hij helemaal vertrouwde, de moeder van zijn geliefde kinderen, kreeg ze haar zin. Hij had haar een grote winkel in Kampala gegeven waar ze kleding verkocht aan de vrouwen van rijke officieren. Ook handelde ze wel eens in vreemde valuta, en verkocht dan dollars uit een volle jutezak die in het huis verstopt was.

Ze ging hem voor naar de slaapkamer. Plotseling speels ging hij verend op het bed zitten. Zij ging op een stoel zitten en boog zich naar voren. Ter begroeting hielden ze elkaars hand vast en hij voelde zinnelijke steken, want als ze gingen vrijen hielden ze ook altijd eerst elkaars hand vast. Naar achter geleund zat hij haar aan te kijken en luisterde terwijl zij praatte. Even dwaalden zijn gedachten terug naar de dag dat hij haar leerde kennen. Met haar eenvoudige jurk, haar badsandalen, de spleetjes tussen haar tanden als ze lachte. Ze werden gestoord door de kinderen. Zijn oudste zoon, tien, lang, slank, kwam hem een glas van zijn lievelingsdrank brengen. Hij dronk het glas uit en liet zich door de jongen mannelijk begroeten. Zijn dochter, twaalf, dik, bruinig, kwam hem ter begroeting giechelend een glas gierstebier brengen. Hij was altijd benieuwd waar het gen vandaan kwam waardoor zij dik en lichter van huid was.

Kennelijk van zijn vrouws kant. Daar moest iemand, waarschijnlijk een grootvader, met zuiderlingen gerommeld
hebben. Hij nam beide offerandes kalm in ontvangst. Zijn
tweede zoon, acht, lang, donker, kwam hem een stel sol-
daatjes brengen die hij van klei had gebakken. Hij lachte
en klopte de jongen op zijn rug. Hij was in zo'n goed humeur dat hij zijn vrouw en kinderen teder aankeek. Zij waren zijn wereld, vond hij, dat wat er zou overblijven nadat
de waanzin van de macht voorbij was. Hij pakte zijn porte-
feuille en gaf zijn kinderen elk een briefje van honderd
dollar.

'Snoep, kopen jullie maar wat snoep,' zei hij trots.

'Verwen ze maar, vooruit, verwen ze maar.'

'Ja zeker, en dan lijf ik ze uiteindelijk bij het leger in. En
jou ook, vrouw,' zei hij met een lachje tegen zijn vrouw.

'Vergeet het maar,' zei ze, en barstte in lachen uit.

Ten slotte voegde generaal Bazooka zich buiten bij de
gasten. Er zaten groepjes om potten bier met zuigpijpen in
hun mond, en anderen dronken sterkedrank uit de fles. Bij
elk groepje ging hij langs, proefde de drank, kauwde op de
gebraden geit en maakte een praatje. Hij nam een vrouw
mee naar de dansvloer en opende het bal. Er speelde disco-
muziek, een zwaar gebonk dat de heupen noodde tot stoten
en wiegen. Hij sprong en waggelde rond, en maakte zich
op om hof te gaan houden.

Achter het huis, in de schaduw van een machtige eiken-
boom, was een tafel met twee stoelen geplaatst. Op de tafel
stond een fles sterkedrank met twee glazen, naast een noti-
tieblok en een batterij gouden Parker-pennen, die nooit
werden gebruikt omdat de generaal elke afspraak onthield.
Buiten gehoorsafstand stonden twee soldaten op wacht.

De generaal nam plaats op zijn troon, hoorde de dreunende muziek aan de andere kant van het huis, rook de avondlucht en wreef in zijn handen. De eerste die hij bij zich riep was een oude schoolmakker. Ze waren meer dan tien jaar geleden bevriend geweest. Ze hadden samen auto's gewassen, gras gemaaid, mango's gestolen en zakken gerold. De generaal benijdde de jongen altijd om het stabiele gezin waar hij uit kwam. Het was een van de weinige zuiderlingen die hij mocht. De man werkte nu bij de veterinaire dienst in de bergen van Oost-Oeganda. Zijn zoon was betrapt bij koffiesmokkel over het meer. De mannen van Ashes hadden vier kameraden van hem doodgeschoten en hemzelf onderweg naar zijn detentie zwaar afgetuigd. Het was niet het leukste weerzien.

'Hoe gaat het met je?' zei de generaal neutraal.

'Met mij goed, generaal.'

'Waar heb je al die jaren uitgehangen?'

'In het oosten, hard gewerkt, koeien en varkens gehoed, generaal.'

De generaal lachte en zei: 'Koeien gehoed en ons helemaal vergeten.'

'Ik wist dat u het buitengewoon druk had en ik kon niet de moed opbrengen om u lastig te vallen.'

'Een mens kan niet zonder zijn vrienden. We leven in een nare koude wereld,' zei de generaal zelfgenoegzaam, bijna geamuseerd.

'Zeg dat wel, generaal.'

De generaal bekeek de kleren van de man: een slecht passend pak, een goedkoop overhemd, goedkope schoenen. De man werd al kaal, hoe jong hij ook nog was. Hij miste de glans der welvarendheid op zijn voorhoofd. Het leek zelfs wel of hij al jarenlang niet was betaald. Bij het zien van die grote geschaafde handen, die holle ogen, die kleren die naargeestig om zijn lijf hingen, was de generaal benieuwd hoe 's mans vrouw eruitzag. Zou ook wel treurig uit haar ogen kijken, dacht hij. Hij wilde hem vragen waar zijn ouders waren, maar hij besloot even te wachten. Hij wilde wat avonturen uit hun jeugd ophalen, maar hij wilde hem niet te vlug te dichtbij laten komen, tenminste niet voordat hij wist wat hij van hem wilde. 'Wat kan ik voor je doen?'

'Ik heb een enorm probleem, generaal. Mijn zoon is in grote moeilijkheden geraakt. Hij heeft zich bij een groepje slechte mensen aangesloten en die hebben geprobeerd om koffie naar Kenia te brengen.'

'Smokkelaars. Smokkelaars!'

'Ik heb mijn ouderlijke plicht verzaakt. Ik was zo hard bezig om rond te komen dat ik niet bij kon houden wat die jongen deed. Nu zit hij in hechtenis bij de politie. Maar wie weet wat ze met hem doen bij de antismokkeldienst? Daar wordt hij misschien wel verbrand, dat hebben ze ook met anderen gedaan.'

'Die mensen zijn gestoord,' zei de generaal, en dacht aan zijn dagen als koning van het meer. Hij wist nog dat hij uit zijn helikopter al die leuke eilandjes zag en het gevoel had dat ze stuk voor stuk van hem waren. Hij wist nog dat hij dacht dat alle vissen, krokodillen, kikkervisjes die in het meer zwommen van hem waren. Hij wist nog dat hij het gevoel had dat de lucht die iedereen aan het meer inademde van hem was. Nu was alles weg. Hem afgepakt waar zijn moeder bij was. Hij bleef zo lang zwijgen dat de man dacht dat hij in slaap was gevallen. Hij kuchte een paar keer in een poging hem aan zijn aanwezigheid te herinneren.

'U bent mijn laatste hoop, generaal.'

'Wat verwacht je dan dat ik doe?' vroeg hij, en keek naar de sterren. Het sterrenbeeld Zuiderkruis deed hem altijd aan zijn geliefde eilanden denken. Het water zag er soms ook zo ijzig uit.

'Ik weet zeker dat een soldaat die van u bevel krijgt om opzij te gaan, zonder meer opzij gaat.'

De generaal zweeg een hele tijd. Hij nam een slok uit zijn glas. Waarom zou hij die man helpen? 'Besef je wel wat je van me vraagt? Wil je dat ik de wet overtreed? En me bemoei met een ander ministerie?'

'Generaal, als mijn koe in een kuil viel, riep ik vrienden met touwen en probeerde hem eruit te trekken. Ik ging zelf naar beneden en deed wat ik kon. In dit geval kan ik dat nu eenmaal niet.'

'Mooi gesproken, cowboy,' lachte de generaal. Hier was zijn kans om Ashes te naaien. Dit zou hij echt voor de lol doen. Het werd hoog tijd dat zijn mannen eens iets spectaculairs deden. Dat zou ze wakker schudden en misschien kregen ze zelfs nog wel zin in iets stevigers. 'Ik ben tegen smokkel. Het is verraad. Er staat de doodstraf op. Maar ik maak een uitzondering. Ik zal die jongen bevrijden. Waarschuw hem dat hij nooit meer zondigt. De volgende keer wordt het de kogel. Een bazooka-raket. Dan valt er niets meer te begraven.'

'Ik sta bij u in het krijt, generaal,' zei de man, en legde knielend zijn handpalmen op de tafel, met zijn gezicht geheven alsof hij wachtte op een klap of een straal spuug. Boeren begroetten de koning altijd liggend; knielen was geen slechte vervanging voor een prins.

'Sta op en vermaak je op het feest. Je bent me niets verschuldigd. Ik heb geen tijd om schulden te innen.'

'Ik stuur u een stier, generaal.'

Bevend van opluchting viel de man bijna om toen hij probeerde op te staan en weg te lopen.

De tweede man die werd opgeroepen was een stamgenoot. De moeders van de twee mannen waren bevriend geweest. Al tweemaal had de generaal deze man geholpen. De narigheid was dat hij te veel problemen had, te veel schulden. Hij had hem aan een zaak geholpen maar die was op de fles gegaan. Hij had op krediet koeien voor hem gekocht, maar het geld was nooit terugbetaald en hij had de bank met het pistool op de borst moeten dwingen de lening kwijt te schelden.

'Ik ben niet waard dat u mij ontvangt, generaal. Het is een blijk van uw grootmoedigheid dat u mijn aanwezigheid verdraagt.'

'Zeg dat wel. Tweemaal heb ik mijn goede diensten aangewend om je te helpen, geheel tevergeefs. Wat wil je nou weer?' bulderde hij, en bonsde op de tafel.

'Ik heb hulp nodig,' zei de man bevend.

'Wat jij nodig hebt is dat je opgesloten wordt en wat discipline leert. Weet jij hoeveel een soldaat verdient? Nee, dat weet jij niet. Een schijntje. Mijn vader was soldaat. Het enige dat hij aan het leger overhield was een drankverslaving. Ik moest zijn begrafenis regelen en zijn schulden betalen. Wou je nou dat ik jouw drankschulden betaal? Ik kan beter je begrafenis regelen.'

'Het spijt me, generaal. Ik heb gewoon nog een kans nodig.'

134

'Je bent niet goed wijs. Ga weg. Ik wil je niet meer zien.'

Daarna kwam de kolonel belast met zijn veiligheid, zijn hoogste adviseur. Ze kenden elkaar al lang en de kolonel had zijn bevordering aan hem te danken. Hij waardeerde de raad van de kolonel omdat die deugdelijk was, hoe weerzinwekkend soms ook. Hij had gestudeerd en was de enige academicus met wie hij een band had. Hij was de man die de gevoeligste opdrachten uitvoerde.

'Wat een lul!' klaagde de generaal luchthartig toen zijn laatste bezoeker vertrok.

'Sommige mensen zijn het niet waard dat er ook maar iemand tijd aan ze besteedt, generaal,' zei de kolonel met een lachje. Hij wist dat de generaal in een goed humeur was. Dat was een goed voorteken.

'Vermaak jij je zelf ook wel?'

'Natuurlijk. Er is een hoop drank, vlees, muziek. Wat wil een mens nog meer?'

'Om terzake te komen, kolonel, ik wil die Bat nog altijd dood hebben. Hoe eerder hoe beter,' zei de generaal met een heel zakelijke blik.

'We kennen nog altijd het hele verhaal niet, generaal.'

'Sinds wanneer moet je het hele verhaal verdomme kennen om wat te ondernemen? Je ziet een verrader en dan mol je die. Zo doen we dat.'

'Die Dolle Hond weet een hoop van het ministerie. We hebben hem nodig. Hij is ons werktuig. We kunnen hem wel straffen, maar het zou zonde zijn om hem te vermoorden. Ashes bluft. Als we die man vermoorden, heeft Ashes gewonnen. Vergeet niet dat Ashes u met een onderzoek heeft proberen te dreigen. Waarom is hij daar niet aan begonnen als hij zoveel wist? Ashes wil u op de kast jagen.

135

Trap niet in zijn goedkope valstrikken.'

'Die Dolle Hond is een dief. Ik weet eigenlijk niet eens waarom we hem hebben aangenomen.'

'Omdat hij een genie is, generaal.'

'Aan wiens kant sta jij, kolonel?'

'Aan die van ons, natuurlijk.'

'Die Dolle Hond is het ergste voorbeeld van een zuiderling. Die heeft alles voor niks gekregen. Gratis. Hij kwam zomaar uit Engeland en kreeg een baan. Wat heeft die ooit voor tegenspoed meegemaakt? Hij zal zijn gat hebben moeten afvegen,' zei hij. Hij wenkte een soldaat om hem een joint te brengen. Daar zou zijn vrouw wel over klagen, maar daar kon hij mee leven. Hij had de kick nodig.

'Gun hem nog wat tijd terwijl we kijken wat er gebeurt.'

'Maar ik gun hem geen eeuwigheid, reken daar maar niet op, kolonel.'

'Ashes is voor mij de echte onrustzaaier.'

'Vanavond zet ik een prijs op zijn hoofd. Hoor je me, kolonel? Tienduizend dollar voor de man die me de penis van Ashes brengt. Amerikaanse dollars, contant. Dag en nacht. Weer of geen weer. Versta je me? Tienduizend. Plus promotie. Zo graag wil ik Ashes hebben.'

'U kunt op mij rekenen, generaal,' zei de kolonel vormelijk, benieuwd waar de escalatie van vijandigheden toe zou leiden.

'Bombardeer zijn huis. Lok hem in een hinderlaag. Snij zijn tong af, wat dan ook. Ik wil de man een hand geven die me van die plaag verlost en me mijn gemoedsrust teruggeeft. Waar ik ook kijk zie ik die slang. Breng me zijn hoofd en ik maak je minister, beste geleerde van me. Die slang wil een onderzoek naar mij instellen! Wie stelt een onderzoek in naar hem? Wat wil die Ashes toch van me? Zeg eens, wat wil die slang toch van me?'

'Hij bluft.'

'Nou, dat bluffen zal hij wel laten als hij dood is.'

'Reken maar, generaal.'

'Goed, zeg me nou eens wie volgens jou de grootste bedreiging na Ashes is.'

'De vice-president.'

'Hoe hoog schat je diens kansen?'

'Als hij bij andere stammen ronselt, onder niet-moslims, ontevredenen, kan hij wel een staatsgreep plegen. Daar is hij geliefd genoeg voor, ook doordat hij zo tegen u en maarschalk Amin is.'

De generaal trok stevig aan zijn joint. 'Zo lijkt de maarschalk er ook over te denken.'

'Staat hij al op de rode lijst?'

'Welnee. Hij stelt toch niks voor. Eén handgranaat. Eén auto-ongeluk is genoeg,' zei de generaal achteloos.

'Het verkeer is goed geregeld onder deze regering,' zei de kolonel met een lachje. De generaal schaterde het uit – wat een gevoel voor humor.

'Nog één kleinigheid, kolonel. Een kleine reddingsactie om je handen te warmen voor het grote werk.'

'Natuurlijk, generaal.'

'Dan gaan we ons nu bedrinken. Ik ben een gelukkig mens. Ashes met een prijs op zijn hoofd. Wat een vooruitzicht!'

De generaal sprak met de kolonel nooit over bijzonderheden. Hij had ontdekt dat mensen zich harder inspanden om je tevreden te stellen naarmate je ze meer speelruimte gaf. Dat systeem had opvallend goed gewerkt. De generaal had het eigenlijk afgekeken van de maarschalk.

De generaal was in de stemming voor zijn streken met zijn pistool, maar tegelijkertijd wilde hij geen ruzie met zijn vrouw waar zijn mannen bij waren. Hij had wel gewild dat zijn oudste zoon een paar glazen kapotschoot, maar dan zou zijn moeder zo tekeergaan dat het niet de moeite waard was. Dat zou die jongen later dan maar in gezelschap van mannen moeten leren. Wat bracht zijn vrouw de kinderen bij? vroeg hij zich af. Wat leerden ze op school? Zeker niet hoe je een onderwijzer een krijtje uit zijn hand schoot, of een pen achter zijn oor vandaan of een sigaret uit zijn mond. Hij bedacht dat zijn kinderen wel eens een andere toekomst konden hebben, meer een zittend leven. Zijn vrouw en moeder leken dat ook te verkiezen boven de ontberingen van het soldatenleven. Maar hij wilde geen onderwijzer als zoon, geen verpleegster als dochter. Of ze moesten lesgeven of verpleegster zijn in het leger. Daar zou hij zich eens in verdiepen.

Hij verheugde zich op een lange warme nacht. Met bezweet gekreun van voldoening. Na weken afwezigheid bewerkte hij graag vertrouwde grond. Door het wachten veranderde er iets, kreeg hij de scherpte van een scheermes. En des te meer bevrediging gaven de vertrouwde seksuele klanken in zijn moedertaal, doorweven met zijn vroegste herinneringen aan de daad. Ze zouden spartelen, rollen, draaien en elkaar melken als ezels. Daarna zou hij in haar armen liggen, een heerlijkheid die met de jaren niet was verflauwd, en zien hoe als wijkende sterren het licht uit haar ogen verdween, en zich in zijn slaap weer verbonden voelen met het verleden. Bij zonsopgang zou hij opstaan, met de voorbije nacht als een oase in een opdringende woestijn en een nazeurende vermoeidheid in zijn aderen, een ris herinneringen in zijn kloppende hoofd, een vleugje zoete pijn aan de huid van zijn geslacht. Dan verhief hij zich aarzelend, een plant die uit een moeras opschoot, en klom de nieuwe dag in, verjongd, gesterkt. Weer overal klaar voor.

Kolonel Robert Ashes zag zichzelf vaak als een vogel in de lucht, een arend die speurend zijn domein doorkruiste. Zijn bliksemopmars voelde alsof hij door een enorme thermiek met minimale inspanning in de lucht werd gehouden. Hij was inmiddels gewend aan het snelle leventje. Hij genoot van de banketten, de stoet Boomerangs, de camera's, het sabelgerinkel, zijn huwelijk, de rijkdom te midden van armoede, de afgunst die hij wekte en die hij droeg als de monsterlijke vleugels van de arend. Alleen in Afrika, hield hij zich doorlopend voor, kon iemand zo volledig, zo glorieus herboren worden.

Toen hij in het spoor van de ongrijpbare Ierse bommengooier Williams naar Oeganda vertrok, wist hij dat alles op het spel stond. Het was het keerpunt in zijn verwoede speurtocht naar de mogelijkheid om Oeganda in te komen, en tegelijkertijd was het net een doodvonnis. De delegatie kon ontmaskerd worden, iemand kon onder druk bezwijken, ze konden worden doodgeschoten door schietgrage soldaten, het kon dat Amin niet toehapte. Hij wist nog dat hij in Kenia aankwam en vluchtig bedacht dat hij een fout maakte en in Engeland had moeten blijven of weer naar Zuid-Afrika had moeten gaan. Hij dacht terug aan de slapeloze nachten in een Keniaans hotel terwijl ze op een vliegtuig wachtten. In die dagen leefde hij op whisky, sigaren en koekjes, want het eten was te onsmakelijk om door zijn keel te krijgen. Hij wist nog dat hij op het vliegtuig stapte en dat de woorden van zijn contact in zijn oren nagalmden: 'Je staat er alleen voor. Als je gepakt wordt, weten wij nergens van. Dan belandt je hoofd waarschijnlijk bij Amin in de koelkast en eindigen je ballen aan zijn ontbijtvork.' Hij dacht terug aan de vlucht, de grootse taferelen buiten het raampje, de golvende bergen, de kronkelende rivieren, het oogverblindende groen van de bossen. Hij dacht almaar aan het paradijs. Hij dacht ook terug aan de bomaanslag van de eeuw door Williams, zoals de IRA de campagne in Engeland noemde. Hij wist nog dat hij het nieuws hoorde dat de bommengooiers waren aangehouden, verhalen over mannen die in volle vaart uit auto's werden gegooid, mannen bij wie tijdens verhoren tanden werden getrokken. Toen de geruchten dat Williams in Oeganda was, en zijn hart dat bonzend tekeerging. Het leek wel of hij een stroomstoot kreeg, of zijn spieren van opwinding brandden en scheurden. Hij dacht terug aan de uren wachten voordat hij te horen kreeg of hij al dan niet naar Oeganda werd gestuurd. Hij had nooit één moment geloofd dat een man zo belangrijk als Williams ooit zou wagen zich in Oeganda schuil te houden. Maar wat maakte het hem uit? Het was de kans die hij nodig had. Indertijd bestond de angst dat de IRA de campagne uit zou breiden naar het buitenland en daar Engelse ambassades zou gaan bombarderen, maar hij geloofde daar niet in. Bij de IRA wisten ze wat ze wilden en hoe ze dat moesten krijgen. Maar goed, wat maakte het hem uit?

Hij wist nog dat hij voet op Oegandese bodem zette en het gevoel had dat hij dat in een wazig verleden al eens eerder had gedaan. Hij werd niet in het minst afgeschrikt door de soldaten. De standbeelden van Amin werkten op zijn lachspieren. Hij dacht terug aan de felle aandrang die hij had gevoeld om personeel van Copper Motors te vervangen. Hij wist dat hij dat zou vervangen want het was zijn scherpte kwijt.

Een jaar later hoorde hij dat de beroemde astroloog zijn komst had voorspeld – als een soort messias. Daar moest hij nogal om lachen, want hij geloofde niet in astrologie. Hij geloofde in hard werken en af en toe een gelukje, maar niet in voortekenen die werden afgelezen aan de hemel of aan stierenlevers. Hij zorgde gewoon dat hij de astroloog ontliep. Hij was niet voor of tegen hem.

Van zijn kant begroette Amin hem met open armen, want net als veel tirannen was hij eenzaam te midden van een stoet vereerders, hielenlikkers, echtgenotes. Hij had een vertrouwensman nodig, iemand van zijn eigen niveau, een spiegel om de betoverde nevelwereld die hij bewoonde echt te maken, een doorn die hem nu en dan prikte met de steek van de onvolkomenheid die hij als aansporing nodig had. Het was gewoon een extraatje dat hij het Westen kende en in staat was dat te analyseren. Want het was bepaald niet zo dat er een tekort was aan geschoolde mensen die Amin de informatie konden leveren waar hij om verlegen zat. Alleen konden die zich niet losmaken van hun hoogdravende taal, hun ingewikkelde gedoe. Het eind van het liedje was dat ze de maarschalk in verwarring brachten, hem plannen lieten wijzigen waarmee hij al had ingestemd, en zo leed hij gezichtsverlies. De specialiteit van Ashes was dat hij alles voor de maarschalk herkauwde. En hij was bereid zijn rol als veedrijver te vervullen en te zorgen dat de generaals 'm knepen.

Ashes kreeg de taak om de lijfwacht van Amin, de Eunuchs, tot een eenheid van specialisten om te vormen. Doordat het allemaal Kakwa's en Nubiërs waren, verminderde de interne verdeeldheid. Ze wisten dat hun leven ervan afhing dat Amin bleef leven. Ashes vond veel van de mannen dom, gewelddadig, voorspelbaar, maar dat waren wel de benodigde eigenschappen. Hij drilde ze alleen nog harder, leerde ze de vereiste tactieken en liet ze los. Amin plaatste ze onder bevel van een zekere majoor Ozi, gaf ze opslag en beter te eten, en vertelde ze dat ze boven alle legerofficieren en veiligheidsagenten stonden. Amin en Ashes wisten beiden van de gruweldaden die de mannen begingen, beroving, ontvoering, maar die zagen ze door de vingers. Naar hun idee zouden ze door een beetje speelruimte des te trouwer aan hun president worden. Ashes genoot van de verhalen over botsingen tussen het staatsonderzoeksbureau en de Eunuchs. De Eunuchs mochten de mensen van het Bureau graag provoceren door ze uit cafés en nachtclubs te verjagen en hun vrouwen in te pikken. Volgens Ashes was verdeeldheid onder de veiligheidsdiensten altijd goed. Sloot samenzwering uit. Hield iedereen scherp.

Ashes deed het uitstekend. Hij vond het heerlijk om de generaals en hun mannen te jennen. Ze konden hem haten zoveel ze wilden, maar konden hem niet vermoorden, niet zonder eerst Amin te vermoorden. Af en toe had hij een nachtmerrie dat hij wakker werd te midden van een geslaagde staatsgreep en Amin bij zijn ballen aan een boom zag bungelen. Aan het slot had hij altijd een pistool in zijn mond. Hij hield van gevaar; het deed hem goed. Hij had nu zijn eigen privé-leger en hij pronkte graag met zijn status als krijgsheer. Hij had stennis met generaal Scheet, zoals hij Bazooka in besloten kring noemde. Hij wist dat die man onzeker was over zijn positie, zijn toekomst. Hij was ervan overtuigd dat die man leed aan de hoogtevrees van mensen die het te vroeg in het leven ver brengen. Hij vond het leuk om hem te jennen, hem het gevoel te geven dat het niets meer scheelde of Amin reeg zijn ballen aan het spit en zette ze hem voor als ontbijt. Hij had hem bij dat Saoedische handeltje door het stof kunnen laten gaan. Hij had van die andere prins alle bijzonderheden gekregen. De kop van generaal Scheet had kunnen rollen. Maar hij had die Saoedische prins niet gemogen, een vormloze, onaangename klomp van een man. Niemand kreeg wat hij wilde als hij kolonel Ashes als een boodschappenjongen aansprak.

Gelukkig voor generaal Scheet legde Ashes toentertijd net de laatste hand aan de deal die hem miljoenen zou gaan opleveren. Hij had een afspraak gemaakt met de Grote Baas, het hoofd van Copper Motors, om onderdelen te gaan invoeren voor legerhelikopters, Stinger-jeeps, Leyland-bussen en -vrachtwagens. Hij zou zeker zo'n tien miljoen dollar opstrijken. Amin had de afspraak goedgekeurd, en de onderdelen waren al onderweg. Volgens plan hadden de miljoenen al op zijn rekening gestort moeten zijn. Toen hij daar tegen de Baas over begon, werd hem gezegd dat hij moest wachten. Hij wachtte een tijdje, want hij wilde voorzichtig te werk gaan, zonder dat de maarschalk van de miljoenen wist. Maar toen er niets veranderde, besefte hij dat de Grote Baas hem had bedrogen.

De Grote Baas gruwde hevig van de inmenging van Robert Ashes in de zaken van Copper Motors, omdat hij geen enkel historisch besef had, geen enkel ontzag voor alles wat hij had doorstaan om het bedrijf draaiende te houden. Copper Motors was begonnen als filiaal van een multinational die in Kilembe, in het zuidwesten, koper en kobalt dolf en zich verder bezighield met kleinschalige fabricage. De koperfabriek en de fabricage-afdelingen waren kort nadat Amin aan de macht kwam failliet gegaan. De buitenlandse medewerkers hadden hun biezen gepakt. De Grote Baas bevond zich in een netelige toestand: hij kon vertrekken en in Kenia of Zuid-Afrika gaan werken, of een gokje wagen en de kwijnende motorenafdeling weer opbouwen. Hij besloot te blijven en hij reorganiseerde, haalde mensen binnen en zette er buiten, kocht om en chanteerde en smeerde met stroop. Met groot succes. In 1973 was hij de enige importeur van onderdelen voor het hele land. Concurrenten kwamen en gingen, en lieten hem sterker achter. De Barclay's Bank bleef zijn trouwe bankier, die geld overhevelde, smeergeld doorsluisde, leningen verstrekte, het mechanisme in stand hield waardoor het bedrijf altijd kredietwaardig bleef.

De kennismaking tussen de Grote Baas en Ashes was venijnig. Ashes eiste een deel van de koek. Protectiegeld, aandelen, een compagnonschap. De Grote Baas lachte hem in zijn gezicht uit. Ashes slikte de belediging, ging naar huis en besloot de assistent van de Grote Baas te benaderen. Hij dreigde hem in verband te brengen met guerrillastrijders als hij niet meewerkte. De man weigerde. Ashes hing hem op, zij het zo dat het zelfmoord leek. De volgende keer dat hij met de Grote Baas sprak, ging die overstag. Zo werd hij compagnon. Zijn bijdrage aan de megadeal was geweest dat Amin de import van de grootste lading onderdelen sinds jaren goedkeurde en financierde.

Op dat moment beseften de Grote Baas en zijn vrouw dat Ashes alles wilde overnemen. Het was duidelijk dat de droom ten einde liep. Ze besloten niet met stille trom te vertrekken. Vrienden bij Barclay's in Oeganda en Barclay's in Engeland stortten het aandeel van Ashes niet op diens rekening, maar op een geheime nummerrekening op de Kaaiman Eilanden. Zowat tegelijkertijd stuurden de Grote Baas en zijn vrouw hun enige zoon naar het buitenland en benoemden hem tot enig erfgenaam van hun vermogen. Voor de zekerheid. De vrouw van de Grote Baas zou veertien dagen later volgen. De Grote Baas zelf zou als laatste vertrekken. Ze waren van plan apart te reizen om geen argwaan te wekken.

Ashes wist heel goed dat hij alleen de waarheid van de Grote Baas zou horen als hij zich op het zachtste doel richtte: zijn vrouw. Zij was ook een verzekeringspolis voor het geval de Grote Baas weg wist te komen of besloot om aan Amin te vertellen wat er gaande was. Ashes stuurde zijn mannen om de vrouw te ontvoeren. Ze kwamen in Euphoria's 707, omsingelden het pand, sneden de telefoon af, bestormden het huis, knevelden haar, gooiden haar in de kofferbak en reden weg. Op een afgesproken plaats zetten ze haar op een Shark-helikopter die haar overbracht naar het eiland van Ashes, de basis van de antismokkeldienst.

Dat eiland was vijf kilometer lang en op het breedste punt drie kilometer breed. Het was vol grove, indrukwekkende rotsen en uitzonderlijk hoge bomen met grijze stammen waarin papegaaien met gele dijen en andere vogels zongen. Uit de verte leek het een groen waas met grijze stammen dat precies op de rotsen paste. Er waren huizen, wapendepots, speedboten en een enorme bunker die Ashes als zijn hoofdkwartier gebruikte. Het eiland lag alleen in het water, gebeukt door humeurige golven, gekamd door winden met scherpe tanden. Het riep beelden op van betovering, vrijheid, glorieuze afzondering, vooral gezien uit de verte op een heldere zonovergoten dag.

De vrouw van de Grote Baas was gebruind en had lang haar, en was begin veertig. Ze had een verleidelijk figuur en een prettig gezicht dat dikwijls haar innerlijke kracht verried. Ze had de laatste tien jaar in Oeganda doorgebracht en was gebleven toen anderen het opgaven en weggingen, vastbesloten om een groot vermogen te vergaren. Haar familie had eens geld gehad, maar had dat verspeeld in de laatste Grote Oorlog. Haar man had ze leren kennen in Londen, waar hij met vakantie was. Ze wachtte al heel haar leven op zo'n man, een avonturier, een charmeur, een man die bereid was alles te wagen om alles te winnen. De laatste tien jaar had het echtpaar de gelukkigste tijd van zijn leven gehad.

In haar herinnering waren die jaren vol actie, vaak duizelingwekkend, vaak kalm, vaak onvoorspelbaar. Er gebeurde altijd wel iets, nachten met kogelregens, dagen kalm als een slapende baby en andersom. Ze had de val van de ene regering en de opkomst van de andere meegemaakt. Ze was getuige geweest van lynchpartijen, schietpartijen, mishandelingen, begrafenissen, zwierige bruiloften, uitbundige kerstfeesten die dagen duurden, een wipwap van vreugde en leed die steeds weer om een andere onzichtbare as bewoog. Ze was vijf keer beroofd, tweemaal met het pistool op de borst. Telkens door soldaten. Te midden van dat alles hadden ze hun zoon gekregen, de slagroom op de taart van het succes, dat almaar groter leek te worden. Ze hadden zoveel succes gehad dat ze zich wel eens onoverwinnelijk voelden, als goden die rondliepen tussen het tuig in uniform en het kreunende volk dat naar verlossing van de tirannie verlangde. Ze waren in de unieke positie dat ze zakendeden met een tiran en wisten dat ze er zowel goed als slecht aan deden om hem te helpen. Het vergrootte zijn vermogen tot onderdrukking, maar tegelijkertijd waren de onderdelen voor bussen en vrachtwagens onmisbaar voor de bevolking.

Ze was blij dat haar zoon buiten bereik van Ashes was, veilig op een exclusieve kostschool. Ze was zich nog altijd bewust van het vernuft, het gevaar, de wraak, de roes die bij de megadeal een rol speelden. Ze hadden besloten Ashes net zo te naaien als hij hen had genaaid; hij had hun positie ondergraven, hun leven in gevaar gebracht en hun collega vermoord. Het zogenaamde zelfmoordbriefje was een belediging voor zijn nagedachtenis geweest, en ook voor hen. Zij zouden het niet meemaken dat Ashes stromannen aanstelde om Copper Motors te leiden. Ze zouden de geest van Copper Motors meenemen naar het Caribisch gebied, waar ze net een huis, een jacht en een stuk van hun paradijs hadden gekocht.

De vrouw van de Grote Baas zat tegenover Robert Ashes, maar nauwelijks in staat haar afkeer van hem te verbergen. Het leek wel of die door haar poriën sijpelde en zich verspreidde als een gas. Uit de manier waarop ze haar hadden behandeld, haar als een zak uien hadden vervoerd, wist ze dat er al bepaalde grenzen waren getrokken. Ze mocht geen krimp geven. Elk blijk van zwakte zou alles verknoeien. Ze wist inmiddels dat haar leven op het spel stond, en ook dat van haar man, plus de loopbaan van Ashes. Ze bad en hoopte maar dat haar man ook voet bij stuk zou houden en niet voor het geweld van die gangster zou buigen.

Uit haar waardige gedrag maakte Robert Ashes op dat hij van haar volstrekt niets wijzer zou worden. Alleen al het feit dat haar zoon buiten zijn bereik was zei genoeg. Hij betreurde het dat hij die jongen had laten gaan. Waarom had hij zich door de Grote Baas laten beetnemen en had hij gewacht? Hij besefte dat zijn trots, zijn gevoel van onfeilbaarheid, hem een fortuin had gekost. Als hij achterdochtiger was geweest zou die jongen hier zijn en had de vrouw van de Grote Baas wel gepraat.

Hij stond op, met een havanna in zijn hand, liep wat rond en vroeg de vrouw waar zijn geld was. Toen hij begon over de dingen die hij van plan was haar zoon aan te doen als hij die te pakken kreeg, vertrok ze geen spier. Ze doorzag zijn leugens en daar werd hij woedend om. Kil keek hij haar aan en op dat moment wisten ze allebei dat de een de ander zou moeten vermoorden om daar nog weg te komen. Ashes kon niet riskeren om haar vrij te laten, uit angst dat ze misschien zou praten. Hij dacht telkens aan de Mau Mau-vrouwen die werden gepakt met wapens onder hun mantel. Twintig jaar later zag hij ze nog altijd voor zich met hun onbeweeglijke gezicht, die vrouwen die ook na zware marteling niets loslieten en stierven met hun geheimen, en zo weer een volmaakte dag, week of maand campagne bedierven. Hij was door zijn nachtmerrie ingehaald. Hij was uit op geheimen, maar die wilde deze heks niet prijsgeven.

'Jij weet niet waar mijn geld is?'

'Nee, dat weet ik niet.'

'Wat moet ik nou zeggen?' zei hij kil, waarbij hij zijn woede onderdrukte en zijn enorme schouders ophaalde. 'Tien jaar pijp je en neuk je die lul en dan weet je niks van de belangrijkste deal uit zijn loopbaan!'

'Nee, dat is zo.'

'Ik zal je tijd niet verdoen,' zei hij en keek naar buiten, en hij kreeg haast tranen in zijn ogen van de inspanning om kalm te blijven. 'Bewaker, sluit haar op.'

'Jawel, kolonel.'

Ashes liep weg en liet de bewakers de vrouw opsluiten in de kamer die ze gebruikten om smokkelaars voor verhoor vast te houden. Hij wou dat ze schreeuwde, hem terugriep. Hij vergiste zich. Ze wist dat driftbuien in dit deel van de wereld een teken van zwakte waren. Dit was moorddadig poker, met hoge inzet.

Intussen raakte de Grote Baas buiten zinnen. Hij meldde de ontvoering van zijn vrouw bij het staatsonderzoeksbureau. Diezelfde ochtend kwam Ashes langs op zijn kantoor aan Kampala Road, en vroeg hem waar zijn geld was.

'Even geduld, ja? De papieren komen vandaag of morgen. Zodra ze er zijn zul je zien dat ik de waarheid heb gesproken.'

'Je tijd is om.'

'Ik wil mijn vrouw terug.'

'Die is medeplichtig aan moord en oplichting. Ik heb informatie waaruit blijkt dat jij en je vrouw jouw assistent hebben vermoord, en wel zo dat het zelfmoord leek. Er is ook informatie over jullie banden met guerrillastrijders. Als je me nou zegt waar mijn geld is, dan laat ik jullie allebei gaan,' zei Ashes zacht.

'Gun me de tijd, maar doe haar alsjeblieft geen kwaad.'

'Ik heb haar geen hoofd- of schaamhaar gekrenkt.'

'Gun me twee dagen en je hebt je geld.'

'Akkoord,' zei Ashes kil, in de wetenschap dat de Grote Baas tegen hem loog.

Zodra Ashes weg was, nam de Grote Baas contact op met generaal Mig 300, die ook een hartstochtelijke hekel aan hem had.

'Rustig aan, en laat alles maar aan mij over. Ik heb nog nooit zo'n eenvoudige opdracht van je gekregen,' antwoordde de man.

De Grote Baas gaf hem honderdduizend dollar contant. Hij beloofde hem nog een grote premie als de klus geklaard was.

'Ik zal alles doen wat nodig is, beste vriend. Je kent mij, als ik alles zeg, bedoel ik dat ik ook een Mig 200 bommenwerper stuur. Dat is een kwestie van één telefoontje. Ik bombardeer dat eiland en dan landt er een gevechtshelikopter en die pikt haar op. Wacht maar rustig af. Ik heb de dollars om alle betrokkenen om te kopen.'

De Grote Baas was gerustgesteld. Mig 300 deed niet in loze dreigementen of ijdele beloften. Hij had twee dagen gevraagd. De Grote Baas wist dat Ashes af zou wachten, want tijd was het enige dat hij had. Hij kon niet zijn positie in de waagschaal stellen door iets stoms te doen. Twee dagen en zijn vrouw en hij zouden het land uit zijn.

Ashes handelde bliksemsnel. Binnen enkele uren nadat hij het kantoor van de Grote Baas was uitgestapt, beschuldigde hij hem van samenzwering met dissidenten die opereerden uit Tanzania. Op grond van gefingeerd bewijsmateriaal arresteerde hij hem. Ashes kon zijn woede inmiddels bijna niet meer bedwingen. Tien miljoen! Gevoegd bij zijn vermogen in Zwitserland zou hij een tegoed van 30 miljoen dollar hebben gehad. Hij kon niet geloven dat de Grote Baas had verwacht hem ongestraft te kunnen bezwendelen. In het Oeganda van Amin! Waar mensen omkwamen voor een pannenkoek, een kilo suiker, voor niets. Maar tien miljoen dollar!

De Grote Baas werd naar het eiland gevlogen. Het was geen betoverend uitzicht dat zijn komst begroette. De lucht voelde te koel, te vol met pollen en het lawaai van papegaaien. De aanblik van zijn vrouw in een kooi bracht hem in grote verwarring en ongeduldig wachtte hij op redding. Hij kon zien dat ze niets had losgelaten. Hij voelde een enorme schok van verlichting. Nog even en Mig 300 zou eraankomen, en daken van huizen rukken, bomen doormidden hakken, de hufters een pak slaag geven. Binnen een paar uur na hun redding zouden ze de grens over zijn, binnen een paar dagen zouden ze op een tropisch eiland rumpunch zitten drinken.

De Grote Baas had zijn vrouw leren kennen op een moment dat een man gaat twijfelen of hij ooit wel een geestverwante zal tegenkomen. Geen blanke vrouw wilde met hem mee naar Oeganda. Velen vonden al dat hij gek was als hij ook maar de gedachte opperde. Ze bibberden als ze van de moorden hoorden. En toen kwam Kate en werd alles anders. Hij bad altijd dat ze samen zouden sterven, begraven naast elkaar. Hij zag zichzelf niet zonder haar vergaan, aan iemand anders wennen of zijn laatste dagen alleen slijten. Ashes zou hen misschien hard aanpakken, maar hij zou hen niet afmaken. De soldaten hadden hen in dezelfde kamer gezet, achter dezelfde tralies, en waren weggegaan. De Grote Baas en zijn vrouw sloegen hun armen om elkaar heen, kusten, praatten, huilden en hielden de moed erin terwijl de uren wegtikten. Ze moest eten van hem, voor het geval ze na de redding een heel eind moesten rennen of lopen. Ze voelden nu een verbondenheid die alleen kan worden opgewekt door gevaar en hysterie. Hun leven lag tot de kern blootgeschraapt, bevend van de glorie van de voorbije tien jaar. Die nacht samen sterkte hen, uit elk gebaar zogen ze energie waarmee ze hun ziel oplaadden voor de barre tocht naar de glorie.

Ashes verscheen de volgende ochtend vroeg. Hij kwam de kamer binnen en ging op een stoel zitten, met een havanna in zijn mond en een whisky in zijn hand. Hij maakte een vermoeide, slonzige, manische indruk. Hij vroeg waar zijn geld was. Hij legde uit dat hij hun een hele nacht had gegund om zich de bijzonderheden te herinneren en een geloofwaardig verhaal in elkaar te draaien. Ze weigerden te praten. Hij riep de Stamper binnen. De reus sjouwde een vijzel van een meter met zich mee, gemarmerd, glad als een ei. De vrouw werd vastgehouden en de man bewerkte haar voeten. Twee klappen en ze waren weg. Ze viel schuimbekkend flauw en gaf bloed op. Het duurde amper vier seconden. Het ging zo snel dat de Grote Baas haast niet kon geloven dat het was gebeurd. Hij had amper tijd om te slikken, te hoesten en iets te zeggen. Op dat moment wist hij dat zijn wereld verwoest was. Ashes wilde én hun leven én het geld. Een van tweeën zou hij krijgen, niet allebei. Weer vier seconden later had de vrouw geen armen meer. De Grote Baas bevuilde zich en jammerde het uit.

Ashes zag dat de Grote Baas van verdriet met zijn hand-palmen op de grond sloeg. Hij was kwaad op zichzelf om-dat hij de Grote Baas en zijn vrouw had onderschat. Voort-aan zou hij voorzichtiger zijn. Hij zou zijn dromen niet meer zoals deze laten leegbloeden. Opeens bedacht hij dat de Grote Baas en zijn vrouw misschien wel op redding hadden gerekend. Door wie? En hoe? Hij merkte dat het hem niet meer kon schelen. Hij stond op, bespuugde de Grote Baas en liep de kamer uit. 'Misschien zegt ze je nou waar het geld is,' zei hij.

De Grote Baas werd achtergelaten in de kooi bij zijn vrouw, of wat er van haar over was. Hij wist wat hem te wachten stond als Mig 300 niet vlug optrad. Waar was hij? Vandaag was de dag van de redding. Waar waren het vlieg-tuig en de helikopter? Waar hadden die uitgehangen toen die beesten zijn vrouw vermoordden? Hij vond dat hij haar verplicht was om te blijven leven en hun zoon groot te brengen, en haar dood te wreken. Naarmate de uren weg-sijpelden en de ontzetting zich verdiepte, besefte hij dat ze zich ernstig hadden misrekend. Ashes was geen domme boef. Ze hadden aangenomen dat hij de zaak zou laten rus-ten uit angst dat Amin er lucht van kreeg. Als baas van de machtige, schijnheilige antismokkeldienst kon hij zich niet veroorloven om bij oplichting van de overheid betrokken te raken. Het was allemaal misgelopen. Opeens wist hij dat generaal Mig 300 niet zou komen. Hij slaakte een heel har-de kreet van doodsangst en vertwijfeling.

Intussen stuurde Ashes zijn mannen naar het huis van de Grote Baas om elk vel papier te bekijken en alles uit te spreiden en open te snijden. Ze gingen naar zijn kantoor en deden hetzelfde. Ze bekeken zijn lijst met vrienden en keerden ook hun huizen ondersteboven. Ze kwamen terug met lege handen, onder het stof en de mijten. Ashes wilde de directeuren van de Barclay's Bank arresteren, maar zelfs hij besefte dat de uitwerking averechts zou zijn. Ter verdediging zouden de bankiers wel eens belastende informatie kunnen vrijgeven. Hij zette zijn auto voor de bank en de gedachten joegen door zijn hoofd. Wat had hij die klootzakken graag neergeschoten en dat gebouw platgebombardeerd! Maar hij was verstandig. Hij hief zijn armen en ging op weg naar het eiland.

Die avond stormde hij naar de kooi en haalde de Grote Baas eruit. Hij nam hem mee naar het bos en liet hem op een open plek blokken hout verzamelen. Weer in de kooi liet hij hem zijn vrouw naar die open plek dragen.

'Neem afscheid en zeg een paar gebeden voor haar ziel. Ik geef je dit als voorrecht, oude vriend,' zei Ashes spottend.

Met hulp van de Stamper stapelde de Grote Baas blokken op zijn vrouw, en de tranen stroomden over zijn gezicht. Er kwam een bewaker met een jerrycan benzine, en hij goot die over het hout en streek een lucifer aan. De vlammen laaiden bulderend op. Voor het eerst die dag was Ashes opgetogen. Hij begon te fluiten: '*He has the whole world in his hands...*'

Toen de vlammen verflauwden en het vuur ging doven, sloeg de Stamper de Grote Baas neer, bond hem vast met een touw en gooide hem in het vuur. Het geschreeuw en gekreun van de man vermengde zich met het gebulder van de vlammen. Met een lachje bleef Ashes doorfluiten. Hij bleef achter tot het vuur uitging.

Generaal Mig 300 kwam nooit opdagen. Iedereen was nog altijd bang voor kolonel Ashes.

Een paar dagen later werden bij een spectaculaire aanval smokkelaars bevrijd die in afwachting van verhoor door de politie werden vastgehouden. Gewapende mannen bestormden het politiebureau, ontwapenden en knevelden iedereen, lieten alle gevangenen gaan en zeiden tegen de politiechef dat hij de groeten aan meneer Ashes moest doen. Ashes was er niet van ondersteboven. Het was niet te vergelijken met zijn verlies.

Een maand later werd het huis van zijn vrouw aangevallen. Ze woonde in Mengo, heel dicht bij de stad. De aanvallers waren gewapend met brandbommen en machinegeweren. Ze beschoten het huis tot het in brand vloog. Gelukkig voor het echtpaar was dat naar het eiland. Drie bewakers en twee bedienden kwamen om. Privé was Ashes geschokt maar naar buiten toe gaf hij geen krimp. Hij bleef zijn werk doen alsof er niets was gebeurd. Hij verscheen met zijn vrouw in het openbaar. Van twee nederlagen lag hij niet wakker. Dat hoorde er allemaal bij. De regering schreef de aanval toe aan guerrillastrijders die streefden naar ontwrichting van de vredelievende regering van Oeganda.

Intussen moest Ashes zich bezighouden met de Engelse ambassade en namens de regering een verklaring geven voor de verdwijning van de Grote Baas en zijn vrouw. Hij beweerde dat de Grote Baas en zijn vrouw ervandoor waren met overheidsgeld en vooralsnog niet te vinden waren. Hij draaide de vraag om en vroeg de ambassade de vluch-

telingen op te sporen en te helpen ze voor het gerecht brengen. Woede alom, Ashes die de heren diplomaten te slim af
was, want de tijd tikte in zijn voordeel. Zoals alle gruwelen
in een gruwelijke tijd verbleekte en verwelkte het belang
van de zaak in de gestage hitte en regen, totdat de Grote
Baas van de themaboom viel. Vergeten.

In die dagen was Ashes dikwijls met zijn speedboot op
het meer, voor zijn plezier of op jacht naar smokkelaars.
Hij hield van het hypnotiserende geluid van de motor, de
strelende wind, het kleurrijke landschap. Vaak ging hij uit
vissen. Dan bracht hij grote vissen aan land, bekeek de
spartelende doodsstrijd van hun glanzende zilveren lijven
en hielp zijn mannen een vuur aan te leggen. De lucht van
het meer, de betovering van de bomen, de geur van de vis,
brachten hem dicht bij het paradijs. Er werd wijn ontkurkt,
er vloeide sterkedrank, en het spontane feest breidde zich
uit met muziek en dans. Zo verscholen, beveiligd door een
ton munitie, aan alle kanten beschermd door water, leken
ze wel hedendaagse gevaarlijke piraten, op doorreis op een
paradijseiland.

In het weekeinde vloog hij met zijn vrouw naar het eiland en ging met haar uit varen of nam haar diep het bos
mee in op zoek naar papegaaien met gele dijen. Ze gingen
met ervaren mannen, geleend van andere eilanden, en zagen die in ongelooflijk hoge bomen klauteren om naar ei-
eren en jonge vogels te speuren.

Zijn vrouw kwam uit een welgestelde familie die was
verarmd toen de koninkrijken werden opgeheven. Hij had
met een aantal familieleden van haar kennisgemaakt, maar
met zijn faam waren dat niet zulke geslaagde ontmoetin-
gen geweest. Hij kon er niet mee zitten. Zolang zij van

hem hield maakte het hem niet uit. Zijn grote zorg was dat
zij het land niet uit wilde. Ze dacht zich na de val van de regering altijd wel in de dorpen te kunnen verstoppen. En hij
dan? Ze had in de jaren zestig in Amerika gestudeerd, ze
was een aantal keren met vakantie geweest in Engeland en
ze zei dat haar dat genoeg was geweest.

'Ik ben te oud om nog in een ander land te gaan wonen,'
zei ze altijd.

'Maar je bent pas veertig, hoe kan je dat nou zeggen?'

'Ik ben van nature geen nomade, Bob.'

'We kunnen naar Rhodesië.'

'En tussen die racistische boeren wonen?'

'Of naar Zuid-Afrika.'

'Waar jij door de zwarten afgemaakt wordt,' lachte ze
dan.

'Zuid-Amerika is ideaal. Mooi weer, wijn, luxe.'

'Straks stel je het Caribisch gebied nog voor.'

'Ja, daar heeft iedereen schijt aan alles.'

'We zien wel, Bob. Maar zeg niks tegen Amin over je
reisplannen.'

'Ben jij gek, mens?'

Ashes had een kooi met papegaaien. Hij en zijn vrouw
hoorden die graag vloeken, zingen, fluiten. Zijn lieveling,
een groene met rode vlekken, had hij generaal Scheet gedoopt. Tot vermaak van zijn vrouw stak hij zich in een pi-
ratenkostuum dat hij uit Engeland had laten komen, compleet met ooglap en halsdoek, en speelde met generaal
Scheet. Soms keek hij na een kunststukje naar het meer en
zag terloops zijn vluchtweg voor zich. Hij was van plan
even geruisloos weg te sluipen als hij was gekomen. Had
dr. Ali ook zijn vlucht voorspeld? bedacht hij dan met
schik.

Bats zuster kon eindelijk wegkomen. Ze waste alles af, boende de vloer en deed het huis op slot, waarbij ze een bericht voor Mafoeta achterliet. Met een bezwaard hart aanvaardde ze de reis. Ze voelde de last van het leiderschap op haar schouders schuiven, zwaar als lood, heet als een bedrijvige cirkelzaag. Ze zou bij iedereen de moed erin moeten houden. Toen de auto met haar van de plek wegreed waar ze van was gaan houden, had ze het gevoel dat ze niet meer terug zou komen. Moeilijker nog dan om weg te gaan was het om de vracht geheimen te bewaren die knaagden in haar binnenste.

Het geld van haar broer deed haar denken aan Saoedi-Arabië, een sprookjesland waar olie opspoot en miljarden dollars opwelden. Dat een deel daarvan in de zak van haar broer was beland kon alleen maar goed nieuws zijn. Zelf zou ze nooit een cent van iemand aanraken, maar ze had niets tegen mensen die zich aan de armoede ontworstelden, zolang ze maar niets van weerloze mensen afpakten. Weer bedacht ze dat hij misschien wel dood was. Zo ja, dan zou haar leven heel vlug veranderen. En ook dat van Mafoeta. Ze had het gevoel of ze in een meer met kolkende golven en haaien sprong. Ze wist niet of ze dat wel aankon.

Nu besefte ze wat een geluk het was dat ze zich tegen dure cadeaus van hem had verzet.

'Zuster, ik heb jou nooit iets waardevols gegeven, iets om uit te drukken wat je voor me betekent.'

'Ik heb jou toch. Zolang jij leeft, ben ik rijk,' had ze geantwoord.

'Weet ik, maar onbetoonde liefde en waardering verschalen.'

'Niet als ze oprecht zijn. Zorg jij maar voor je vrouw,

158

dan zorgt Mafoeta wel voor mij. Als hem wat overkomt, kan ik altijd nog bij jou aankloppen. Je bent mijn verzekering, dat is voor mij genoeg.'

'Het aanbod blijft gelden.'

'Dat waardeer ik.'

Bat had teleurgesteld geleken.

Ze kwam veilig aan. In haar ouderlijk huis hadden zich mensen verzameld. Familie, vrienden, onbekenden. Haar broer Tajari was de dag ervoor met het bericht gekomen en was iedereen voor geweest door een astroloog uit de stad en een stier mee te brengen. Hij had de stier gedood en de astroloog had de voortekenen afgelezen, en die waren gunstig geweest. In het dorp hing de lucht van het gebakken en gebraden vlees waaraan de mensen zich te goed deden. Sommige trouwe katholieken en protestanten waren nog altijd gekwetst dat er in plaats van priesters een astroloog, een afgezant van de duivel, bij was gehaald. Zij wilden het vlees niet aanraken want volgens hen was dat onheilig.

Bats zuster werd door het optreden van Tajari verrast. Ze had het gevoel dat hij haar te slim af was. Haar vrienden hadden voorgesteld een astroloog te raadplegen, maar ze had nog niet beslist. Ze nam haar broer apart en vroeg hem wat er was gebeurd.

'Je zegt dat de voortekenen goed waren.'

'Ja, inderdaad,' zei Tajari bedachtzaam.

'Zei hij ook nog wat er nu gaat gebeuren?'

'Dat kan niemand, alleen God, ik bedoel dr. Ali. Ik heb er alleen maar toe besloten om het achter de rug te hebben. Ik wist dat veel mensen erover dachten maar niets durfden te ondernemen.'

'Wat zei vader ervan?'

'Zoals het nu staat zou hij die man wel zijn voeten kunnen kussen als hij zei dat Bat morgen weer thuiskwam.'

'Hoe kwam je aan geld voor die stier?'

'Van mijn vuurwerkshows. En ik heb nog andere bronnen.'

'Ik ben heel trots op je.'

'Dankjewel, zuster.'

Bats zuster deed niet veel. Tajari had de leiding genomen. De volgende ochtend ging ze weer naar huis. De avond ervoor was Mafoeta thuisgekomen en hij was in een slecht humeur. Ze kregen bijna ruzie. Hij wilde dat ze eerst zijn verhaal aanhoorde voor ze hem met haar zorgen lastigviel. Ze stelde dat haar broer in levensgevaar was. Dat was hij wel met haar eens maar hij zei dat hij haar had gemist en aandacht nodig had. Hij had twee moeilijke weken gehad. Hij had vee gekocht en verkocht, maar de koper had geprobeerd hem te bedriegen. Hij had een week lang zijn geld proberen te krijgen.

Ze wist dat hij moeilijk deed omdat hij Bat niet mocht. Hij had de avond ervoor het bericht gekregen en was wat gaan drinken. Hij was blij dat zijn vijand in het stof had gebeten. Misschien had hij nu geleerd hoe het voelde om niet aanvaard te worden. Misschien zou hij wat bescheidenheid leren, wat manieren, wat eerbied, wat mededogen. Pas aan het einde van de avond, volgepropt met bier en vlees, besefte hij dat het iedereen had kunnen overkomen.

Hij was verbaasd dat hij een dag later nog altijd niet zijn wrevel voor zijn vrouw kon verbergen. Hij had erover nagedacht, zich voorgenomen aardig te zijn, maar toen hij haar naar huis zag komen schommelen, was hij weer boos. Boos dat ze niet thuis was geweest om hem in te halen.

'Het is vreselijk nieuws,' erkende hij ten slotte, 'wat wil je dat ik doe?'

'Met me meegaat naar Kampala.'

'Dat is goed,' zei hij met tegenzin, en dacht aan de kosten. Om zoveel te besteden aan iemand die hij niet mocht. Hij zei het niet hardop, maar zij bespeurde het in de toon van zijn stem, in zijn tobbende manier van doen. Als ze niet zwanger was geweest, had hij de strijd voortgezet. Waarom hij met haar over haar broer wilde strijden was onduidelijk. Deed ze hem zoveel aan die hufter denken? Zou hij het prettig vinden om haar te straffen voor de zonden van haar broer? Hij wist dat die hufter ook als hij weer vrijkwam afstand zou bewaren. Haatte hij hem zo dat hij hem liever dood had? Nee. Benijdde hij hem zozeer zijn succes? Misschien wel. Er was niets zo erg als een zwager die meer succes had. Diens succes deed altijd afbreuk aan het gevoel van macht dat jij in je gezin had. Alsof hij je als een reuzencondor van boven bespiedde, klaar om neer te duiken en zijn zuster mee te voeren.

De sfeer in huis en in de bus had wel wat vrolijker gekund. Grauw om te zien en om te voelen. Zo anders dan ze gewend waren. Ze genoten meestal van elkaars gezelschap. Misschien miste hij de grote maaltijden die ze voor hem klaarmaakte, de kleinigheden die ze hem toeschoof. Hij had bepaald een hekel aan concurrentie en was al ongerust dat het kind misschien tussen hen zou komen en zich zijn positie toe zou eigenen. Die kleine klootzak kon wel eens wat eigenschappen van Bat krijgen. Dat zou een ramp zijn. Dan moest hij zijn gezag doen gelden.

Tot zijn ergernis moest Mafoeta kennismaken met de rijkere en beter opgeleide vrienden van Bat. Hij had een he-

161

kel aan ze, en aan het gevoel dat ze hem gaven. Zo was er de professor: die liep maar te preken en was volledig op zijn vrouw gericht. Het leek wel of die mensen hem niet zagen staan of wisten hoe ze met hem moesten praten. Het echtpaar Kalanda gedroeg zich als nieuwe rijken. Ze pronkten geraffineerd met hun klasse, door middel van verwijzinkjes naar kunstenaars, schilders, vreemde oorden. Zulk raffinement haalde het bloed onder zijn nagels vandaan. Mevrouw Kalanda had haar zusters in Kenia en in Engeland en kreeg van alles van ze toegestuurd. Dat had hij allemaal al op zijn bruiloft gehoord; hij wist dat hij het weer ging horen, verpakt in andere woorden of schaamteloos uitgestald in de oude. Hij had zijn beste kleren aangetrokken, goed gestreken door zijn vrouw; hij had zijn beste zwarte schoenen aangetrokken, glimmend gepoetst met zijn eigen handen. Maar zij zouden wel weer beginnen over Italiaanse schoenen, Engelse kleren, alsof Draper's nog op Kampala Road zat, alsof iedereen in vroeger dagen toegang tot die winkels had. Hij was opgegroeid zonder materialistische instincten en hij hechtte nog altijd nergens aan, maar hij wilde zich in goed gezelschap niet buitengesloten voelen. Dan voelde zijn lijf log als een hoop stenen waarin het onrust stokende hart klopte als een kikker in een vuist. Het was kennelijk te optimistisch van hem geweest om de stedenbouwkunde in te gaan toen in de jaren vijftig het land voortvarend zijn moderne tentakels leek te gaan uitstrekken. Maar hij had dan ook niet de cijfers gehaald voor medicijnen of economie. Waarom tobde hij over oude koeien? Omdat een hufter die was opgeleid in Cambridge had geweigerd om hem te aanvaarden? Omdat hij het niet kon vinden met de vrienden van die hufter? Omdat hij vee verkocht?

Zijn getob op zo'n moment had iets belachelijks. Hij voelde zich een beetje schuldig. Hij vroeg zich af waarom het zijn vrouw nooit stoorde dat ze soms niets afwist van dingen waarover het echtpaar Kalanda niet uitgepraat raakte. Was zij wel door hen aanvaard vanwege haar broer? Of was zij nuchterder, ongevoeliger voor oppervlakkige bijzonderheden? Zouden er op zijn begrafenis mensen aan kleren, eten, koeien denken? Misschien wel. De dood trok niets gelijk, hij beklemtoonde juist de schreeuwende contrasten. Hoeveel rijken zouden er naar hem op zoek gaan als hij verdween? Hoogstens een enkeling. Hij zou worden begraven in een goedkope kist waar spijkers uitstaken, terwijl die hufter zou gaan in glanzend mahonie met koperen handvatten en gevoerd met zijde, en met achterlating van een vette bankrekening. In de dood is iedereen gelijk, ja ja.

'We gaan eerst naar Kalanda...' zei zijn vrouw.

'Dat weet ik,' zei hij nogal hard.

De stad leek gastvrij als hij er geld aan te ontfutselen had, kon verdienen aan koeien die hij van de hand deed. Nu leek het er troosteloos, alsof de helft van de bewoners was overleden, alsof de overigen met duivelse koortsen kampten. Soldaten reden lukraak door de straten in Stinger-jeeps, waar hun wapens en achtersten uitstaken. Jongens van het staatsonderzoeksbureau maakten veel vertoon van hun strakke broeken met wijde pijpen, schoenen met plateauzolen, zilveren zonnebrillen en walkietalkies. Als je ze zag, spookachtig als verdorde bomen en dreigend als buldogs, zou je denken dat er elk moment arrestaties plaatsvonden en dat het land in een verkrampte verdoving verkeerde. Door hen leek dit wel een andere stad, vervloekt, vuil, behekst.

In de dorpen waar hij was geweest, waren die jongens niet. De veeboeren deden hun werk en hadden kennelijk geen erg in de crisis in de stad. Wie van de tot de einder reikende graslanden in de smeerboel, het geweld en de onzekerheid van de stad stapte, stapte in een kapotte, vreemde wereld. Een wereld waar het slijm van de geboorte nog niet was afgeveegd. Er waren twee werelden met een dunne verbinding, die dezelfde vlag voerden, dezelfde ontwaarde munt gebruikten en werden geregeerd door hetzelfde tuig. Voor de meeste dorpelingen was maarschalk Amin een spook dat dreef op geruchten en dat nu en dan opwelde uit een zwakke radioluidspreker, nooit gezien, nooit aangeraakt. Mafoeta kreeg het gevoel dat hij de juiste beslissing had genomen. Om in deze sfeer te leven was niet bevorderlijk voor je lichamelijke en geestelijke gezondheid en evenwicht. Hij wilde inmiddels maar al te graag terug naar het spoor van zijn vee, waar een hoop stront wilde zeggen dat er koeien in de buurt waren. Hier waren ze in de stad, waar ze een spoor van mensenstront volgden, maar zonder de zekerheid dat er aan het eind een mens te vinden was, levend of dood.

Het verblijf bij het echtpaar Kalanda was zoals hij zich had voorgesteld een kwelling. De twee vrouwen verdwenen in een andere kamer en bleven een eeuwigheid aan de praat. Hij verdiepte zich in de schilderijen aan de muur, de inrichting, de bomen buiten, totdat hij er genoeg van had. Intussen kwam Kalanda thuis en knoopten ze een gesprek aan. Er waren geen nieuwe ontwikkelingen. Er waren wijd en zijd contacten gelegd, maar niemand leek Bat op de noodlottige dag of daarna te hebben gezien. Op het ministerie werd de zaak doodgezwegen, en niemand die dat zwijgen had weten te verbreken. De auto was gezien bij het Nijlbaars-hotel, maar die behield de politie als bewijsmateriaal.

Ten langen leste kwam Bats zuster te voorschijn met de mededeling dat ze Bats vriend in Londen had proberen te bellen. Een politicus.

'Wat kan die nou doen? Die zit in Londen, wij zijn hier,' zei Mafoeta geërgerd. Hij had van die vent gehoord, ook zo'n product van Cambridge. Amin had weinig ontzag voor zulke mensen. Hij had er meer dan eens de vloer mee aangeveegd. Ook deze leek dezelfde behandeling te wachten, als hij tijd had om aan de onderneming te besteden.

'Elk mogelijk middel moet beproefd worden,' zei Kalanda diplomatiek. Hij wist dat de twee zwagers niet met elkaar konden opschieten. Hij wilde niet dat het nog erger werd.

'Juist,' zei Mafoeta met tegenzin, en voelde zich pijnlijk overbodig.

Ze werden het erover eens dat ze dumpplaatsen moesten gaan afzoeken als er de komende paar dagen geen nieuwe ontwikkelingen waren.

'Gaan we zelf door de troep baggeren en de resten lopen omkeren?' zei Mafoeta met een misselijk gevoel.

'Er zijn mensen die dat tegen betaling doen. Die weten alle plaatsen. Ze worden chirurgen genoemd,' legde mevrouw Kalanda uit.

'Laten we er dan een huren en op pad gaan.'

'We moeten wachten tot Tajari en Babit er ook zijn,' zei Bats zuster in het algemeen, en in haar ogen en stem loerden tranen.

Mafoeta's mening over de stad ging er niet op vooruit door de nachtelijke schuttersfestijnen. Die begonnen met afzonderlijke schoten, alsof er iemand zijn kameraden opriep om zich klaar te maken voor een feest, en ontaardden dan in snelle salvo's die van alle kanten kwamen. De uren na middernacht waren het ergst, dan leek het wel of er brand woedde in de stad en er huizen en mensen ontploften. De gedachten gingen uit naar de oorlog, in verleden en toekomst. Ze stuitten op de gewapende rovers die eind jaren zestig een schrikbewind over de stad uitoefenden voordat het leger er korte metten mee maakte. Ze stuitten op allerlei werkelijke en denkbeeldige toestanden waarin het pistool of geweer werd gebruikt om ongewapende mensen af te slachten. Het vreemde was dat er 's ochtends niets over dat schieten te horen was. Niemand had het erover. Ze hadden het over het weer, de schommelende prijzen, de inflatie, maar nooit over wapens. Het voelde als een samenzwering. Het leek wel of die schietpartijen in zijn hoofd plaatsvonden en alleen te horen waren voor zijn bedwelmde oren. Zijn vrouw maakte zich er niet al te druk om. Het leek wel of ze verwachtte dat dronken of teleurgestelde soldaten zich zo gedroegen. Door de komst van Bats broer werd de spanning bij Mafoeta niet getemperd. De jongeman sprak alleen als hij werd aangesproken en peinsde liever over zijn dromen of maakte in zijn eentje lange wandelingen.

Mafoeta's last werd verlicht toen hij met zijn vrouw mee op bezoek ging bij Victoria en haar kind. Hij werd opnieuw getroffen door de schoonheid van die vrouw, maar hij voelde wel dat ze iets hards, iets gevaarlijks had. Ze uitte veel verdriet, maar het had iets oppervlakkigs, overdrevens.

Had ze gewoon te veel energie of mankeerde ze iets? Hij had verwacht dat een versmade vrouw haar verlies koel, beheerst, waardig zou dragen. Victoria daarentegen leek wel een brandend huis dat zichzelf maar al te graag in de as legde. Misschien riep Bat wel hardheid en waanzin bij mensen op. Het kind liep almaar rond, trok overal aan, ging spelen en kwam weer terug. Hij was benieuwd hoe zijn eigen kind eruit zou zien.

'Ik heb mijn best gedaan,' zei Victoria, en veegde de tranen uit haar ogen. 'Hooggeplaatste vrienden weigerden iets te zeggen.'

'Wat voor vrienden?' vroeg Bats zuster gretig.

'Nou ja, ik ken wel wat mensen op hoge posities.'

'Ministers?' zei Mafoeta opeens, in een poging nog enige aandacht te krijgen.

'Een minister, ja. En mensen die weer mensen kennen. Ze weten geen van allen waar hij is.' Ze veegde onbeholpen haar tranen af en sloeg zo een verward figuur.

'Ik ben bij drie verschillende astrologen geweest. Die zeggen allemaal iets anders. Ik weet niet wat ik moet denken en wat ik moet geloven.'

'Heb je genoeg geld om van te leven?' vroeg Bats zuster bezorgd.

'Ik heb werk. Ik red me wel. Het is de liefde. Ik hou zoveel van hem. Ik mis hem,' zei ze betraand.

Mafoeta was niet onder de indruk. Een vlinder als zij moest beter weten. Hij had er zo heel wat gezien, drankzuchtige types die in nachtclubs rondfladderden en door Amin van hun minirok en broodwinning waren beroofd. Ze waren goed voor een nacht, maar een nachtmerrie om mee te leven. Victoria's huis mocht wel eens beter worden schoongehouden. Een kijkje in haar achterkamers had een chaos laten zien, kleren over het hele bed. Kon Bat haar weg hebben gestuurd vanwege haar slordigheid? Of stelde ze seksueel te veel eisen? Mafoeta dacht terug aan zijn prinses, hoe die hem bereed, en hoe lekker hij dat in het begin had gevonden. Je moest niet gek kijken als die hufter door deze vrouw was bereden als een ezel.

'Ik weet niet zoveel van die vrouw, maar ik denk dat ze een vergissing in het leven van mijn broer was,' zei Bats zuster toen ze wegreden.

'Hoe kom je daarop?'

'Ze belt Babit en bedreigt haar. Ze geeft openlijk toe dat ze naar astrologen gaat. Ze beweert nog steeds heel veel te houden van een man die haar allang zijn huis uit heeft gegooid.'

'Vrouwen worden niet graag vervangen, mannen ook niet. Sommigen vliegen tegen het plafond. Zij lijkt iemand die er wel eens dwars doorheen zou kunnen gaan.'

'Iemand moet eens een onderzoek naar haar instellen.'

'Dat had je broer moeten doen voordat hij haar naaktheid onderzocht.'

'Ik meen het.'

'Zij heeft hem toch niet laten verdwijnen?'

'Dat zeg ik ook niet. Ik mocht haar altijd wel. Maar vrouwen die andere vrouwen bedreigen zijn gevaarlijk. Die geloven óf in boze toverij óf in lichamelijk geweld. En die tranen...'

'Ik dacht dat jij heilig geloofde in vurige brandende liefde,' zei Mafoeta, en stootte haar met een lachje aan.

'Lach me niet uit.'

'Wees maar niet bang. Er gebeurt niets. Laten we nou

eerst je broer maar vinden. Dan brengt die naderhand zijn eigen zaken maar op orde.'
'Dat is tenminste zinnige taal.'

Victoria was op zoek gegaan naar mensen die ze over Bats verdwijning uit kon horen, maar tevergeefs. Generaal Bazooka had iedereen gewaarschuwd niet te praten met 'de weduwe', zoals hij haar noemde, en haar als het even kon al bij het hek tegen te houden. Vandaar dat er telkens deuren voor haar dicht werden gesmeten. Oud-collega's keken als ze haar zagen de andere kant op. Ze was bij verschillende veiligheidsdiensten op het hoofdkwartier geweest en had dezelfde ontmoedigende behandeling gekregen. In haar radeloosheid had ze die astrologen geprobeerd. Twee voortekenen waren slecht geweest, één goed. Ze hadden haar veel hoop ontnomen. Haar leven had iets zinloos gekregen. Als haar dochter er niet was geweest, zou ze gek geworden zijn. Ze werd 's ochtends wakker met een zere maag van angst, en kleedde zich onzeker aan om naar haar werk te gaan. Ze kwam zenuwachtig op kantoor, alsof ze een kogel in haar rug verwachtte, en ging papieren en nutteloze dossiers verschuiven. Ze werkte op een doodse afdeling, uitgehold doordat er al eeuwen geen landwegen waren hersteld. Ze zat in haar werkkamer te wachten, waarop wist ze niet, dronk thee en tuurde uit het raam naar voorbijgangers, de bomen, naar niets. Haar hoop leek dagelijks nog verder te vervagen. Ze was nu bang dat de generaal wraak op haar nam en terug zou slaan. Hoe? Dat wist ze niet. Ze dacht almaar aan haar verdwenen vader. En dat ze die maar niet had kunnen vinden. Ze dacht aan haar familie, en het feit dat die door de generaal was verjaagd.

Ze zag hem wapens opsteken, met de vraag of ze op hem wilde schieten. Ze zou nu maar al te graag op hem schieten, want ze geloofde dat hij Bat had laten verdwijnen. En haar de hoop had ontnomen. Haar vluchtweg. Ze moest Bat terug hebben.

Bij het Bureau was alles veranderd. Dat was in handen van stamgenoten van Amin gevallen. Ze had het gevoel dat die haar hadden vermoord als generaal Bazooka er niet was geweest. Ze wilde weg. Ze bad om een wonder want dan zou ze Bat vinden en hem bij die andere vrouw weghalen. Daarna zou ze veilig naar een zekere toekomst lopen. Een droom, het was nog altijd een droom. Als de teleurstelling haar de baas werd, pakte ze de telefoon en belde Babit. Als ze hoorde dat die haar adem inhield, of smeekte om met rust gelaten te worden, werd ze gesterkt, wilde ze wel de hoorn in haar gezicht rammen en haar uit Bats leven wegvagen. Toen ze haar onvruchtbaar noemde was dat eerst een verspreking geweest, maar nu was het een belangrijk wapen. Een bazooka. Met een vernietigende kracht die ze geweldig vond. Maar waarom werd ze daardoor niet uit dat huis verdreven? Als ze geen zin meer had om haar lastig te vallen, verliet ze het doodse kantoor en zwierf door de stad op zoek naar aanwijzingen, vage sporen die haar tot Bats redder zouden kunnen maken. Een hoer was als eerste getuige geweest van de opstanding van Jezus. Het zou toch fantastisch zijn als zij Bat uit het lijkenhuis opdiepte?

De zoektocht naar het lijk van Bat begon op het middaguur van een dag dat het regende. De middagen schikten het beste want dan wist je zeker dat alle dumpers met siësta waren. Overdag werden er ook wel eens lijken gedumpt, maar dan aan de wegkant, niet diep in het bos waar het groepje heen ging. De 'chirurg' die het groepje had gehuurd woonde aan de andere kant van het Mabira-woud, waar de meeste nederzettingen lagen. Het taxibusje dat hen bracht stopte drie kilometer voor hun eindbestemming. Ze liepen over de bemodderde paden en werden toen ze dieper het bos in gingen nat gehouden door de bomen boven hen.

De man woonde in een kleine nederzetting van lemen huizen met een dak van golfplaat, waar kinderen speelden en de vrouwen in de weer waren om het beste van de drassige, modderige toestand te maken. Hij deed dat werk al een aantal jaren. Het waren nu zelfs de topjaren. Aanvankelijk had hij lijken ontdaan van horloges, ringen, kettingen, kleren, alles van waarde wat de soldaten waren vergeten. Hij deed toen goede zaken, want de slachtoffers van zuiveringen waren meestal welgestelden. Tegenwoordig waren de soldaten wijzer, begeriger geworden. Er was niets meer te halen, maar dankzij de ingrijpende stijging van de verdwijningen bloeide de 'chirurgie'.

Hij was in de dertig en had rubberlaarzen, een spijkerbroek en een kakihemd aan. Hij was een heel gewone kerel om te zien en hij had door kunnen gaan voor onderwijzer, timmerman, chauffeur. Hij had in het mortuarium van een ziekenhuis gewerkt, maar had ontslag genomen vanwege de slechte beloning en besloten om voor zichzelf te beginnen. Met zijn handen in chirurgenhandschoenen, een smeulende sigaar in zijn mond en een bungelende zaklantaarn aan zijn heup, leidde hij het groepje dieper het woud in.

'Wij zijn nog de enige echte boswachters. Wij geven meer om het bos dan de mensen die zo goed de namen van de bomen hebben geleerd. Wij weten waar de dieren zijn, waar de mensen wonen. De naam chirurg doet ons geen recht,' had hij bij het begin van de tocht gezegd. Maar niemand was in de stemming geweest om zijn gevoel voor humor te waarderen.

Gaandeweg werd het schemerig, er begonnen kleine insecten te krijsen en door de dode bladeren voelde de woudbodem dikker, zachter aan. Doordat de mensen zwegen leek de sfeer naargeestiger te worden. Toen ze een tijdlang onderweg waren, werden ze door een andere lucht gewaarschuwd voor wat hun te wachten stond. Die nam in hevigheid toe naarmate ze naderbij kwamen en bereikte een haast lichamelijke druk. De 'boswachter' beende gewoon door, een man in zijn element, een gier die zijn domein afspeurde. Opeens waren ze er. Hij keerde zich om naar het groepje alsof hij hun vroeg of ze het lef hadden om terzake te komen.

Ze lagen op hun rug, op hun zij, op hun buik, sommigen in kronkels als opgeprikte duizendpoten. Ze lagen boven op elkaar, met armen en hoofden over hun buren, als het ware voor de lol of bij wijze van ritueel. Ze lagen alleen, twee aan twee, of op grotere hopen. Ze waren gekleed, naakt, halfnaakt, gehuld in alleen een laag bloed. Het was overwegend een mannengemeenschap, en het had wel een sportwedstrijd kunnen zijn die was ontaard in moord en doodslag. Er waren er die weggedommeld leken midden in gebed, vervoering, verveling, walging, bevuild alsof ze niet de tijd of het geduld hadden kunnen vinden om zich te wassen. Er waren er zonder gezicht, met een half gezicht, degenen die je uitdaagden hen te ontmaskeren. Er waren de verse, die warmte afgaven, en de steenkoude, met een ingezakte opperhuid die glurende botten verried. Hij voerde hen ertussendoor, erlangs, eroverheen. Met zijn gehandschoende hand trok hij, onthulde, ontmaskerde, herschikte. Hij ging maar door, een dirigent die gejaagd de maat aangaf, een chirurg die streek en tastte, een geschiedenisleraar die gezichten, verzinsels verkocht. Toen het groepje weer wegging dreunden, ontploften, brandden er vanbinnen verschillende boodschappen. Er was een volgende afspraak, met een volgende mensenvisser.

De laatste zoektocht vond plaats aan een rivieroever die overging in moeras. Tussen de messcherpe biezen leken ze op zoek naar mandjes met een drijvend kind erin. Tot hun schenen in het water bekeken ze lijken die waren overvoed met zon en kruit. De meeste gezichten waren geheven, smekend, gepijnigd, geknakt. In de wind gebogen onkruid en bloemen streken over de gezichten, als het ware om het snot van loopneuzen of de pus uit zieke ogen te vegen. Hier en daar was een erectie, obsceen vastgelegd door de dood. Gekweld door hoop en vertwijfeling trokken ze zich terug voor de nacht, luisterden naar knallende kogels en beraamden almaar nieuwe plannen, betere manieren om met het heden om te gaan en het onbekende tegemoet te treden.

De volgende ochtend gingen Mafoeta, Bats zuster en Babit naar Entebbe om de telefoon te pakken en op zoek te gaan naar de ongrijpbare Engelse politicus. Bats zuster wilde hem op de hoogte stellen. Ze bleef maar draaien, werkte zich door een kakofonie van snaterende verkeerde verbindingen, snuivende verbrekingen en een galmend weerklinkende doolhof van wanklanken. Het was al laat op de avond toen ze iemand aan de lijn kreeg. Een noodgeval. Een Engels noodgeval in Oeganda? De vrouw aan de andere kant wilde al ophangen. Te veel rare telefoontjes. Bats zuster hield voet bij stuk. Ze drong aan. Ze eiste. Ze deelde mede. Uiteindelijk kreeg ze de belofte dat de politicus haar terug zou bellen. Ze had een slechte nacht vol twijfel, hoop, angst.

Tot haar immense verbazing belde de man haar inderdaad terug en betuigde zijn diepe deelneming. Hij maakte een praatje. Bat had hem gebeld en hem geluk gewenst toen hij parlementslid was geworden. Hij had Bat een aantal keren een kaartje gestuurd. Hij beloofde zich in de zaak te verdiepen.

Terwijl de eerste twee weken dat hij vastzat voorbijgleden was hij ondergedompeld in spanning, verveling, angst. Hij voelde zich geestelijk ineengeperst, afgesneden, gewurgd door de last van de afzondering. Een kaars die verstoken van zuurstof langzaam uitging. Hij werd neerslachtig van zijn eigen gezelschap. In gedachten probeerde hij naar buiten te dwalen, maar verstoken van de brandstof van het menselijk contact was hij algauw weer terug, een vogel zonder zang of worm. Hij bedacht telkens dat de mens een raar dier was: in een groep zocht hij vaak afzondering, in afzondering deed hij zijn best om in de groep te passen. Hoeveel uur besteedde hij aandacht aan mensen die hij normaal ontvluchtte of wier gezelschap hij maar matig vond? Hoeveel uur dacht hij terug aan banale gesprekken, beelden die hij destijds saai had gevonden? Hij probeerde zich op zakelijke dingen te richten, langs verstandelijke weg uit de doolhof te komen.

De wetenschap dat een paar verdiepingen boven hem de regering gewoon zaken deed ging gepaard met een verpletterend besef van overbodigheid, onbeduidendheid. Het tuig kon ook zijn sloopwerk doen zonder zijn wanhopige pogingen het een en ander draaiende te houden. Het ministerie van Energie was niet ingestort: er werden delegaties naar het buitenland gestuurd, zaken gedaan, de machine maalde voort, een paar straten verderop, in zijn eigen werkkamer. Terwijl hij wegteerde probeerde hij zich voor te stellen wat hij zou doen als hij opeens werd vrijgelaten. Dat was anderen ook gebeurd. Zou hij naar het buitenland gaan en asiel zoeken in Engeland of Amerika? Wilde hij weg uit het land? Nee. Hij wilde blijven.

Hij verdeed uren aan de infinitesimaalrekening, verscheidene wiskundige stellingen, meetkunde. Hij bouwde tunnels, berekende de diepte, breedte, de tijd die het zou kosten om elke dag zoveel te graven. Hij verzon de doelmatigste manier van het puin af te komen. Hij bedacht vluchtpogingen met behulp van klimgerei, een redding per helikopter, rookbommen, enorme schietpartijen.

Hij was niet verbitterd tegenover de generaal, dat vergde te veel kostbare energie. Hij bande hem gewoon uit zijn gedachten, zijn leven. Hij beschouwde zijn beulen graag als groep want dan hoefde hij ze niet te haten, hun gezichten in zijn slaap te zien. Uit het dunne bezinksel van het katholicisme viste hij genoeg gelatenheid, heilige berusting om de straf te ondergaan zoals ze werd toegemeten. Goede mensen werden bestraft, maar slechte ook. Dat was het mooie ervan. Nu en dan keek hij terug op zijn leven, op zoek naar de momenten die hem zouden sterken, bemoedigen. Die wisselden steeds, namen een andere plaats in naar gelang zijn stemming.

Hij dacht veel na over gerechtigheid. Er viel weinig zinnigs aan te ontdekken. Ernaar zoeken betekende onbeschrijflijke pijn. Hij leefde buiten de grenzen van de gerechtigheid, net als de meeste Oegandezen. Het beviel hem zo wel. Tenslotte was hij door het geld van die Saoedische prins aan te nemen een dief geworden, corrupt, zoals zovele anderen. Met dat verleden besloot hij de bestraffing van zondaren aan degenen met schone handen over te laten. Hij richtte zich op het dragen van zijn last, te weten de overbodigheid van gevoel, woede, macht. Telkens als hij die niet aankon, voelde hij hevige pijn. Redding school in de passiviteit en het geduld van een krokodil. De grotere dieren maakten maar drukte, pronkten maar met hun kracht. Hij wachtte wel tot ze een fout maakten en dan greep hij ze.

In de vierde maand, toen hij niet meer dacht aan Babit, zijn familie, zijn vroegere leven, omdat zijn evenwicht daardoor werd verstoord, kwam er diep in de nacht een soldaat zijn kamer in. Hij deed het licht aan en brulde hem toe dat hij wakker moest worden.

'Werken. Beweging. Goed voor lijf.'

Hij beende de kamer uit. Hij had slappe knieën van angst. Aan het eind van de gang stonden nog vijf mannen. Hij kende ze van gezicht. Ze stonden onder het licht en keken de soldaten aan.

'Mars.'

Ze werden naar de garage gedreven, en toen naar buiten de binnenplaats op. Het was koud, fris, met een prachtig diepblauwe hemel, gedoopt in twinkelende ijzige sterren en overheerst door een volle maan. Het was een heel rustige nacht, zonder schoten, zonder kreten. Heel even voelde

Bat zich vrij. Fantasieën en herinneringen welden naar de oppervlakte. Zijn lichaam zinderde van opwinding. Hij prentte dat uitzicht en die gevoelens in zijn hoofd. Toen werd hij in een Stinger geduwd, en die reed voorbij zijn werkkamer en ging de hekken van het Nijlbaars-hotel binnen. Hij zag de plek waar hij zijn XJ10 had neergezet en probeerde er niet aan te denken van wie die nu was.

Ze werden het hotel ingedreven. Hij belandde in een kamer met twee andere mannen. Zijn knieën knikten bij het schouwspel aan zijn voeten. Er lagen zes lijken op de grond. Hij besefte dat hij in het bloed stond, plassen vol.

'Wat sta je nou te kijken? Rol ze in dekens en breng ze naar buiten. Vlug,' brulde een soldaat met een heel akelige stem, en maakte handgebaren.

Bat wist niet hoe hij dat vuile werk gedaan wist te krijgen. Het was een buitenlichamelijke ervaring, iets wat de hersenen schoonwasten en opborgen om hun gastheer te beschermen. Het was zwaar tillen, met piepende sandalen die uitgleden op de marmeren vloer. Buiten stond een vrachtwagen geparkeerd, met de achterklep open. Hijgend versjouwden ze de bundels, na afloop doorweekt. Samen met vier bewapende soldaten moesten ze achterin klimmen. Hij stond aan de zijkant en keek naar buiten. De koepel van de moskee op de Kiboeli-heuvel was indrukwekkend en leek wel een reusachtig ei. De vrachtwagen reed de kant op van de weg naar Jinja. Door de latten en over de achterklep sloeg de koude lucht naar binnen. Iedereen rilde, klappertandde. De soldaten rookten om de boze geesten weg te houden. Hij had eerder over deze weg gereden, als hij bij de ouders van Babit op bezoek ging. Hij dacht terug aan de laatste keer, de ontvangst, de blijdschap, thuis-

177

komen met Babit. Nu zou hij die mensen voorbijrijden. Hij dacht erover om van de wagen te springen, iets onmogelijks. Hij maakte zich wijs dat het hem niet uitmaakte of hij al of niet werd doodgeschoten. Hij had toch alles wel gezien? Wat had hij nu nog om naar uit te kijken? Meer geld? Meer macht? Meer liefde? Dat was toch alleen maar nostalgie, de opgehaalde smaak van iets vertrouwds? Misschien was de dood wel beter, zou die iedereen de moeite besparen.

De wagen reed met gekrijs van mishandelde versnellingen het Mabira-woud in. De chauffeur ging harder rijden. Het dichte bos leek nog geduchter, nog onheilspellender, nog beladener met geheimen van leven en dood. Het enige tegenwicht voor het overweldigende donker waren de koplampen en het geronk van de motor. Stel dat de wagen het begaf? Stel dat ze hem niet voor zonsopgang konden repareren? Ze zwenkten de hoofdweg af. Ze stopten ergens. Even bleef iedereen roerloos zwijgen. Er kletterde een geweer tegen de achterklep en er liepen rillingen over ruggen. Twee soldaten brulden tegelijk bevelen. Bat greep een hoofd en ging voor, en bezeerde struikelend zijn benen aan scherpe takken. De lading werd naakt gedumpt en de dekens werden weer meegenomen voor verder gebruik. De soldaten rookten, paften erop los, en deden hun best om niet te kijken. Iedereen leek zo gauw mogelijk weg te willen.

De volgende halte was een rivier aan de rand van het bos.

'Deken wassen. Wagen wassen. Jezelf wassen.'

Ze wasten de dekens, blij dat het dunne waren. Ze boenden de vloer, de zijkanten, de achterklep van de vrachtwa-

gen. Ze namen een bad in het lauwe water. Het kostte hun
een uur onthechte inspanning om alles klaar te krijgen. Ze
rilden het hele eind terug naar het hotel. Daar moesten ze
de kamers, de gangen soppen. Voor ze weggingen, kregen
ze nieuwe kleren en sandalen.

'Schoonmaken vrouwenwerk. Lijkt bij jullie nog nergens naar, sukkels,' zei een van de soldaten op de terugweg. Bat was blij dat ze terug waren. Zijn kamer leek nu
zoveel gastvrijer.

Het werd een tweewekelijkse gebeurtenis. Telkens werd
hij er met andere gevangenen op uit gestuurd. Waar bleven
die anderen? Was het aantal mensen dat hier werd vastgehouden onbeperkt?

De vijfde keer hadden de soldaten een verrassing voor
hen. Er lagen in het hotel geen lijken te wachten om te worden afgevoerd. In plaats daarvan stond er een rij mannen,
met hun handen vastgebonden voor zich. Elke gevangene
kreeg iemand om uit de weg te ruimen. Bat keek niet, probeerde niet te kijken. Hij aarzelde, wachtte af wat anderen
deden. Hij kreeg een gemene por met een geweerloop. Hij
hief de hamer, deed een gebed om vergiffenis en sloeg toe.
Een kille exercitie zonder de opwinding van woede of de
voldoening van boosaardigheid. Hij wist nog dat hij toen
hij klein was voor de familie kippen had onthoofd, schoongemaakt en gebraden. De stap van kip naar mens, zonder
iets ertussen, had iets belachelijks. Hij was altijd benieuwd
geweest wat slagers voelden als ze enorme stieren de keel
afsneden. Als zij zich even leeg voelden als hij, beklaagde
hij ze. Er volgde in zijn geval geen vlaag van inzicht die
zijn leven veranderde, er barstte geen gesteente, de hemel
ging niet open, er staken geen tornado's op. Er stond alleen

een zachte nachtwind. Wat zonde! De tocht was vertrouwd geworden.

Bij de rivier dacht hij erover om zich te verdrinken, en wat zonde dat zou zijn. Er zou geen storm opsteken die hem weer teruggaf, de vissen zouden blijven zwemmen, de soldaten zouden zonder hem weer naar het hotel gaan, zijn familie zou niet weten waar zijn botten lagen. Hij was bijna opgehouden met het wassen van de deken. Er kwam wrok bij hem op. Hij vroeg zich af wat hij daarmee aan moest. Hij moest ervan af, anders werden de komende uren een hel. Op dat moment kwam de wreedste soldaat van het stel op hem af gestormd. Bang dat hij een geweerkolf in zijn rug zou krijgen, liet hij de deken vallen en ging rechtop staan. Hij voelde zich bedrogen omdat hij niet met een geweer kon omgaan, niet wist wat hij ermee aan moest. Misschien had hij anders die ellendeling wel neergeschoten, en was hij dan ten slotte zelf ook neergeschoten. Nu wachtte hij alleen maar af.

'Vlug, vlug, vlug. Jij denkt dat je nog altijd een hele meneer bent, hè? Omdat er ergens een blanke slang lawaai gaat maken denk jij dat je wat bijzonders bent? Nou?' zei hij, en trok hem aan zijn kraag tot dicht bij zijn gezicht. Hij zag een en al woede, wrok, afgunst. Het leek wel of de man zei: we kunnen jou laten doen wat we willen, maar jij laat ons hier achter in die stinkende troep. We kunnen jou hier nooit bij ons houden.

Op dat moment wist Bat dat hij niet in de steek was gelaten. Het leek wel of hij werd getroffen door een elektrische schok, kort, scherp. Hij wist hoe hij deze man aan moest pakken. 'Nee, commandant. Ik ben geen hele meneer.'

'Juist. Jij bent niks. Versta je? Niks. En jij gaat nergens heen.'

'Ja, commandant,' zei hij, en voelde zich zo opgetogen dat hij wel wilde dansen. Een blanke! Het parlementslid Damon Villeneuve? Was die op wat tenen gaan staan? Deze momenten van uitbundigheid smaakten verrukkelijk. Als een soldaat er iets van wist wilde dat zeggen dat er echt iets gebeurde. Het kon best dat die man al een paar weken eerder lucht van de zaak had gekregen en sindsdien smeulde van wrok. Ze hadden hem die gruweldaden laten verrichten in de hoop dat hij zou weigeren en ze de kans kregen hem ernstig te verwonden of hem te vermoorden. Ze vergisten zich, hij zou hun spel meespelen. Zijn kans om hen iets aan te doen kwam nog wel.

'Na één moord ben je nog niks bijzonders, sukkels. Wees maar heel voorzichtig. Als ik jullie op een foutje betrap, ben je er geweest.'

'Ja, commandant.'

'Wassen, wassen, wassen,' zei hij, en duwde hem weg.

Het parlementslid Damon Villeneuve was van begin af aan op behoedzaamheid en onverschilligheid gestuit. De collega's met wie hij meestal zaken deed waren bezig met gewichtiger internationale thema's. Die hadden nu wel genoeg van de capriolen van Idi Amin. Ze waren heel vermakelijk om over te horen of te lezen, ze waren vervelend om te ontrafelen. Elke politicus hechtte belang aan de nasleep van de Vietnam-oorlog, de oliecrisis, het Watergate-schandaal, terroristische aanslagen, kapers, de nog altijd woedende Koude Oorlog en de consequenties vandien. De verdwijning van een ambtenaartje in een obscuur land had niet bepaald de hoogste prioriteit. Er zat geen politieke winst aan vast, in binnen- of buitenland. Dictators als

Amin werden meestal met rust gelaten, zolang ze niet direct binnen het bestek van de Koude Oorlog en de strijd tegen het communisme vielen. Ze konden doen wat ze wilden, zolang ze maar van belangrijke Engelse onderdanen afbleven. Niemand verwachtte toch dat Engeland de politieagent van de wereld speelde? Het wereldrijk bestond niet meer. Daar kwam nog bij dat er incidenten met Engelse staatsburgers waren geweest die een wel heel gemengde uitkomst hadden gehad. Er was die zaak van de Grote Baas en zijn vrouw waaraan Villeneuve een paar maal werd herinnerd. Narigheid in Oeganda was niemands aandacht waard. Bij wijze van troost beloofden enkele collega's een brief te ondertekenen als hij wilde schrijven aan de Engelse en Oegandese ambassade, en misschien ook aan Idi Amin. Villeneuve raadpleegde deskundigen, Oegandese ballingen en Engelsen die waren uitgewezen, en kreeg de raad het stil te spelen. Hij ging rondbellen, brieven schrijven.

Langzaam drong het bericht tot Oeganda door. De Engelse ambassade voelde er weinig voor om de zaak aan te kaarten. Er lagen stapels vergelijkbare onopgeloste gevallen waarbij vooraanstaander Oegandezen betrokken waren. Wat was er zo bijzonder aan deze? Villeneuve bleef brieven sturen, actie eisen. Een parlementslid kreeg meestal zijn zin, en uiteindelijk kreeg Villeneuve enige aandacht voor zijn zaak. Ten slotte bereikte het bericht de juiste oren. Amin vroeg kolonel Robert Ashes zich in de kwestie te verdiepen.

In die tijd was Ashes bezig een nieuwe megadeal met Copper Motors in elkaar te draaien. De Grote Baas was vervangen door een verstandiger kerel en er zat groot geld

aan te komen. Het laatste dat Ashes wilde was bemoeienis.
Hij vond dat hij al genoeg had geleden bij die kwestie met
de Grote Baas, toen hij zich had moeten verantwoorden tegenover ambassadelui die hij verachtte. Diezelfde mensen
hadden gedreigd de verdwijningen en vermeende fraude
door Scotland Yard te laten onderzoeken. Hij had last gehad van slapeloze nachten. Gelukkig voor hem bleef het
bij dreigementen en hij wilde nu niets meer met de ambassade te maken hebben. Er verdwenen dagelijks mensen.
Om onbenulligheden als belediging van de verkeerde,
landgeschillen, vrouwen, grieven, politiek, zaken. Waarom zou hij zich met dit geval bemoeien? Later kwam hij
erachter dat de betrokkene een sleutelpost op het ministerie van Energie had bezet. Er ging een schok van opwinding door hem heen. Dit was een gouden kans om generaal
Scheet een slag toe te brengen. Hij had die klootzak met
een onderzoek gedreigd maar hem toch weer laten glippen.
Dat kon hij deze keer vergeten. Hij belde de Engelse ambassade en beloofde zich onverwijld in de zaak te verdiepen. Het was ook heus weer niet zo minderwaardig om het
met die lui een beetje bij te leggen. In dit land van zinsbe-
goocheling wist je maar nooit...

Kolonel Robert Ashes stuurde om te beginnen zijn mannen, de acolieten, naar het hoofdkwartier van het ministerie van Energie en liet alle mensen arresteren die bij Bat op
de afdeling werkten. Vroeg op een middag, zonder waarschuwing vooraf, waren er opeens overal Stingers. Daar
sprongen mannen uit die met getrokken wapen de kantoren
binnenstormden en weer naar buiten kwamen met acht
mensen, onder wie de ambtelijke Nummer Een. Toen generaal Bazooka daarvan hoorde, twee uur later, was de
schade al aangericht.

Op dat moment was het nog onduidelijk door wie zijn mannen gevangen waren genomen. Er was alleen bekend dat zijn kantoor was aangevallen door bewapende mannen in het uniform van de militaire politie. Pogingen om uit te zoeken wie dat waren hadden tot nu toe nergens toe geleid. Hij stuurde er afgezanten op uit en belde verwoed alle veiligheidsdiensten af, maar tevergeefs. Zijn eerste vermoeden was dat hij uit de gunst was geraakt bij maarschalk Amin. Hij had de maarschalk de laatste tijd niet gezien en hij vroeg zich af of hij door iemand was verraden. Had een jaloerse wraakzuchtige generaal hem beschuldigd van verraad? Het beramen van een staatsgreep? Corruptie? Had een astroloog hem in zijn dromen gezien en hem beschuldigd van politieke ambities? Waar was die zogeheten Heilloze Geest? Was hij in het land of in het buitenland? Wat die zei nam de maarschalk tegenwoordig voetstoots aan. Stel dat hij de maarschalk had aangeraden hem te lozen? De handen van generaal Bazooka gingen beven. Hij stak een joint op en pafte zenuwachtig.

In een stuurloze tijd geteisterd door dromen werden gunsten in een oogwenk verkregen en verspeeld. In het begin was het spannend geweest om een weg door de verwarring te vinden, tegenwoordig was het dodelijk als in een mijnenveld. Generaal Bazooka voelde zijn borst ineenkrimpen. Zijn vrouw kon weduwe, zijn kinderen konden wees worden. In een vlaag van paniek belde hij bevriende ministers, in de hoop van tenminste één de waarheid te horen voor het te laat was om de schade te beperken. Niemand scheen iets gehoord of gezien te hebben. Logen ze tegen hem, alleen maar om hem van zich af te houden, of was hij te achterdochtig geworden? Je kon dezer dagen niet achterdochtig genoeg zijn, want je kon niemand langer dan twee minuten vertrouwen. Een van zijn collega's opperde dat Ashes misschien achter de narigheid zat.

'Weer die hond!' vloekte hij, en er voer een geheimzinnige opluchting door zijn lichaam. Het stonk allemaal naar Ashes. 'Ik wil hem met mijn blote handen zijn darmen uitrukken.' Hij stapte vlug in zijn helikopter en vloog naar het ontheiligde kantoor. Het was er een gekkenhuis: er gingen telefoons, bureaus lagen bezaaid met onaf werk, medewerkers liepen rond zonder enig idee hoe nu verder. Hij schold op de bewakers en iedereen die hij tegenkwam. Hij belde het kantoor van Ashes, maar die was er niet. Niemand wist wanneer hij terug zou zijn. Hij belde het bureau van de president, dat nu door de Eunuchs werd geleid, en hij hoorde dat Ashes was opgedragen die vermiste man te zoeken.

'Ik heb zin om die geitenneuker tot moes te slaan,' zei hij tegen zijn adviseur.

'Doe nog maar niet, generaal,' zei de kolonel. 'Iemand die optreedt uit naam van de maarschalk mag niet onderschat worden. Vooral niet als hij de baas is van de antismokkeldienst. Die kan ons maken en breken.'

'Wat moet ik dan? Hier een beetje als een genaaide hondenkut gaan zitten wachten?'

'Tja...'

'Ik heb een tijdje geleden een prijs op het hoofd van die man gezet, kolonel. Ik heb je tienduizend dollar contant geboden voor zijn waardeloze penis. Waarom leeft hij nog? Zijn er geen mannen gretig genoeg om het tegen hem op te nemen? Waarom moet ik nog altijd dat kruis dragen?'

'U hebt gezien wat we gedaan hebben met het huis van zijn vrouw, generaal. Ik heb nu weer een mooie val voor hem gezet. Bij het meer. Deze keer neem ik die schijtbak te grazen.'

'Hoe lang moet ik nog wachten? Ik ben mijn Nummer Een kwijt. Kan je een minister nog erger vernederen dan door zijn hoogste ambtenaar als een stuk vuil af te voeren?' Hij sloeg op zijn borst, zwaaide met zijn armen en liet die ten slotte op zijn heupen steunen. 'Ik heb deelgenomen aan de staatsgreep waarmee dit koningshuis is begonnen. Ik heb de regering tegen al haar vijanden verdedigd. En nou moet ik op mijn knieën voor die stinkende drol?'

'Er zijn allerlei veranderingen, generaal,' begon de kolonel behoedzaam, 'het is nooit te zeggen wat maarschalk Amin in zijn diepe wijsheid denkt. Waarom heeft hij u anders niet ingelicht over de rol van Ashes in deze zaak?'

'Je hebt gelijk. Er moet iets aan de hand zijn. Wat vind jij dat ik moet doen?'

'Uitkijken terwijl we de volgende zet beramen.'

'Uitkijken! Uitkijken! Alweer! Hoe lang moet ik nog blijven uitkijken? Wanneer breng je me nou zijn hoofd eens op een stok?'

'Gauw, heel gauw. Hij heeft door dat we achter hem aan zitten. Hij verandert op het laatste moment van auto. Hij gaat vliegen als iedereen verwacht dat hij per boot gaat. Die hondenlul is moeilijk te grazen te nemen, maar het is gewoon een kwestie van tijd, generaal.'

'Ik had die drol af moeten maken. Hij moet dood zijn voordat Ashes hem te pakken heeft. Ik zal zijn overwinning van betekenis ontdoen. Een doodkist is een mooie beloning voor zijn speurwerk.'

'Dat helpt niet, generaal. Ashes weet inmiddels waar hij

is. Hij wil uit dit voorval persoonlijke munt slaan. Als u hem op het laatst nog dwarsboomt, krijgen we de volle laag van hem. Hij zou het zelfs tegen de maarschalk kunnen zeggen. En zo niet, dan brengt hij ons wel op een andere manier zware schade toe.'

'Je hebt gelijk. Ik wacht nog wel af,' siste de generaal, en stormde naar buiten. Hij besefte dat een prins geen koning was: hij moest nog altijd flauwekul van zijn koning slikken, vooral wanneer dat iemand was die zichzelf tot koning van Afrika had uitgeroepen. Als prins kon hij wel boeren op hun hoofd pissen, maar hij kon niet altijd zijn zin krijgen. Prinsen konden worden afgedankt, en vaak maakten ze elkaar kapot. Ashes was ook een prins, met dezelfde vermogens tot vernietiging.

De acolieten sloten de mannen van Bazooka op in een villa in Nakasero. Onder verhoor onthulden ze wat ze wisten. Ashes hoorde dat Bat was weggeroepen naar het Nijlbaars-hotel, ogenschijnlijk om zijn baas te spreken. De aanleiding tot de verdwijning bleef onduidelijk, maar dat was gebruikelijk. Hij kon er alleen naar raden. De angst voor verraad was een gebruikelijke nachtmerrie in die hoge kringen. Als het toevallig ging om de bejegening door laaggeschoolde noorderlingen van hooggeschoolde zuiderlingen dan was het niet zo moeilijk om de bijzonderheden in te vullen. Het bericht dat de man nog leefde verblijdde hem. De opdracht zou er vlugger op zitten dan hij had verwacht.

Maar de acolieten kwamen te laat. De gevangene was overgeplaatst. Generaal Bazooka had hem naar een onbekende bestemming gebracht. Door die wending van de gebeurtenissen werd het humeur van Ashes weer grondig

187

verpest. Hij had een hekel aan zo'n spelletje als hij er zelf niet mee begon.

De generaal maakte zich zo ongrijpbaar mogelijk. Hij reed in neutrale auto's, alleen of met maar twee mannen. Hij verbleef de meeste tijd in Kasoebi bij zijn vrouw en kinderen. De eerste week als fulltime man en pa was boeiend. Hij dronk veel en sliep veel. Hij hield alles in de gaten als hij wakker was, hij brulde tegen de bedienden en bekeek de schoolschriften van zijn kinderen. Hij was blij te merken dat zijn geliefde zoon een hekel aan school had en er niet zoveel van terechtbracht. Hij had het met hem over het belang van het leger en de kansen die hij maakte als zoon van een generaal. Hij liet hem verschillende vuurwapens zien, vertelde hem heldhaftige verhalen en liet hem beloven dienst te nemen zodra hij van de lagere school afkwam. De middelbare school kon hij wel in het leger doen. De jongen was heel blij te horen dat zijn vader aan zijn kant stond. De andere kinderen waren minder enthousiast, maar die kreeg hij uiteindelijk ook wel te pakken. Hij ging langs bij de winkel van zijn vrouw. Hij vond het maar een saaie bedoening om op klanten te wachten en thee of bier te zitten drinken. Hij vluchtte naar de stad, reed wat rond, wipte bij vrienden aan.

Na een week ging hij zich boos maken om kleinigheden. Op een ochtend schoot hij op een dienstmeisje omdat hij met een schone lepel in zijn koffie wilde roeren en ze hem die niet vlug genoeg kwam brengen. Zijn vrouw kwam tussenbeide en gaf hem een uitbrander. Hij was beledigd. Het was maar een waarschuwingsschot geweest, zei hij, niks bijzonders. Hij voelde zich opgesloten. Gekleineerd door zijn hulpeloosheid tegenover Ashes. Hij besloot naar het noorden te gaan. Over de weg, en te zien hoe het er daar voorstond. Hij had behoefte aan de inspiratie en aan een flinke adempauze van alle waanzin. Hij hoopte opgeknapt, strijdbaar, fel terug te komen.

Het eerste deel van de tocht was heel opwindend. Hij reisde door vertrouwd gebied. Het was een heel geruststellend gevoel om soldaten bij wegversperringen hun werk te zien doen. Ze deden hem denken aan de tijd dat hij op gewapende rovers joeg. Bij één wegversperring betrapte hij evenwel soldaten die smeergeld aannamen. Ze moesten zich van hem uitkleden, naakt door de modder rollen en dansend zijn geliefde kinderversje zingen: *Humpty-dumpty*. Hij hield een toespraakje waarin hij zich tegenover de burgers verontschuldigde. Dat was een lekker gevoel. Maar hoe verder hij naar het noorden reed, hoe meer het tot hem doordrong dat buiten de steden de regering een heel ijl begrip was. Om te beginnen werd hij helemaal niet herkend. Hij stopte een paar keer om wat te kopen, nam de moeite om de stoffige winkeltjes in te gaan, maar niemand riep zijn naam. Wat hij wilde was bijna altijd onverkrijgbaar, behalve op de zwarte markt. En die was er niet voor militairen met bungelende medailles op hun borst. Hij raakte geërgerd door die lege winkels met hun gapende schappen en alleen voor de sier wat lege sigarettenpakjes. Er was geen spijsolie, geen petroleum, geen eten, niets.

'Niets!' brulde hij bij de tiende winkel. 'Waarom doe je dan verdorie een lege winkel open? Hoe lang zit je hier al?'

'Sinds 1971,' zei de man bedroefd. 'Elk jaar gingen de prijzen weer omhoog, totdat we de voorraad niet meer konden bekostigen.'

'Verwijt je dat de regering?'

'De regering doet zijn werk heel goed. Het komt door de fabrieken, die zijn dichtgegaan.'

De generaal stond met zijn mond vol tanden en hij stormde naar buiten.

Bij het volgende handelscentrum kon hij er niet meer tegen. Zodra hij dezelfde klaagzang hoorde stormde hij door de lege winkel naar achter. Wonder boven wonder vond hij daar zakken suiker, zout, blikken spijsolie, pakken bonen...

'Hamsteraar! Jij saboteert de regering door goederen te hamsteren en de prijzen hoog te houden,' brulde hij.

De man zei niets en leek ook niet onder de indruk.

Generaal Bazooka was van plan de mensen in het stadje bij elkaar te roepen en de man dan in het openbaar af te ranselen alvorens zijn voorraad tegen regeringsprijzen te verkopen. Toevallig vroeg hij de man nog even wie hij was. Het bleek de vader van een bevriende generaal. De winkel stond zelfs op naam van die generaal. Bazooka was diep gekwetst. Hij gaf zijn mannen opdracht om van alles wat ze wilden een paar kilo mee te nemen en stormde terug naar zijn jeep. Ja, hij was in het noorden, dat enorme weidse gebied waar zoveel stammen huisden die onder de noemer 'noorderling' werden gebracht. Hij voelde zich losstaan van die terminologie en van die mensen. De band leek verbroken te zijn toen hij uit het zuiden wegging. De taal van zijn dromen en ambities gedijde niet in deze grond. Nu hij erover had nagedacht schrok hij ervan hoe oppervlakkig zijn solidariteit met deze mensen was. En trouwens, veel van de militairen die hij wegzuiverde kwamen uit deze streken. Vooral Lango en Acholi. Gaandeweg ging hij zich ergeren aan de verstikkende warmte, de schralere begroeiing, de weelde van de stad die hij achter had gelaten.

'Het is hier een woestijn, verdomme,' zei hij tegen zijn mannen. Die schudden van nee, want ze waren blij om terug te zijn en door het land van hun dierbaarste herinneringen te trekken.

Hoe verder hij kwam, hoe meer hij ervan overtuigd raakte dat de reis een vergissing was. Hij vond dat hij zijn moeder had moeten gaan opzoeken in plaats van hiernaartoe te gaan. Hier kon hij geen samenhangend beeld krijgen, alleen maar flarden. Het hele land leek wel op springen te staan. In het noordoosten dreven de Karamojong hun vee op en overvielen naburige stammen tot aan de grens met Kenia. Het wemelde van de vuurwapens in het gebied, zodat veeroof een dodelijke uitbarsting van bloedige oorlogvoering was geworden. Het vuurwapen was tot symbool van mannelijkheid verheven, een wezenlijk onderdeel van de cultuur. Veel soldaten in deze streek hadden hun wapen voor contant geld verkocht. Hij was boos dat dit had kunnen gebeuren. Het gevolg was dat de meeste delen van Karamoja ontoegankelijk waren. De mensen deden wat ze wilden. Politie, leger, de belasting, niemand durfde erheen. Het was een vrijplaats, de ruigste plek van het land. Als die lui vee wilden, dan hielden ze huis tot ver in het oosten en verwoestten zonodig honderden kilometers. Voor de lastigste klanten was Kenia gewoon een verlengstuk van Oeganda, en ze staken schietend met kogels en pijlen de grens over totdat ze vee vingen of werden verslagen. Velen van hen liepen nog naakt rond en hadden er schijt aan wat anderen vonden. De enige buitenlanders die nog wel eens contact met ze hadden gelegd waren Italiaanse missionarissen, van wie er veel kwamen om zielen te redden en goud te zoeken. Generaal Bazooka schudde zijn hoofd alsof hij wilde zeggen dat het zonde van zijn tijd was om over zo'n vrijgevochten streek na te denken. Met een boosaardig lachje dacht hij aan die dissidenten in Tanzania. Die zou Karamoja als de tijd daar was ook op hun kop pissen.

Hoe dichter hij bij zijn eigen streek kwam, de plaats waar hij was geboren, hoe ongeduldiger hij werd. Hij had spijt dat hij zijn helikopter had achtergelaten. Op de grond had hij voor een mensenleven genoeg gezien. Het uitzicht zou hier beter zijn geweest uit de lucht, tot nietszeggendheid geëffend dankzij de luchtvaarttechniek. Maar die afgetobde koeien die hij zag bedierven zijn humeur. Hij kwam hier op vakantie, niet op inspectietocht. Hij was verdomme geen veearts of de minister van Landbouw en Veeteelt. Waar kwamen die zwarte varkentjes vandaan? Ze waren zo klein dat het wel konijnen leken. Die zielige geiten zagen er al niet beter uit. Ze leken de mensen wel te verwijten dat die ze in leven hielden. Hij probeerde een radiobericht te verzenden. Hij wilde dat onmiddellijk zijn Mirage Avenger werd gestuurd. Helaas kreeg hij geen verbinding. Hij probeerde de dichtstbijzijnde kazerne op te roepen, zeventig kilometer verderop, en ook dat lukte niet. Hij had opeens het gevoel dat hij vastzat. Wat was er verdomme aan de hand als een generaal er niet van op aan kon dat zijn radio het deed? Stel dat er wat met zijn familie gebeurde? Het leek wel of Ashes een val had gezet.

In het westelijke Nijl-district voelde hij zich weer rustig. Hij was onder stamgenoten. Er was weinig veranderd, afgezien van de invoer van strakke broeken met wijde pijpen, zilveren zonnebrillen en de droom om naar het zuiden te gaan en bij het staatsonderzoeksbureau te gaan werken. Veel jonge mensen waren er weggegaan en in het verleden of de vergetelheid weggegleden. Hij voelde geen zindering in de lucht, hij kreeg niet het gevoel dat er iets gebeurde. Het beste dat hij hier kon doen was mannen werven voor zijn persoonlijke leger. Hij had een grote toekomst voor zich, met of zonder de maarschalk.

's Avonds hield hij besprekingen met een aantal stamhoofden. Hij beloofde hun vee, auto's, huizen, helikopters als ze mannen voor hem konden vinden. Na een uur voelde het niet lekker meer om de aardige vent uit te hangen. Vooral als mensen vroegen om meer ziekenhuizen en scholen. Hij was meer gewend om te bevelen, niet om te onderhandelen, over te halen. Hij miste zijn woede, de brandende drang om te overheersen die hij in het zuiden voelde. Hier was er geen lol aan. Als hij deze mensen met bier bespuugde zou dat alleen maar stom staan en voelen. Als hij in zijn broek scheet zou dat gewoon zielig zijn. Het zuiden deed wat met hem dat het noorden niet deed. Hij was voor het grootste deel daar. Zonder dat stuk voelde hij zich uit zijn evenwicht. Hij bedacht dat macht een heel sfeergevoelige drank was, het belangrijkste was waar je haar dronk. Met een verlaten gevoel ging hij naar het huis van zijn moeder. Daar had hij heel wat geld in gestoken, maar het gaf hem nu niets meer terug. Het voelde opgeblazen als een lege basiliek. Geen wonder dat die oude vrouw er weinig om gaf.

Binnen enkele dagen was hij weer op pad, onderweg naar Jinja. Weer naar het zuiden. Zijn moeder was heel blij hem te zien. Ze had een groot huis omringd door bomen, niet ver van het meer. Ze kookte grote maaltijden voor hem, ging met hem wandelen en leidde hem rond. Ze hield van het stadje met zijn brede wegen, ruime huizen, het mooie weer. Ze vond het echt heel leuk om zaken te doen, met klanten te praten, bij mensen in de streek langs te gaan om te kijken hoe haar visnetten zich hielden. Ze nam hem mee naar haar vriendinnenclubje, oude dames van in de zestig en zeventig. Ze kwamen elke week bij elkaar, dronken thee en praatten lome middagen over het verleden. Hij lette er niet op wat ze zeiden, maar vond het wel leuk dat ze zijn moeder met grote eerbied behandelden. Op weg naar huis bond ze hem op het hart de kinderen bij haar onder te brengen als het in de stad gevaarlijk werd.

'Het is hier zo rustig. Het lijkt wel een andere wereld. We horen soms wekenlang niemand schieten. De commandant van de kazerne is uitermate streng. De soldaten halen geen gekkigheid uit. Ik wou dat ze jou hiernaartoe konden overplaatsen. Dan zouden we in het weekeinde met elkaar varen, eten, praten, de kinderen zien opgroeien.'

'Wat klinkt dat idyllisch, moeder. Zo heb ik het ook altijd voor je gewild. Ik zal de kinderen vaker sturen.'

'Mijn hart zou breken als ik uit dit stadje weg zou gaan. Ik denk ook niet dat ik hier ooit nog wegga. Niemand valt bejaarden lastig als er een andere regering komt.'

'Je praat alsof morgen de regering valt.'

'Als je oud wordt ga je je zorgen maken. Zoveel herinneringen. Ik zie je vader wel eens.'

'Drinkt hij nog?' zij hij lachend.

'Hij lijkt rustiger nu.'

'Misschien heeft hij geen geld om drank te kopen.'

'Geen flauwe grappen over de doden.'

'Het was niet kwaad bedoeld, moeder.'

Generaal Bazooka ging met een gesterkt, vechtlustig gevoel weer weg. Een prins die terug was van een reis moest
weer blijk geven van zijn aanwezigheid en zijn algehele
heerschappij. Het slechte nieuws was dat zijn mannen nog
altijd door Ashes werden vastgehouden. Hij belde hem en
belegde een bijeenkomst om de impasse te doorbreken. Hij
had hem graag aan stukken gesneden als een vette, drui-
pende kip van het spit, maar dat zou moeten wachten. De
twee mannen troffen elkaar op de derde etage van het parlementsgebouw. Ze kwamen meteen terzake. Ashes, met
een smeulende havanna als een vuurwapen in zijn handen,
legde zijn kaarten op tafel. Hij wilde dat Bat binnen vierentwintig uur werd vrijgelaten.

'Ik ben al met aftellen begonnen.'

'En als ik weiger?'

'Maarschalk Amin zal niet zo graag horen dat zijn bevelen genegeerd zijn,' zei Ashes met een grijns.

'Ben jij nou zijn boodschappenjongen?'

'Je snapt een paar dingen niet, generaal. Voordat ik hier
kwam, ging dit land naar de kloten – corruptie, smokkel,
allemaal gesodemieter dat een uur in de wind stonk. Daar
heb ik de bezem doorgehaald. Dat is de enige reden dat de
maarschalk me vertrouwt. Als jullie nou netjes je werk deden, dan was ik hier toch niet?' Hij stak zijn sigaar in zijn
mond en nam een trek.

Generaal Bazooka slikte dat gezeik als een geharde soldaat, al had hij die man heel graag zijn ogen uitgestoken en
ze hem op laten eten. Hij had de pest in dat de maarschalk
hem door deze man liet vernederen, die aasgier die was gekomen toen alles op rolletjes liep. Eerst had hij zijn baan
afgepakt, nu had hij wekenlang zijn ministerie lamgelegd.

'Ik zal die hufter laten gaan, maar ik wil eerst mijn mensen vrij hebben.'

'Dat maak ik wel uit. Jij ontvoert die man uit dit gebouw, en vervolgens ben je verdwenen. En nou verwacht je dat ik je geloof alsof ik een hoer ben die je naaien kan wanneer je wil. Vergeet het maar. Jij brengt me die man en pas dan, en alleen dan, laat ik jouw mannen vrij. Ze zijn goed behandeld, ze moeten alleen eens flink in bad,' zei hij, en trok met gespeelde walging zijn neus op.

'Morgen.'

'Ik vind dit net zomin leuk als jij, generaal,' zei hij, en wreef nog wat zout in de wond, 'ik ben namelijk heel druk bezet.'

De generaal stond op om weg te gaan. Ashes keek hem kil aan, glimmend van voldoening. Al met al geen kwade middag. Eerst dit zoete drama, dan een duik in het meer.

Op de dag van zijn vrijlating sleurden ze hem uit de kelder waar ze hem hadden neergekwakt. Ze trokken hem de kleren van zijn rug en spoten hem buiten af als een auto, en boenden hem met een stugge borstel. Ze boenden en spoten en lachten tot hij het gevoel had dat hij overal rauw was. Toen de zeep in zijn ogen kwam, moesten de mannen nog harder lachen. Ze lieten hem droog druipen en gaven hem nieuwe kleren, en een paar Bata-schoenen zonder sokken. Ze zetten hem in een Stinger en gingen op pad. Ze reden van laan tot laan in dat vage oord van bomen en schaduwen. De laatste dagen had hij liggen slapen op jutezakken naast oud gereedschap, kapotte televisies en stoelen. Nu leek het wel of zijn beproeving voorbij was. Hij durfde nog niet te juichen. Stel dat... Ze stopten voor een buitenhuis dat schuilging achter een stalen hek en een hoge muur. Hij kreeg opdracht uit te stappen.

Het was een grauwe dag met een zware regenkater van de dag ervoor. Hij had het gevoel of hij in een val liep. De bewaker bij het hek deed open zonder hem vragen te stellen. Het was een enorm terrein. Hij liep over grind met aan weerskanten grote lappen goed gemaaid gras. Een soldaat deed de voordeur voor hem open. In de deuropening verscheen Robert Ashes. Ruige wenkbrauwen, groot voorhoofd, dunnend haar, dicht bij elkaar staande ogen, brede mond. Hij leek vals en gevaarlijk, een handgranaat die elk moment af kon gaan. Met een grijns stak hij zijn hand naar hem uit. Ze begroetten elkaar en hij werd binnen genood. Ruime banken, grote kleden, jachttrofeeën aan de muur: buffelhorens, een luipaardvel, een leeuwenkop, gekruiste olifantsslagtanden, een neushoornkop, een opgezette arend en een python van drie meter. Hij ging zitten en even later kwamen zijn voormalige collega's binnenlopen. Zwijgend gingen ze naar buiten. Hij was opgelucht.

'Je bent nu vrij. Ben je niet blij?' vroeg Ashes uitbundig.

'Ik ben heel opgetogen.'

'Dat is je niet bepaald aan te zien. Trouwens, waar wil je heen?'

'Dat weet ik nog niet.'

'Ik ga naar de president om hem het goede nieuws te melden. De crisis is voorbij.'

'Wat voor crisis?'

'Een Engelse politicus zocht contact met ons en zei dat er een vriend van hem was verdwenen. Maarschalk Amin gaf mij de taak om die man te bevrijden, en daar ben je dan.'

'Ik ben u heel dankbaar voor uw inspanningen.'

'We kunnen samen gaan. De president zal je graag ontvangen. En je weet nooit, misschien bevordert hij je wel,
bij wijze van goedmakertje.'

'Ik waardeer het aanbod. Maar ik zou liever naar huis
gaan om dit te verwerken. Ik heb een half jaar mijn familie
niet gezien. Die moet zich doodongerust maken. Bedankt
u de president van mij.'

'Mijn chauffeur brengt je thuis.'

'Dat is heel aardig van u.'

Ashes gaf hem een hand en ging weg. Hij hoorde hem
wegrijden. Hij dronk een kop thee die hem was ingeschon-
ken. Er kwam een man in burger die zich voorstelde.

'Ik ben uw chauffeur, meneer.'

'Een ogenblikje nog, alsjeblieft,' zei hij, en vroeg zich af
waar hij naar toe moest. Aan wie moest hij zich het eerste
openbaren? Hij voelde zich als een dode die weer tot leven
was gekomen en met nieuwe ogen keek, zijn betrekkingen
herzag, zijn verwachtingen bijstelde. Lazarus. Doodskleed
afgelegd. Lijklucht weggewassen. Bizarre nagels afge-
knipt. Wennend aan zijn huid, zijn stem, aan de wereld die
hij achter had gelaten.

De man zette hem af bij het baksteenrode YMCA-ge-
bouw. Hij wilde hem niet laten zien waar het echtpaar Kalanda woonde. Hij stormde het gebouw zelfs binnen toen
hij uit de auto stapte. Hij ging naar de wc's en voor het
eerst in maanden bekeek hij zich in de spiegel. Hij schrok:
hij zag er asgrauw uit, als een lijk. Hij ging vlug naar buiten en liep de paar honderd meter naar zijn bestemming,
waarbij hij dicht bij de hekken bleef. Het was nog vroeg,
het echtpaar Kalanda was nog niet terug voor het middag-

eten. Hij ging aan de voorkant op de trap zitten en keek door het hek. Hij zag een stukje van Wandegeya en de Makerere-universiteit. Daar gaf de professor druk college en droomde ervan om weg te komen.

'Ben jij dat? Lieve God, Bat, jij bent het. Ik had je niet herkend. Ik dacht dat het wel een gek zou zijn of iemand die verdwaald was. Jezus, ik ben zo blij je terug te zien,' zei mevrouw Kalanda huilend. Ze omarmden elkaar: zij geestdriftig, hij stijfjes, zich te zeer bewust van zijn zeeplucht. Ze liet hem binnen en liep het huis op en neer, niet in staat om te besluiten hoe nu verder. Ze stormde de keuken in om iets lekkers klaar te maken en kwam telkens terug om vragen te stellen.

Intussen besloot hij een langdurig bad te nemen. Hij trok kleren en schoenen van zijn vriend aan en kletste een royale dosis aftershave in zijn hals. Hij kon mevrouw Kalanda per telefoon het goede nieuws horen verspreiden. Maria Magdalena en de Heiland. Hij had hen verlost van zorg, kosten, vruchteloze zoektochten. Waren ze teleurgesteld dat hij geen beestachtige littekens of wonden had als blijk van het halve jaar dat hij er niet was geweest? Hij was zo lang opgesloten in kelders en op andere donkere plaatsen dat hij die ophef nu vreemd, moeilijk te verdragen vond. Het was maar goed dat zij het woord deed, anders had hij niet geweten hoe hij zelf het nieuws moest brengen. Uiteindelijk zou hij even achteloos klinken als iemand die in een nat jaargetijde regen voorspelt. Van mevrouw Kalanda hoorde hij dat Babit niet in Entebbe was. Waar dan wel? vroeg hij zich af. Was ze veranderd, beschadigd door wat er de laatste tijd was gebeurd?

Kalanda kwam 's middags samen met de professor. De

twee mannen omarmden hem, drukten zijn geslonken gedaante aan hun borst en staken de gek met zijn uiterlijk.

'Niet alle mannen van Amin zijn slecht, ze houden tenminste wel rekening met de doodgravers. Je weegt vast net zoveel als een gorillajong,' zei de professor met een uitgestreken gezicht, en klopte hem op de schouder. 'Ik heb nog nooit zulke scherpe schouderbladen gevoeld. Misschien heten ze daarom wel zo: het zijn inderdaad bladen.'

'Toen ik binnenkwam dacht ik dat mijn vrouw een ondervoede tuinman had aangenomen. Toen zag ik dat die vent mijn kleren aanhad. Luizen, dacht ik, hij heeft vast luizen. Toen drong het tot me door dat je nog niet dood was.'

'Daar zul je nog wat geduld voor moeten hebben,' zei Bat grinnikend. Hij was opgelucht dat de mannen er geen drukte over maakten. Niets zo erg als een zware, kleffe ontvangst.

'Waar is de drank?' riep Kalanda, 'haal de drank en het vetste varken. Mijn verloren broer is terug.'

'We schrokken ons te pletter, man,' bekende de professor. 'Ik zei bij mezelf: als ze hem al zo bij zijn strot kunnen grijpen, kunnen ze die van ons zomaar straffeloos afsnijden.'

'Ik dacht er al over om naar Australië of Amerika te emigreren,' vertrouwde Kalanda hem toe. 'We hebben je verdomme overal gezocht. Niemand deed zijn mond open. We hebben het halve land omgekocht; elke keer namen die hondenlullen wel het geld aan maar lieten niks los.'

'Let op je woorden, alsjeblieft,' sputterde mevrouw Kalanda tegen.

'Onze broeder is uit de dood herrezen. Hij heeft aan de

andere kant vast wel smeriger taal gehoord,' kaatste haar man terug.

'Het viel wel mee,' zei Bat onbehaaglijk.

'Kom nou toch. Het valt nooit mee. Het zijn net anaconda's, je krijgt al een maagzweer als je hun slechte adem ruikt. Je mag blij zijn dat ze niet met gebroken flessen je schaamhaar hebben afgeschoren,' kwam de professor ertussen.

'Jongens, jongens,' riep mevrouw Kalanda tevergeefs.

'Je hebt ons weer hoop en blijdschap gegeven, klootzak. Laten we drinken op je terugkeer uit het lijkenhuis,' zei de professor, en keek om zich heen alsof hij tegenstand verwachtte.

'Wanneer heb je voor het laatst een vrouw gezien?' plaagde Kalanda. Zijn vrouw keek verlegen.

'Ik had mijn trouwe pispot.'

'Je hoort altijd verhalen over gevangenen die bewakers omkopen,' zei mevrouw Kalanda peinzend.

'Om met ze te neuken of om hun loopse honden te brengen?' brulde haar man.

'Jezus Christus, wat heb jij toch?' zei ze nogal verhit.

'We hadden het over omkoping, hondenlullen, en...' zei Kalanda, en streek over zijn kin alsof hij het niet meer wist.

'Ik kon alleen God maar omkopen, maar die lul had geen enkele belangstelling. Ik wist dat hij me in een insect kon veranderen, dan kon ik naar buiten lopen, zelfs op de laarzen van een soldaat kruipen, maar hij weigerde. Ik heb zelfs aan dr. Ali gedacht. Ik wou in een drol veranderen, doorgetrokken worden en me weer bij de levenden voegen in de riolen van het leven, maar ik kreeg mezelf niet verteerd.'

De mannen lachten, maar mevrouw Kalanda sputterde zwakjes tegen: 'De kinderen, jongens, de kinderen.'

'Ze wonen in Oeganda, dus ze kunnen maar beter aan drollen wennen,' zei haar man met vaderlijke vrijheid.

Met een stroom bier werd geprobeerd maanden van zorg, wanhoop, troosteloosheid weg te spoelen. De middag zonk langzaam weg in de zachte kleurschakeringen die oplosten tot avond en nacht. Ze vonden het allemaal de mooiste middag die ze in een half jaar of meer hadden gehad.

'Wat is het voor gevoel om terug te zijn?' vroeg de professor vriendelijk en merkbaar aangeschoten. Hij had nooit zo goed tegen alcohol gekund.

'En kutgevoel. Ik heb als ik wakker word geen werk, geen huis, geen lijfwacht. Ik ben een beetje bang nu voor soldaten. Ik ben een beetje bang voor jou. Ik ben een beetje bang voor mezelf. Mooie boel, hè?' zei hij met een lachje, en barstte toen uit in een dronken lach.

'Ik wou dat ik eens een tijdje geen werk had,' bekende de professor. 'Ik ben aan rust toe. Kon ik het me maar veroorloven.'

'Daar had je aan moeten denken voor je besloot om les te gaan geven,' zei Bat speels. 'Je had bankier moeten worden, net als de eerwaarde edelachtbare heer en mevrouw Kalanda.'

'Dat is ook niet meer wat het geweest is.'

'Zoals elke gangster zegt,' lachte Bat, 'misschien is het geen gek idee om je bank leeg te halen en ons allemaal mee op vakantie te nemen.'

'Daar heb je een bosje valse paspoorten en twee T3000 tanks voor nodig,' liet Kalanda weten.

'Ik zou zelf die tanks besturen,' zei de professor.

'De kinderen, jongens, de kinderen.'

'Wat is dat toch steeds met die kinderen? Telkens willen we net wat zeggen, komen die kinderen er weer tussen,' riep Kalanda.

'Bat, je had dat kloteministerie moeten leeghalen,' zei de professor bijna dromerig.

'Dan hing zijn hoofd nu aan een speer bij zijn baas op de kamer,' zei Kalanda. Bat lachte.

'Hebben ze je zomaar opgesloten?'

'Ze vonden dat mijn haar niet goed zat,' zei Bat ontwijkend. 'Maar ik mag niet klagen. Ik heb mensen leren kennen. Zoals vanochtend nog kolonel Robert Ashes.'

'Vond die je haar wel goed zitten?' Uit de mond van mevrouw Kalanda klonk dat heel leuk.

'Dat zei hij niet, en het kon me ook niet schelen. Het is een man van weinig woorden.'

'Misschien had hij kiespijn of last van zijn maag,' opperde Kalanda.

'Nog wat gehoord van je gewezen baas?' vroeg de professor.

'Niet dat ik weet. Of dat komt doordat hij kiespijn of last van zijn maag heeft zou ik niet kunnen zeggen.'

'En, wat zijn je plannen?' zei mevrouw Kalanda in een poging weer aan het gesprek deel te nemen.

'Die man is net ontkomen aan de klauwen van de dood en dan vraag jij hem wat hij wil gaan doen? Zou jij weten wat je wou gaan doen als je in zijn schoenen stond?' vroeg haar man nogal boos.

'Nou en of. Ik zou niet meer terug willen in elk geval. Laat je niet betuttelen,' zei ze, en legde een hand op Bats knie.

'We zijn je nog in Mabira wezen zoeken,' verkondigde de professor plechtig.

'Jezus! Dat moet onbeschrijflijk zijn,' zei Bat, en vroeg zich af of ze wel alle bijzonderheden hoefden te weten. Was dat nou echt nodig?

'Er zijn geen woorden voor,' zei de professor hoofdschuddend. 'Alleen de gedachte al dat daar je vriend zou kunnen zijn!'

'Met een stijve pik,' zei Bat lachend, om de sentimentele ontboezemingen van de professor voor te zijn. Met alcohol ging het altijd zo bij hem. Hij was in de veertig maar al grijs. Op zulke momenten leek hij wel een trieste oude man. Telkens stak hij zijn pijp weer aan, drukte de tabak aan, pafte erop los. Bat wist dat de professor algauw over zijn ziekelijke vrouw beginnen zou, terug zou grijpen op de dagen dat ze nog gezond, vol leven was. Dat was niet het soort verhaal dat hij nu wilde horen.

'Weten jullie hoe vaak we de laatste maanden allemaal langs het parlementsgebouw gekomen zijn? En die klootzak hield ons vandaar in de gaten!' zei mevrouw Kalanda ten slotte.

'Dat klinkt een stuk beter. Klootzak klinkt volmaakt als het uit jouw mond komt. Ik zie hem daar helemaal voor me,' zei haar man dronken.

'Welkom in Oeganda. Ik drink op de eerste klootzak van mevrouw Kalanda vanavond,' zei Bat opgetogen.

'Jullie doen allemaal zo overdreven, alsof ik nog nooit grote woorden heb gebruikt,' zei mevrouw Kalanda defensief.

'Niet vaak genoeg, lieve vrouw. Je zou een klein beetje meer moeten schelden en vloeken,' zei Kalanda, en gaf haar een klap op haar dij.

Het groepje bleef op tot diep in de nacht. Ze aten en dronken en waren verheugd, en toen ze eenmaal besloten naar bed te gaan, was het al zo laat dat de professor niet meer naar huis kon. Hij woonde een halve kilometer verderop, maar hij kon niet riskeren dat hij door dronken soldaten werd aangevallen. Hij deelde met Bat een logeerkamer.

'Het is doodzonde dat ik je niet mijn vrouw geven kan om je bed vannacht te warmen,' zei Kalanda toen hij met zijn vrouw de kamer uit ging.

'Let maar niet op hem,' zei ze koket, en likte haar ribfluwelen lippen. 'Hij heeft te veel gedronken. Dat hebben we toch allemaal?'

De professor was een zware snurker. Hij vulde heel de kamer met zijn half gesmoorde varkensgeknor. Bat werd gekweld door slapeloosheid die voortkwam uit onvertrouwd gerief. De protesten van zijn maag tegen drastische dieetveranderingen leidden tot een aanval van diarree die hem een deel van de nacht nog op de been hield. Dan stond hij in het donker op, zocht met zijn voeten zijn sandalen en vond zijn weg naar de deur. De professor sliep overal vast doorheen en klonk als een kleine kudde vetgemeste varkens.

Het was de tweede keer dat Bat in deze kamer sliep. De eerste keer was kort na zijn terugkomst uit Engeland geweest. Het gaf een vreemd gevoel, want uit niets bleek dat hij hier eerder was geweest.

In de eerste weken van zijn vrijheid werd hij getroffen door een overmatige angst voor soldaten. Die kwam in vlagen: het geronk van een gehaaste Stinger, een flard van stampende laarzen of rauw snerpende stemmen. Bij de aanblik van die wezens, in hun groen met bruine gevechtstenue gevlekt als een luipaardvel, kromp zijn maag samen of sloeg zijn hart even op hol. Diep uit zijn binnenste steeg als gal de angst in hem op, en hij moest zijn best doen om zich in de hand te houden. Het was net of hij de oude orde miste waarin dit een voornaam deel van de dag was geweest en waarin de overbodigheid het leven voorspelbaarder had gemaakt. Nu leek het wel of ze hem achtervolgden. De verwarring nam nog toe doordat hij nog altijd het huis in Entebbe had en zijn salaris bleef krijgen. In zijn achterhoofd was hij al een tijdje bang dat hij zijn huis zou worden uitgezet. Hij was gekweld door visioenen waarin Babit op straat werd gegooid. Hij wist dat veel generaals een moord zouden doen voor een huis met zoveel geschiedenis, maar het beeld werd vertroebeld doordat ze niets ondernamen. Als man van systematische logica verwachtte hij dat zijn vijanden ook methodisch waren.

Naarmate de auto dichter bij het huis kwam raakte hij in paniek. Hoe zou het personeel reageren? Hij had hen altijd op afstand gehouden en nu zag hij tegen de omgang op. Hij wist zeker dat Babit niet thuis was en hij was van plan haar later op de dag een boodschapper te sturen. Hij bleef even onbehaaglijk in de geparkeerde auto zitten en bekeek de bomen, het meer, het inwendige van het huis. Waar was iedereen? Alles maakte een verstarde indruk. Het leek wel een huis waar weken geleden iemand was overleden. Hij voelde zich ongemakkelijk in de kleren van Kalanda. Een vluchteling onzeker over de ontvangst die hem te wachten stond.

Hij zat nog moed te vergaren om uit te stappen toen de

voordeur openvloog. Daar was Babit, met een bezorgde frons op haar gezicht. Ze was de avond ervoor teruggekomen, na de zoveelste vlucht voor de dreigementen van Victoria, had de telefoon eruit getrokken en was gaan slapen. Ze bleef boven aan de trap staan wachten om te zien wie er op bezoek kwam. Ze was afgevallen en zag er afgetobd uit. Dat was een positief teken: ze had gewacht. Hij wilde het moment nog even rekken en kijken wat er zou gebeuren. Ze kon niet goed in de auto kijken en werd zenuwachtig van het wachten. Ze deed haar mond open om te vragen wie er in de auto zat.

Hij kwam te voorschijn als een schildpad, eerst met zijn hoofd en hals, en hij zag haar ogen uitpuilen en haar kaak openzakken. Hij was een geestverschijning geworden. Haastig kwam ze de trap af. Onderaan bleef ze staan. Ook hij stond stil, niet wetend of hij een lachje of een frons op zijn gezicht had. Toen stormde hij op haar af, met zijn armen als vleugels gespreid, voortgestuwd door alle gesmoorde gevoelens van liefde doorweven met schuldbewustzijn, begeerte, opluchting, en sloot haar in zijn armen. Ze zeeg tegen zijn borst, zijn schouder werd nat van haar tranen en haar zuchten drongen diep door in zijn verhongerde gekwelde lichaam. Haar aanhalige gedaante voelde geruststellend vertrouwd. Hij kon voelen dat hij geestelijk uitzette en weer ruimte voor haar maakte, vocht tegen de zelfzucht en onverschilligheid waardoor hij in gevangenschap zijn verstand had behouden. Ze gingen onhandig de trap op. Alles zag er nu al vertrouwder uit, alsof zij de gids was door wier ogen hij het huis zag. Ze gingen naast elkaar zitten, tuurden elkaar aan, probeerden de toestand te doorgronden. De tranen in haar ogen glinsterden als uitge-

strooide edelstenen die hem bekoorden met hun boodschap van onwrikbare liefde, hunkering, zorg.

Ze wachtte als een open schaal, klaar voor de ontvangst
van zijn verhaal, zijn lichaam, zijn geest. Hij gaf haar ver-
spreide stukjes in de slaapkamer, waar hij met zoekende,
tastende armen de zintuiglijke warmte die in hem werd
ontketend in haar poriën wreef. Gekleed in geleende kleren was hij een hongerige vluchteling die snakte naar de
voeding die haar overvolle diepten beloofden. De stralen
die door het gordijn gefilterd de kamer binnenstroomden
vielen op haar huid en gaven die een glans als een rijpe
vrucht die openbarstte en haar kleverige sap prijsgaf. Alle
onverstoorbaarheid en onverschilligheid die de gevangenschap had opgeroepen leek los te barsten en uit te stromen
in haar, het vat dat het kon opnemen zonder over te lopen.
Geladen door gemis prikkelde hij haar gezwollen vrouwe-
lijkheid, dacht terug aan hoe het was geweest en zette de
koers uit voor de toekomst.

'Laten we de hele middag neuken,' zei ergens de bege-
righeid.

Hij had haar hese hartstochtelijke stem gemist, en hoe
daarin hun geslachtsverkeer doorklonk en er het onderlig-
gend kinderlijk gekreun aan ontlokte dat hem dierbaar
was. Hij had haar gloed gemist, haar nauwte, de schone lakens, de bomen buiten, het meer, de weelde dat allemaal te
overpeinzen terwijl hij haar bereed, naast haar lag, net af-
gedroogd met een zachte witte doek. Zij was de tunnel
naar de andere, zachtere sferen, zonder haar voelde de wereld veraf, waardeloos, dor, vijandig.

Terwijl hij uitgeput en rozig pijnlijke krampjes in zijn
ballen had kon hij haar duidelijk zien, haar horen, zich

voor haar openstellen. Haar zorgen en problemen, haar angsten, de verwoede zoektochten, de vrees hem aan te treffen in die stapel sijpelende lijken, hij kreeg het allemaal te horen. Het had iets van een verzonnen griezelverhaal dat ergens vandaan kwam, voor de omgeving ter plaatse was bewerkt en gelukkig eindigde, met de heldin weer veilig in de armen van haar geliefde. Toch kon hij zich indenken wat voor angst, twijfel, pijn haar familie had doorstaan. Daartegen had hij zich nu al die tijd beschermd. Hij voelde niet direct de behoefte om zijn zonden op te biechten. Hij liet niet merken dat hij wist wat er in het bos gebeurde. Door zijn geheimen te bewaren dacht hij boete te doen, te lijden zoals anderen voor hem hadden geleden. Tegelijkertijd klonk het hemzelf onwezenlijk. Hij had de indruk dat ze hem niet zou geloven. Of dat ze hem te gauw zou geloven, erom zou huilen, en hem zou achterlaten zonder duidelijk idee van hoe nu verder. Die geheimen waren een herinnering voor hem, een waarschuwing. Ze gaven hem een beschermend gevoel tegenover haar, gaven hem het gevoel dat hij haar niet gebruikte om zijn afval in te storten. Ze verbonden hem met de macht van de abstractie, de bespiegeling, de wis- en natuurkunde van de communicatie. Had hij echt die man gedood? Was hij honderd procent schuldig? Op dat vlak zou hij niets aan haar hebben. Zij zou hem onmiddellijk vergeven.

'Je kon er niets aan doen, schat. Vergeet het nou maar... Dat had iedereen gedaan...'

Gevoegd bij de geldgeheimen gaven de gevangenschapsgeheimen hem het gevoel dat hij de toestand meester was, met een bunker om in te vluchten. Ze gaven hem het gevoel dat hij verantwoordelijk was voor zijn naasten en dierbaren.

De boosaardige campagne van Victoria deed hem verdriet. Zijn gedachten gingen terug naar de dreigbrief die hij
zoveel jaar geleden aan die jongen had geschreven. Het
leek wel of er een oude wond werd opengereten. Hij wist
niet precies wat hij moest doen, behalve met haar gaan
praten en eisen dat ze Babit niet meer lastigviel. Was
Victoria in staat haar dreigementen uit te voeren? Hij had
haar in zijn huis gehaald, hij had haar er weer uitgezet,
maar het zou nog veel moeilijker worden om haar geest
buiten te houden. Hij had opnieuw willen beginnen, maar
het was duidelijk dat hij eerst oude problemen op moest
lossen.

De definitie van vrijheid was nog altijd bezoek aan familie en vrienden. Hij reisde naar het huis van zijn zuster. De
boodschapper die hij had gestuurd om haar zijn vrijlating
te melden had haar aangetroffen tijdens haar bevalling.
Toen Bat aankwam had ze al een jongetje gekregen, een
groot vormloos geval met de grove trekken van zijn vader.
Mafoeta was dolblij; zelf straalde ze van trots nu de eerste
horde was genomen. Ze lag in het ziekenhuis om te herstellen, de schade te laten verzorgen die het geval had aangericht. Ze lachte door haar pijn heen, huilde vreugdetra-
nen om de herrijzing van haar broer. Ze had grote ruzie met
Mafoeta gehad: ze wilde de jongen naar Bat vernoemen.
Daar wilde Mafoeta niets van weten. Hij wilde al de namen aandragen. Het was tenslotte zijn eerste kind. Als het
kind de namen kreeg van de man die hij niet mocht, riekte
dat naar een nederlaag, naar gezichts- en gezagsverlies. Ze
waren elkaar tegemoetgekomen: hij zou een van de twee
voornamen aandragen. Mafoeta was van plan het kind bij
zijn achternaam te noemen.

Bij zijn aankomst hoorde Bat dat hij een naamgenoot had gekregen.

'Ik ben dolblij, zuster,' zei hij, en met een kneepje in haar hand keek hij haar in de ogen.

'Het is een heel mooi toeval,' zei Babit, en vroeg zich af of zij wel echt onvruchtbaar was. Bij de aanblik van baby's was ze bestormd door twijfel en een reeks vragen. Bats onverschilligheid voor het onderwerp leek het voor haar alleen maar erger te maken. Ze stelde zich de blijdschap voor die hij zou hebben gevoeld als er na zijn gevangenschap een zoon op komst was geweest. Ze zag zich in de plaats van Bats zuster, plat op haar rug, gesteund door witte kussens, met een lachje het eerbetoon in ontvangst nemen. De spierwitte kamer met het groene bed en het openslaande raam leek een zoet kruis om te dragen en aan gekruisigd te worden alvorens het paradijs van het moederschap te betreden.

'Ik bof toch zo met een slimme zuster als jij,' zei Bat alsof hij een gehoor toesprak. 'De belangrijkste stap in het hele drama was dat je Villeneuve gebeld hebt.'

'Ik verweet mezelf telkens dat ik niet genoeg gedaan had. Ik lag hier maar op mezelf te schelden dat ik niets ondernam in de stad.'

'Ik wist dat je je uiterste best zou doen, zuster,' zei hij, en kneep in haar handpalm. De tranen stonden in haar ogen. Even voelde hij zich uiterst nauw met haar verbonden, alsof hij alles van haar wist en altijd aan haar zijde zou blijven.

'Zwager, welkom terug,' zei Mafoeta toen hij de kamer in kwam benen. 'Wat een opluchting om je weer te zien.' Onverwacht nam hij Bat in een stevige omarming.

211

'Ik waardeer het zoals jullie je voor me ingespannen hebben. Een zoon is een terechte beloning. Gefeliciteerd.'

'Dankjewel. Een historisch kind in de familie,' zei Mafoeta glimmend van trots. Dit was zijn schepping, het beste dat hij ooit had gedaan. Hij was uitzinnig. Alle stukjes van zijn leven leken op hun plaats gevallen. Hij leek een overwinning op Bat te hebben behaald. Hij had een zoon, iemand als hijzelf; Bat niet. Het was een moment waarvoor hij dankbaar was. Hij wilde het rekken voordat het werd aangetast en opgeslokt door somberheid, wedijver, afgunst.

Bat vond het stadje klein, oninspirerend. Het riep geen tedere gevoelens bij hem op. Het was gewoon zo'n vormloos geheel aan weerskanten van de weg. Het landleven verveelde hem. Het beperkte hem. Het leek verstard, gevangen tussen verleden en toekomst, als het ware bang om voor- of achteruit te gaan. Hij was opgegroeid tussen boeren en als hij ze nu hoorde klagen over schommelende prijzen, voelde hij hoezeer ze afgesneden waren van het centrum van de macht, de overheid, de besluitvorming. Hij had gezworen zich in de toekomst nooit in zo'n positie te bevinden. Dat was een van de redenen dat hij in het land had willen blijven. Hier kon hij iets uitrichten; in het buitenland zou hij aan de zijlijn staan. Hij vond altijd dat hij in de grote stad moest zijn. Als het daar onveilig, gevaarlijk, onvoorspelbaar was, dan moest hij dat er maar voor overhebben.

Bat kon zijn zuster af en toe niet volgen. Wat zag ze in dit oord? Stel dat er iets met de bevalling was misgegaan? Had ze dan voor een ingreep het Moelago-ziekenhuis gehaald? Hij kon er niet bij dat ze voor de verpleging had gekozen. Zo aanlokkelijk leek het toch niet om je leven te slijten met zieken, gewonden, hulpbehoevenden. Het was hem een raadsel hoe ze zo dicht bij de vuiligheid kon zitten en toch een lachje op haar gezicht hield.

Langzaam verstreken de dagen die hij en Babit doorbrachten bij zijn familie in dat achterland van muggenbeten, doordrenkt van het bier, winderig van het te vele eten, verzadigd van dezelfde verhalen. Hij vertelde zijn verhaal en hoorde het navertellen tot het vormloos, onwezenlijk werd. Daardoor leken zijn geheimen heel kostbaar, dicht bij zijn hart, bekend bij een handjevol ogen. Deze mensen schenen hem te kennen en hij dacht almaar dat er heel wat was dat ze niet wisten. In sommige ogen was hij al een held geworden, iemand die de dood had overwonnen. Ook de macht van de astrologie was in het relaas verwerkt. Volgens sommigen was hij in een droom bevrijd door dr. Ali. Dat vond Bat vreemd en hij vroeg zijn broer waarom hij die stier zo openlijk had geofferd. Maar toen begreep hij de vertwijfeling die zijn verdwijning had veroorzaakt. Hij besloot het allemaal te aanvaarden, al vond hij de verheerlijking en mythevorming wel vervelend en hinderlijk. Hij besefte dat hij in deze contreien geen nuttig doel diende. Hij leek wel zijn mythe in de weg te lopen. Zijn vertrek kwam iedereen beter uit. Dan zou hij van ze houden omdat hij niet met ze om hoefde te gaan. En zij zouden meer van hem houden omdat zijn mythe buigzamer zou worden, gemakkelijker tot verschillende vormen te smeden. Dan konden ze van hem maken wat ze maar wilden, een politicus, een strijder.

Bats tijd ging heen aan de voorbereiding van zijn terugkeer naar Engeland. Hij had zijn XJ10 terug, al voelde hij zich niet op zijn gemak als hij erin reed. Nu hij geen werk had vond hij het niet verdiend om in zo'n prestigieuze wagen te rijden. Hij bleef hem alleen maar gebruiken omdat hij door soldaten bij wegversperringen nog altijd zomaar werd doorgelaten.

Babit vond de reis eng en spannend tegelijk. Ze wilde die andere wereld zien en de man bedanken die haar man had helpen bevrijden, maar ze was bang om kwijt te raken wat haar vertrouwd was. Oeganda bleef de bron van haar dierbaarste herinneringen, de bakermat van haar beminden, van de hoop die ze koesterde.

Haar ouders daarentegen wilden graag dat het stel wegging, om over de schrik heen te komen en hun liefde te versterken. Ze waren bang dat Bat als hij in het land bleef misschien nog wel meer moeilijkheden zou krijgen.

'Je moet een kwade wind altijd een uitweg bieden,' had haar vader gezegd.

Bat logeerde een nacht bij Babit thuis. Haar ouders waren boeren die thee verbouwden. Ze zaten al tientallen jaren in die branche. Van hun inkomsten hadden ze een bakstenen huis gebouwd, hun kinderen een opleiding gegeven en iets apart gelegd voor hun oude dag. Ze hielden hun politieke opvattingen merendeels voor zich, maar kwamen er wel voor uit dat ze een progressieve partij hadden gesteund en bereid waren dat weer te doen als de toestand veranderde. Ze verwachtten dat Babit door te trouwen haar jongere zusters het goede voorbeeld gaf. Bat zag met genoegen de tegenstelling tussen de ouders van Babit en de mensen uit zijn eigen dorp. Deze mensen luisterden zorgvuldig naar zijn verhaal, stelden vragen, leefden mee en waren er niet op uit om helden te scheppen. Toen hij wegging voelde hij zich vrij nauw met hen verbonden.

'Komen we weer terug?' vroeg Babit die avond. Ze sliepen bij buren in huis omdat het volgens de overlevering ongepast was om met haar ouders onder één dak te verkeren.

'We gaan met vakantie, niet om ons daar te vestigen, schat.'

'Kom jij dan niet in de verleiding om te blijven?' zei ze ongerust. Normaal gingen alleen rijke mensen op reis of met vakantie. Ze vond het eng om zich in die kringen te bevinden.

'Ik ken Engeland vrij goed. Ik ben niet van plan er de rest van mijn leven te blijven.'

'Maar de vorige keer had je geen geld.'

'Maak je geen zorgen, je vindt het vast heel leuk.'

'Als we terugkomen ga ik werk zoeken. Stel dat de regering ons dit huis uit gooit?'

'Maak je geen zorgen over geld. Als we terugkomen vind ik wel werk. Zo niet, dan kan ik altijd van Kalanda lenen.'

Babit kreeg gelijk. Engeland voelde dit keer anders. Het was niet meer bij machte hem te koeioneren en intimideren. Ze waren naar Kenia gereisd en op een vliegtuig naar Londen gestapt. Bat genoot van de weelde; Babit voelde zich ongemakkelijk. Ze was niet gewend om door blanken te worden bediend. Ze voelde zich onzeker over haar Engels.

'We betalen overal voor, de bediening inbegrepen,' legde Bat uit. 'Als je iets wilt, dan vraag je dat gewoon, al is het iets om in te braken.'

Voor het eerst merkte hij hun verschil in opleidingsniveau; tot nu toe was dat een peulenschil geweest. Het maakte hem niets uit omdat hij werk van huis scheidde, en als Babit kwetsbaar was dan was het aan hem om voor haar te zorgen. Ze leek te denken dat mensen merkten dat ze nog nooit in een vliegtuig had gezeten, dat ze Londen niet kende, dat ze geen wijs kon uit tal van Engelse accenten. De weelde, de ouderdom en grootsheid van de stad zaten in haar hoofd als een stier in een hut. Ze had van Londen gehoord, maar Londen bleek voor haar een nachtmerrie van rauwe macht en onbegrip.

Ze waren met een taxi door de stad naar het Grand Empire-hotel gereden, een grootse toestand met marmeren vloeren, blinkende liften en kamers als kathedralen. Alle sporen van verwoesting aangericht door de IRA-bom waren verdwenen, weggevaagd door geld en techniek. Wie het verhaal van die doden of gewonden daar niet kende kon het nooit raden. Zo deden ze dat in West-Europa: tragedie uitgewist en afgevoerd naar bibliotheekmappen waar de scherpte eraf ging en ze later als een schim weer van de pagina kwam, als bedenksel van de chroniqueur.

'Maar dit kost je een vermogen!' zei Babit met een zucht van afgrijzen. 'Hoe kunnen we ons hier nou ontspannen?'

'Doe je ogen dicht en denk na. Een paar weken geleden liep je mij nog te zoeken in een stapel lijken. En nu bewegen we ons in de hoogste kringen. Zo is het leven nu eenmaal, schat,' zei hij, en klopte haar op haar schouder.

'Alles gaat zo snel! Je gevangenschap, dit! Ik zal wel te gelukkig zijn voor woorden.'

'Dat krijg je als een meisje een fijne vent vindt en een vent een fijne meid vindt. Laat alles maar aan mij over. Als je een jurk ziet die je wilt, dan kopen we die.'

De eerste week deden ze niets anders dan eten, drinken, wandelen en zich in de omgeving baden. Ze genoten ervan om in grote auto's de stad te doorkruisen, waarbij als een kleurige sliert ballonnen neonlichten voorbijgleden en in verlichte juwelierswinkels ijzige diamanten schitterden. Ze vonden het een heerlijk gevoel om afgezonderd te zijn van de alledaagse problemen van de stad. Ze genoten van het gevoel je geen zorgen om je veiligheid te hoeven maken.

De tweede week had Damon Villeneuve tijd om hen te spreken. Hij was Labour-politicus en vertegenwoordigde een kiesdistrict in Londen. Hij was een lange, magere man met groene ogen in een klein hoofd met een ernstig gezicht. Ze troffen hem in het restaurant van het hotel. Toen hij hen zag stond hij op, stak zijn hand uit en zei: 'De heer Bat Katanga, naar ik aanneem.'

'Dan bent u zeker Damon Villeneuve, die schooier uit het Lagerhuis die is gevonden met een portemonnee van krokodil op zijn hoofd en een pijp in zijn hand,' zei Bat met een lach van oor tot oor. Hij pakte de uitgestoken hand, omarmde de man en klopte hem op zijn rug.

'En dan is dit zeker...'

'Mag ik je mijn vriendin voorstellen.'

Babit en Villeneuve gaven elkaar een hand, wisselden beleefde woorden, en het drietal ging zitten. Babit vond het accent van Villeneuve moeilijk te verstaan. Hij leek letters in te slikken waar zij ze uitrekte. Hij verstond haar wel goed, maar het bleef een moeizaam gesprek.

Bat voelde zich dankbaar, dankbaarder dan hij zich ooit van zijn leven had gevoeld. Een ogenblik voelde hij zich heel nauw met Villeneuve verbonden. Het had iets verbazingwekkends dat zijn enige echte vriend in Cambridge zich als zijn redder had ontpopt. Hij zag hem weer voor zich in zijn dagen als huisoudste. Hij was altijd evenwichtig, betrouwbaar, vaardig geweest. Niets leek hem van de wijs te brengen. Hij miste de uitstraling van een geboren leider, maar hij boekte wel resultaten. Het was een raar gevoel om iemand zoveel verschuldigd te zijn. Hij zou niet weten hoe hij dat moest vergoeden. Hij had het gevoel dat de woorden die bij hem opkwamen niet ver genoeg reikten, versleten waren. 'Je hebt mijn leven gered, Damon. Iets nobelers kan je nooit meer doen. Meer kan ik nooit meer iemand verschuldigd zijn. Bedankt.'

'Ik heb gewoon mijn werk gedaan, schooier. Maar het is wel fijn voor een politicus om af en toe een bedankje te krijgen. Meestal worden we beloond met hondenpoep in de brievenbus of in de tuin.'

'Dan had je maar een vak moeten leren,' grinnikte Bat.

'Ja, pa. Maar dan was jij nu dood, of je zat nog gevangen. Hé, het leven is ons goed gezind geweest. We mogen niet klagen.'

'Het gebeurt niet elke dag dat een conservatief parlementslid met een portemonnee op zijn hoofd rondloopt,' zei Bat lachend.

'Toen ik je zuster aan de lijn kreeg dacht ik: wat vreselijk! Als zoiets een bekende van je overkomt lijkt het wel of je een ton journaalberichten over je hoofd krijgt. Je raakt in paniek en gaat mensen bellen.'

'Je zal nog wel een enorme telefoonrekening voor me hebben.'

'Dat hangt ervan af hoe je in je slappe was zit.'

'Ik mag niet mopperen.'

'Ik zie ook waar je logeert.'

'Ik kan een schenking aan je afdeling doen. Anoniem, wel te verstaan.'

'We hebben elke cent broodnodig.'

'Dat is de enige hit die alle politici op de wereld zingen,' zei Bat met een lachje. 'Trouwens, ik hoop dat je nog altijd die MG hebt die je in Cambridge had. Die wil ik kopen.'

'Die is gestolen.'

'Dat is jammer. Ik wou hem als aandenken mee naar Oeganda nemen.'

'Hebt u Londen al verkend, mevrouw Bat?' zei Villeneuve, en keerde zich naar Babit.

'Een beetje wel. Het is oogverblindend.'

'Dat is het leuke deel. U zou eens moeten komen kijken in de wijk die ik vertegenwoordig. Werkloosheid, rellen, demonstraties, optochten van ultrarechts. Noem maar op.'

'Dat zal wel spannend zijn. Rij je in pantserwagens rond?' zei Bat gekscherend.

'Wat is ultrarechts?' zei Babit met een blik naar Bat, die in lachen wilde uitbarsten.

'Ik kan je wel voorstellen.'

'Damon, toe. We zijn hier met vakantie, niet op een verkenningstocht. Jullie rioollucht mag je van ons houden.'

'Ik wil wel met ze kennismaken,' zei Babit oprecht benieuwd.

'Wat wil je nou? Stront in je gezicht krijgen?' zei Bat boos.

'We kwamen Londen toch bekijken?' zei ze koppig.

'Nou ja, vooruit dan maar,' zei Bat verslagen.

219

'Maak je geen zorgen, het is maar een circus,' zei Villeneuve ondeugend.

Door het uitstapje naar de woonwijken besefte Babit hoe
goed ze wel in het Grand Empire woonden. Het was eigenlijk ook te mooi geweest om waar te zijn. Ze had verlangd
naar de vertrouwde druk van de wereld, een teken van
maatschappelijke onrust, de spanning die werd opgewekt
doordat verschillende mensen samenleefden. Ze had
vluchtig wat daklozen gezien, maar dat had iets gekun-
stelds, iets onwezenlijks gehad. Maar ten overstaan van die
mannen met kale koppen, doodse ogen, lelijke zwarte kleren vol spijkers, rare laarzen, hooggeheven vuisten, was ze
bang, ook al stond ze onder politiebescherming. Ze riepen
scheldwoorden en zwaaiden met spandoeken en borden.
Ze leken wel karikaturen waarmee de jongens van het
staatsonderzoeksbureau werden uitgebeeld. Alleen leken
die karikaturen nog verraderlijker doordat ze georgani-
seerder waren, hun boodschap verspreidden met behulp
van het woord terwijl het Bureau meer op wapens vertrouwde. Over een paar jaar waren die jongens van het Bureau wel dood, maar deze karikaturen zouden voortleven
en langzaam hun macht opbouwen. Bat haatte die karikaturen om hun psychologische oorlogvoering. Babit vreesde noch haatte hen. Ze had met het Bureau geleefd en daardoor leek niets haar te kunnen deren. En ze was toch niet
van plan zich in Londen te vestigen.

'U lijkt niet zo onder de indruk van ons circus,' zei Villeneuve tegen haar.

'Die jongens hebben geen vuurwapens. Ze beschikken
niet over leven en dood. Ze kunnen geestelijk niet tot me

doordringen. Als je door het Bureau bent getiranniseerd, ben je niet meer door karikaturen te intimideren. Ik heb de laatste maanden slapeloze nachten gehad, uit angst voor Bats leven. Die ben ik doorgekomen zonder mijn verstand kwijt te raken. Ik laat me door niemand aansteken met haat, angst, negativisme.'

'Gelijk hebt u.'

Op de terugweg kwamen ze langs een linkse betoging, waarbij de twee groepen uit elkaar werden gehouden door politie te paard. Babit vond de karikaturale kant ervan wel leuk. Het leek net of die twee groepen bijeen waren gekomen om verveelde Londenaren te vermaken.

Later die avond zei Bat dat ze zo opgewonden was.

'Ik ben niet meer bang voor Londen. Ik bewonder het alleen nog maar. Dat wil ik er graag van behouden.'

'Ik ben blij dat te horen. We kwamen tenslotte voor ons plezier.'

'Komt die politicus ons nog een keer opzoeken?'

'Die heeft geen tijd. Hij werkt meer dan twaalf uur per dag.'

'Hebben jullie dat allebei in Cambridge geleerd?'

'Misschien wel. Goed, wat zullen we vanavond eens eten?'

'Zeg jij het maar. Jij kent Londen beter.'

'Slakken, kikkers en hondenbiefstuk, mevrouw.'

Ze lachte alleen maar.

Al na een maand dacht Bat erover om naar Oeganda terug te gaan. De geschiedenis herhaalde zich. Hij miste de discipline van een baan, het gevoel van nuttigheid. Hij wilde terug en werk gaan zoeken. Toen hij dat idee met Babit besprak was ze het met hem eens. Ze zaten boven in het Grand Empire, in de verte glinsterde de Theems, in de stad nam het avondleven zijn loop.

Opeens bedacht hij dat het als hij terugging wel leuk zou zijn om Babit ten huwelijk te vragen. Zonder veel plicht-plegingen pakte hij Babits hand, kuste die en vroeg haar of ze met hem wilde trouwen. Ze stemde toe. Even zwegen ze allebei, en Bat was verwonderd hoe eenvoudig dingen soms gingen. Had hij echt die verantwoordelijkheid op zich genomen? Meende hij dit? Wilde hij echt de rest van zijn leven met een vrouw doorbrengen die hij op een be-grafenis had ontmoet? Was dit nu de vrouw die God voor hem had geschapen, als dat zo tenminste in het heelal werd geregeld? Hij wist nog dat Kalanda zijn vrouw in een café ten huwelijk had gevraagd. De professor had het in zijn huis op de universiteit gedaan. Kennelijk maakte de plaats niet zoveel uit. Hij vroeg zich af wat er zou zijn gebeurd als Babit nee had gezegd of had gevraagd of hij nog wilde wachten.

Ze zaten naar de lichten in de verte te kijken. Ze deden geen plechtige beloften. Er was geen dramatiek of iets van dien aard. Hij had het gevoel dat ze elkaar al hun hele leven kenden en dit alleen maar de bevestiging van een levens-lange afspraak was. Hij prentte dit deel van de stad, vooral die lichten, in zijn hoofd. In later jaren zouden ze die dag hier komen vieren.

'Kijk heel goed naar die lichten. Ze zijn mijn huwelijks-cadeau aan jou. Draag ze voortaan in je hoofd. Na een aan-tal jaren komen we terug, gaan hier weer staan en halen herinneringen op.'

'Dankjewel. Dit is de beste avond van mijn leven,' zei Babit ademloos.

222

Hij had opeens zin om champagne te bestellen. Ze dronken die zwijgend, keken naar elkaar en naar de stad, deden wensen. Hij bedacht telkens dat hij hier weken geleden door Villeneuve van de ondergang was gered en dat nu in diezelfde stad een nieuw leven was begonnen.

Na een hele tijd waarin er niet veel werd gezegd, daalden ze naar hun kamer af. Ze dronken nog meer champagne, draaiden muziek en dansten. Daar waren ze geen van beiden goed in, maar omdat er toch niemand keek en ze zich nogal opgewonden voelden, maakte dat niet uit. Toen hij ging zitten en haar in zijn armen hield, had hij een voldaan gevoel, alsof hij een horde had genomen en nu een nieuwe taak moest verzinnen om zijn energie in te steken.

Terwijl ze in bed lagen, liet Babit merken hoe blij en trots ze was. Ze begon erover hoe ze haar ouders in zou lichten, haar vrienden en bekenden. Ze had het over de bruiloft, de japonnen, de gasten, de plechtigheid, en Bat vroeg zich af of het daar nu eigenlijk wel om ging. Toen bedacht hij dat dit inderdaad Babits kans was om te schitteren, om op de voorgrond te treden. Op een gegeven moment verwachtte hij dat ze over kinderen zou beginnen, maar dat deed ze niet. Het had geen zin om een mooi moment te bederven door een mijnenveld van onzekerheid te betreden.

's Ochtends werd hij wakker met het gevoel, of de angst, dat er iets was veranderd. Babit was al wakker en lag met de dekens tot haar kin naar hem te kijken. Ze begroetten elkaar even vormelijk als voorheen. Ze zeiden niet veel, beiden leken de consequenties van de avond ervoor te verwerken. Bat werd overweldigd door een gevoel van evenwicht. Nu had hij iemand om door dik en dun voor te

223

zorgen. En omgekeerd was er iemand die zo met hem verbonden was. Op dat ogenblik dacht hij aan Victoria en de obsessie die hij voor haar vormde, en hoe vreemd de liefde te werk ging. Hij bedacht dat hij van nu af aan de dreigementen ernstiger moest nemen, ook al zag hij niet in hoe hij Victoria kon dwingen ermee op te houden. In voor- en tegenspoed: van nu af aan moest hij die dreigementen bestrijden omdat het welzijn van Babit in het geding was. Hij keek haar tersluiks aan. Ze betrapte hem en zei: 'Wat?'

'Niks,' antwoordde hij. 'Je bent mijn vrouw, dan heb ik toch het recht om je van alle kanten te bekijken?'

'Er sprak iets uit je blik. Alsof je bedenkingen had.'

'Welnee, schat. Van nu af aan zijn jij en ik samen.'

De tocht naar Cambridge leek wel een bedevaart; beiden wisten min of meer wat ze te verwachten hadden, met als extraatje de geestelijke voordelen. Bat leidde Babit rond, legde de functie uit van de verschillende gebouwen, en wat hij waar had gedaan in het verleden.

'Het is niet zo erg als het in Oeganda uit je mond klonk,' zei Babit.

'Ik had het over de sfeer, niet over de gebouwen, schat.'

'Ik maakte maar een grapje.'

'Als jij grapjes gaat maken verandert dat de zaak, want ik wilde net wat gaan rekenen voor elke keer dat ik er eentje maak.'

De laatste dagen in Londen waren de beste. Ze bleven grotendeels binnen, lagen in bed, bleven lang in de enorme badkuip liggen of zwommen in het gemeenschappelijke zwembad. Daar waren ze geen van beiden goed in, maar zo kregen ze de kans om andere stellen te bekijken en rond te

224

spatten in het warme water. Voor het eerst dacht Bat over oud worden. Hij dacht te weten hoe dat voelde. Hij zag het als een vertraging, een bevrijding van driften, lusten. De jaren zouden alles afvlakken, totdat hij en Babit min of meer als broer en zuster werden. Dan, en alleen dan, zou hij ophouden met werken. Dan, en alleen dan, zou hij zijn geheimen aan haar prijsgeven, en aan zijn vrienden. Misschien zouden ze pruilen en mokken en hem inhaligheid en achterdocht verwijten, maar daar zouden ze mee moeten leven. Hij was tenslotte een man van zijn tijd. Generaal Bazooka zou dan dood zijn, dat hoopte hij tenminste, zodat zijn fratsen waren vermalen tot het stof van de vergetelheid. Wie naar hem op zoek ging zou zijn naam aantreffen tussen die van de beulen van Amin. Voor het geval iemand de moeite nam om het slapende spook wakker te maken. Bat dacht dat hij zelf ook rustig in de vergetelheid zou raken. Ambtenaren werkten tenslotte het beste in onzichtbaarheid. Wie zou er op zoek gaan naar een gepensioneerde ambtenaar? Zijn zoons en dochters zouden het misschien wel niets bijzonders vinden wat hij had gedaan, maar dan zou het groteske van die tijd ook zijn verdwenen, net als de schade die aan dit hotel was aangericht verdwenen was. Maarschalk Amin, generaal Bazooka, hijzelf, en de spelers in dat oude drama zouden net karikaturen zijn, komische figuren met weinig ander nut dan vermaak. Zuivere karikaturen, zoals de glimpjes die hij in de Engelse pers van Amin opving.

Op hun laatste dag in Londen gingen ze afscheid nemen van Villeneuve in zijn werkkamer in het Lagerhuis. Ze maakten kennis met zijn secretaresse, de vrouw die een aantal van de telefoongesprekken had gevoerd en de brieven had geschreven. Op een televisiescherm keek hij naar de parlementsleden die de brieven hadden ondertekend. In het blauw leken ze wel vreemde vissen of zeldzame vogels die klapwiekten onder water. Door de achteloze houding die Villeneuve in de zaak innam leek het allemaal nog verder weg.

Bat bekeek dat grootse Lagerhuis met zijn rijke geschiedenis en voelde zich misplaatst, verenigd met de miljarden die nog zwakjes verbonden waren met het lijk van dit kleine boevenlandje. In de veelheid van andere landen kon hij nauwelijks het nietige Oeganda ontwaren. Voorlopig leek het wel of hij nergens naartoe terugging, maagdelijk gebied dat hij weer moest ontsluiten. Dat was ten dele het leuke ervan. Nu was het vaarwel Londen.

Er was weinig veranderd. De regering stond nog op haar taaie benen. Het leek wel of Babit en hij niet weg waren geweest. Er wachtte geen dringende post waarmee hij naar zijn oude baan werd teruggeroepen of een nieuwe aangeboden kreeg. Geen ministerie had hem gemist. In de stad was aan geruchten geen gebrek: Amin was beschoten; in het *State House* waren honderd stieren gecastreerd en hun geslachtsdelen waren uitgestrooid over heel Entebbe; er was weer een bloedige opstand in het leger geweest; de vice-president had een auto-ongeluk gehad, zijn rug gebroken en was per vliegtuig naar Libië gebracht; de Saoedi's hadden nu de macht in handen op twintig eilanden in het Victoriameer; er was een benzinetekort, er was een nieuw uitgaansverbod...

De professor leek heel verbaasd hen terug te zien; hij had aangenomen dat ze langer zouden wegblijven of helemaal niet meer terugkwamen.

Bat vertelde zijn vrienden van zijn aanstaande bruiloft.

'Wat voor vogels ga je die dag loslaten? Arenden? Welkom bij de snelst groeiende club in het land, na de astrologie,' zei de professor bits.

'Ik weet nog dat ik met deze vrouw trouwde,' zei Kalanda speels. 'Alles ging mis die dag, maar het was wel de gelukkigste dag van mijn leven.'

'Ja, nogal logisch, voor iemand die niet koken kan en het zat was om zich af trekken,' plaagde de professor, waarop iedereen moest lachen.

'Ik heb tenminste een goede keus gemaakt,' zei Kalanda met een knipoog naar zijn vrouw. 'En u, professor? Gaat u nog wel met uw vrouw naar bed?'

De professor kon er wel tegen. 'Welnee. Ik doe het met de zwartwitte poes van mijn vrouw.'

'Hè, jongens,' zei mevrouw Kalanda geamuseerd.

'Er mankeert niks aan poesjes, lieve vrouw,' bulderde Kalanda, 'we zouden er eens wat vaker uit jouw mond over moeten horen.'

'En minder uit de jouwe,' zei de professor, en keek Kalanda aan.

'Jongens, jongens, ik dacht dat we het over de bruiloft van Bat hadden.'

'Ik betaal de worstelaars,' zei de professor.

'Ik betaal de beroepseters,' lachte Kalanda.

'Nee, nee, geen worstelaars en eters alsjeblieft,' sputterde Bat tegen.

In de weken daarna solliciteerde Bat bij de ministeries van Onderwijs, Ruimtelijke Ordening en Financiën. Het mi-

227

nisterie van Financiën nam hem aan als ambtelijke Nummer Twee. Hij maakte deel uit van een ploeg belast met de herculische taak een wegkwijnende economie overeind te houden. De cijfers waren ontmoedigend: de buitenlandse schuld was omhoog gevlogen naar 3,8 miljard dollar, het handelstekort was 400 miljoen dollar, het cijfer waarmee de economie kromp was een verbijsterende vijfhonderd procent. De inflatie lag op 986%. Negentig procent van de burgers betaalde geen belasting ten gevolge van de onstuitbare zwarte handel, de terugkeer naar ruilhandel, waardeloze inkomsten... Het antwoord op elk geldtekort was dat er meer geld werd gedrukt, met op de nieuwste biljetten een maarschalk Amin die welwillend lachte, kinderen kuste, een lolly at, en imperialisten en zionisten op hun hoofd scheet. Het geld dat in ruil voor de eilanden uit Saoedi-Arabië kwam werd aan defensie uitgegeven. Amins minachting voor economen werd alleen maar erger. Hij praatte graag een eind weg over belastingbeleid, zonder zich te laten beperken door muffe denkbeelden uit imperialistische landen. Zelfs de tovenaar kolonel Ashes leek op dat terrein de hoop te hebben opgegeven. Zelfs God, dr. Ali, had in dat opzicht zijn handen van Amin afgetrokken. Die zei dat hij maar moest doen wat hem het beste leek. Beide mannen hadden zich verzet tegen de aanleg van een kunstmeer in de buitenwijken van de stad, want daarvoor moesten wijken tegen de grond, mensen verhuizen... Maar de maarschalk zag het project als een toekomstige oppepper voor het ministerie van Visserij ingevolge de wijsheid dat twee meren beter zijn dan één. Het zou ook het probleem van de vuilstort vergemakkelijken, had hij gezegd.

Bat deed wat hij kon, maar het was net of hij met een

paar planken een rivier afdamde. Zijn werkkamer was weer op Parliament Avenue. In zijn vrije tijd liet hij zijn stoel ronddraaien en dacht na over het parlement en zijn geheimen. Nu en dan kreeg hij er de rillingen van, maar hij wist dat zijn tijd zou komen. Er zou ongetwijfeld iemand opduiken die hem de kans bood het bewind terug te pakken.

Het antwoord kwam tijdens de voorbereiding van zijn bruiloft. Te midden van de drukte, waarin zijn familie en die van Babit gezamenlijk een poging deden er een gedenkwaardige gelegenheid van te maken, vroeg zijn broer hem even te spreken. Hij had een beter moment kunnen kiezen, gelet op de uitgaven, maar ook Tajari had een droom en hij kon niet langer wachten. Ze gingen op een steen aan het meer zitten met hun gezicht naar het water.

'We hebben hulp nodig,' zei hij, en keerde zich naar zijn broer.

'Jij en je vrouw?'

'Mijn vrienden en ik.'

'Ik geloof niet dat ik vrienden van jou ken.'

'Ik ben lid van een vechtclub.'

'Boksers, worstelaars, kungfu...'

'Een dissidentenclub, broer.'

'Dat is niet goed voor je gezondheid en ons welzijn, dat weet je wel, hè?' zei Bat om zijn schrik en opwinding te verbergen.

'Niets is zonder risico. Jij was geen dissident maar ze hebben jou ook een half jaar afgepakt.'

'Wat heeft dat met jouw club te maken?'

'We zoeken geldschieters.'

'Wie niet? Wat voor plannen hebben jullie? Wat heb je

bereikt om de aandacht te verdienen?'

'We verspreiden in de stad Weg-met-Amin-pamfletten. We hebben nu geld nodig om radio-apparatuur te kopen en die boodschap over heel het land te verspreiden.'

'Die boodschap is al bekend, als je het nog niet wist.'

'Wij gaan hem nog harder preken.'

'Heb je aan de gevolgen gedacht? Je zal voortdurend op je tellen moeten passen. Worden opgejaagd. Voel je daarvoor?'

'Op de dag dat de militairen de bevoegdheid kregen om te arresteren, op te sluiten, te martelen, te plunderen, werd duidelijk hoe de vlag erbij hangt. En zoals altijd zijn het de onschuldigen die het gelag betalen.'

'Mee eens, maar ik zie nog steeds niet hoe jij daar invloed op zou kunnen hebben.'

'Wij zijn de burgertak. De militaire tak zit in Tanzania. Wij moeten de weg daarvoor bereiden. Zoals profeten die de komst van het Lam verkondigen,' zei hij grinnikend.

Een bloeddoorlopen lam, dacht Bat. 'Wel even één ding, broer. Ik wil niet dat mijn naam valt als er ooit bekend moet worden, hoor je me? Het is allemaal al erg genoeg. Ik wil niet terug naar de gevangenis. Ik moet voor Babit zorgen.'

'Rustig maar, grote broer,' zei de jongeman poeslief. 'Zodra we het geld hebben zijn we weg. Mijn tijd als pyrotechnicus is voorbij. Als ik weer vuurwerk ga maken, zal er wat anders te vieren zijn. Jouw bruiloft wordt de laatste die ik nog doe. Ik blijf natuurlijk het beste met je voor hebben, maar voor het grootste deel verdwijn ik uit je leven.'

'Is dat nou echt wat je wil?'

'Het is mijn medium. Het maakt de sappen vrij.'

Bat voelde dat hij op een drempel stond, zo dadelijk zijn broer diens begeerde wereld van gevaren in zou sturen. Hij besefte ook dat hem niet de hele waarheid was verteld, maar hij vond niet dat het aan hem was om het raderwerk stil te zetten. De jongeman moest maar zien welk lot de wereld voor hem in petto had. Misschien werd hij uiteindelijk wel kapitein, kolonel of generaal. Aan toewijding leek het hem niet te ontbreken. Het leek wel of hij zich al heel zijn leven opmaakte om deze kans te grijpen. Even voelde Bat een hevige opwinding en verbondenheid met zijn broer. Hij had het gevoel of hij Tajari zijn geheim had ontsluierd en het aan zijn eigen stapeltje had toegevoegd.

'Nou, goed,' zei hij, en gaf zijn broer een hand.

'Ik wist wel dat je me niet in de steek zou laten.'

'Ik vertrouw er wel op dat je weet wat je doet. Ik wil later geen verwijten van je zuster of wie dan ook.'

'Ik mag Victoria niet,' zei zijn broer alsof hij Bat niet had verstaan. 'Wist je dat ze voor het Bureau werkt?'

'Wat?'

'Ze is lid.'

'Hoe ben je daarachter gekomen?' zei Bat met onvaste stem.

'Haar verhaal klopte niet. Ik heb naderhand nog wat huiswerk gedaan.'

'Waarom heb je me dat niet eerder verteld?'

'Het was te laat. Toen had je al een kind met haar.'

'Ze heeft Babit bedreigd.'

'Dat weet ik, daarom besloot ik om haar na te trekken. Ik hou haar in de gaten. Als ze ook maar iets stoms doet...'

'Het zijn loze dreigementen,' zei Bat om de zaak te sussen.

231

'Als ze loos zijn, waarom blijft ze er dan mee doorgaan?'

'Pesterij,' zei Bat om te verbergen dat hij geschrokken was.

'Wist je dat ze de vriendin van generaal Bazooka is geweest? Ze was in het verleden bij een paar vuile zaakjes betrokken, al was ze de laatste tijd vrij keurig.'

'Denk je dat de generaal me moest hebben vanwege haar?'

'Ik weet niet. Hij kan haar ook op je af gestuurd hebben. Je was tenslotte een van zijn hoogste medewerkers. Maar hij kan het net zo goed voor de lol gedaan hebben. Die lui zijn tot alles in staat.'

'Hoe ben je hier allemaal achtergekomen?' zei Bat, en dacht terug aan zijn sollicitatiegesprek in de helikopter.

'Ik heb vrienden die mensen kennen die feiten kennen. Toen jij verdween heb ik via hen proberen uit te zoeken waar je zat, maar dat lukte niet. Maak je geen zorgen, mijn jongens houden haar in de gaten. Wanneer heb je haar voor het laatst gezien?'

'Veertien dagen geleden,' zei Bat, en het duizelde hem. Dat zijn broer dit soort dingen wist, daar werd hij nerveus, bang, boos van. Weer iemand die geheimen vergaarde. Hoeveel geheimen had die hufter stiekem nog meer? Mondjesmaat kwam hij er nu mee, net als hij zelf in de toekomst zou doen. Het was niet zo'n leuk gevoel.

'Wat zei ze van die dreigementen?'

'Dat ze onschuldig waren, dat ze heel veel van me hield. Ze noemde me almaar haar redder en wonderdoener.'

'Maak je geen zorgen. Ga maar van je bruiloft genieten, grote broer. En laat de rest maar aan mij over.'

232

Tot zijn schrik hoorde Bat hoe volwassen, zelfverzekerd zijn broer klonk. Hij had met zijn zwijgzaamheid iedereen in de maling genomen en voor de wereld verborgen wat een slimme, harde jongen hij was.

De bruiloft was naar verhouding bescheiden, maar heel goed georganiseerd. De dag begon met regen, zodat het een heel verleidelijke keus was om een dag in bed te blijven. Maar de zon kwam door, vormde vloeiende regenbogen en maakte alles droog. De blijvende herinnering aan de dag was de bruidsstoet, donkere auto's met een speelse sleep van kleurige linten en bloemen, die zich traag een weg zochten langs de golfbaan, de weg naar het *State House* en het vliegveld. Tajari stak zijn laatste vuurwerk af. Op de klank van muziek ging de avond zachtjes over in de nacht. Babit glom en straalde. Al de mensen om wie Bat iets gaf waren er. Het was een dag die hem met zijn schoonheid zou blijven achtervolgen.

Zodra Tajari en zijn drie vrienden het geld hadden, gingen ze weg uit de stad en streken neer in Boelezi, een stadje dertig kilometer van Kampala. Een van hen had een paar jaar daarvoor het huis van zijn gestorven vader geërfd. Voorin begonnen ze een garage. Die werd gedreven door twee man terwijl de anderen achter de schermen werkten. Het idee van een radiozender was van begin af aan een verzinsel geweest. Het was de enige manier om Bat het geld te ontfutselen. Ze hadden terecht het vermoeden dat een intellectueel niet erg blij zou zijn met de waarheid, vandaar de verpakking. In de gewelddadige wereld van de spionage waar zij al jaren toe behoorden, stelden woorden zonder daden niets voor. Ze waren er zeker van dat zelfs de dissidenten geen ontzag voor het radioplan hadden gehad. De cultuur was veranderd: daden, oftewel gewelddaden, daar kwam het op aan. Ze wisten dat ze hadden kunnen teruggaan naar hun familie, en trouwen, kinderen krijgen, werk zoeken en afwachten. Maar ze waren besmet door het tijdsvirus. Zonder hun dosis adrenaline, zonder dicht bij de vlam te komen, zonder het gevoel dat ze hun leven in eigen hand hadden, zouden ze zich levenloos hebben gevoeld. Met de werktuigen van dood en verderf voelden ze zich veilig, de toestand meester. Ontwapend, niet in staat tot daden, waren het burgers, kinderen, vrouwen, de vleesgeworden weerloosheid die ze hadden leren minachten. Verbonden aan de schimmige zaak van de bevrijding zouden hun bommen een tweesnijdende zwaard zijn dat persoonlijke demonen rustig hield en de dag naderbij bracht dat het bewind zou vallen. Ze wisten niet wat de strijders in Tanzania van plan waren en wat er zou gebeuren als die kwamen. Ze wisten niet of ze over een paar jaar of minder nog in leven zouden zijn. Ze waren alleen vastbesloten om een positie in te nemen waarin er niet met ze gespot of gesold kon worden.

Tijdens zijn geheimzinnige verdwijningen was Tajari in de loop der jaren gaan behoren tot een spionagekring die banden met de Eunuchs had. Ze moesten nagaan of er bij bepaalde personen, met name overheidsfunctionarissen, tekenen van zelfverrijking waren. Hij had geleerd met vuurwapens om te gaan, bommen te maken en zich op alle mogelijke manieren te verdedigen. Hij was een begaafd bommenmaker gebleken. Zijn contacten hadden goedgevonden dat hij vuurwerk vertoonde, want zo kon hij zijn talent scherpen, fondsen werven en dichter bij zijn prooien komen. Het was zoveel handiger om bij mensen thuis te komen. Het was zoveel handiger om te zien wat ze verzamelden en hoe ze met hun rijkdom pronkten. Opgewonden door de opium van aandacht die een bruiloft schonk, schepten ze vaak op over geld, vee, vakanties, kinderen op buitenlandse universiteiten... In de loop der jaren was de kring heel succesvol geworden, en legerofficieren klaagden al dat ze daardoor te veel tijd kwijt waren om vrienden en familieleden uit de klauwen van de opsporingsdienst te halen. Ze wilden dat al die onzin ophield. Zij hadden gevochten om het bewind aan de macht te brengen en ze zagen niet in waarom hun familie niet kon doen wat ze wilde zonder dat de Eunuchs daar hun neus in staken. Toen de Eunuchs tot privé-leger werden verheven besloot majoor Ozi, de nieuwe chef, de spionagekring te ontbinden omdat Tajari en zijn vrienden geen stamgenoten van Amin en dus niet meer te vertrouwen waren. Majoor Ozi greep de kans ook aan om wraak te nemen namens vrienden in het leger wier familieleden door de kring bij de Eunuchs waren aangegeven. Tajari en zijn vrienden werden aangehouden en een week lang zonder eten opgesloten. Op dat moment besloten ze over te lopen en zich nuttig te maken voordat de dissidenten kwamen.

Achter de garage maakten ze kneed- en kunstmestbommen. De eerste bom die afging werd in de auto van een beruchte figuur van het staatsonderzoeksbureau geplaatst. Tajari en zijn vrienden kenden de nummerborden die de veiligheidsdiensten kregen toegewezen. Soms reden die lui in anonieme auto's, maar daardoor verraadden ze zich alleen maar. Deze auto stond geparkeerd voor een café op

Bombo Road, midden in de stad. Op een zoele avond plaatste Tajari de bom onder de auto en liep weg. Zes minuten later volgde de ontploffing. Die tilde de auto van de grond, rukte het inwendige eruit en liet het omhulsel uitbranden. Het was het begin van een uitputtingsslag.

Het tweede doel was een grote winkel in het stadscentrum die van majoor Ozi was. De bom ging af en blies alle ramen eruit, de koopwaar vatte vlam en het pand brandde de hele nacht. De brandweer werd gebeld, maar wegens brandstofgebrek konden de grote rode wagens niet komen. Toen majoor Ozi eindelijk zijn invloed had aangewend om brandstof uit het dichtstbijzijnde legerdepot te bemachtigen, was de winkel niet meer te redden. Niemand eiste de verantwoordelijkheid op. De mannen op patrouille hadden niets verdachts gezien. De beschuldigende vinger ging naar de dissidenten en er werd beloofd dat die uit alle macht vermorzeld zouden worden. Er werden nog meer soldaten ingezet die in Stinger-jeeps door de stad patrouilleerden en schoten als ze ergens bang van werden. Ver van de stad proostte het viertal op zijn succes en besprak wat nu te doen.

De garage werd niks, maar dat was ook van begin af aan de bedoeling geweest. De jongens lummelden meestal maar wat, deden of ze werkten, bereidden zich voor op de volgende klus. Tajari voelde zich een beetje schuldig dat hij zijn broer niet de waarheid had verteld. Maar hij verweet zich ook weer niet zoveel want hij wist dat het bewind van zijn broer nog wat te goed had. Hij hoopte alleen dat Bat geen slapeloze nachten van de huidige gang van zaken kreeg.

De jongens reisden naar de stad en merkten op hoe goed

er 's avonds in het stadscentrum werd gepatrouilleerd. Ze geloofden het wel en besloten een eenvoudiger doel te proberen: Jinja. Daar hadden ze in hun spionagetijd geopereerd, toen ze de bazen van grote fabrieken schaduwden. Ze vonden het er heerlijk, de ruimte, het weer. Ze besloten ten minste vijf bommen te plaatsen en de aandacht van de grote stad af te leiden voordat ze daar weer aanvielen. Wie bommen plaatst heeft naast technische vaardigheid geluk nodig, want er kan zoveel misgaan, maar zij mochten niet mopperen. De doelen waren eenvoudig, want het wemelde in het gebied van de veiligheidsagenten die de fabrieken beschermden en de hoge legerofficieren.

Bij één ontploffing, de vijfde en laatste, verloor de vrouw van generaal Bazooka een arm en raakte ernstig verbrand. Ze was naar Jinja gegaan voor een bezoek aan de moeder van de generaal en enkele familieleden, van wie er een voor het Bureau werkte. Haar enige fout was dat ze 's middags de auto van die man leende terwijl er bij de hare een band werd verwisseld. Ze reed altijd zelf, want ze weigerde als vee gehoed te worden door de lijfwachten van haar man. Door de explosies van de laatste tijd was ze er meer dan ooit van overtuigd dat anonimiteit de beste manier was om narigheid te ontlopen. De auto ontplofte toen ze startte. Er waren geen brandblussers bij de hand en de felheid van de vlammen hield elke redder een tijdje op afstand. Eindelijk werd ze uit het wrak getrokken, al bijna gestikt door de rook. Omstanders gaven haar nog maar een paar dagen te leven.

Generaal Bazooka kwam in een zeer unieke toestand terecht. In alle voorgaande jaren had hij ongedeerd weten te ontkomen. Hij treurde nooit om de paar mensen die hij had verloren. Hij wist eigenlijk niet eens wat treuren was. Het leven leek te komen en dan gaandeweg te verdwijnen. Als echte man, echte militair, trok hij zich nooit iets aan. Hij was verwikkeld geweest in allerlei schietpartijen, hinderlagen en was als overwinnaar uit de strijd gekomen. Hij had rovers gedood, militairen bij zuiveringen, burgers die tussen twee vuren kwamen. Hij had lichamen laten weggooien of verdrinken, en daar had hij nooit over in gezeten. Het versterkte allemaal alleen maar het geloof in zijn onoverwinnelijkheid. En bovenal stond zijn familie erbuiten. Zelfs Ashes leek niet gauw zijn dierbaren te durven treffen. Dat was een grens die niemand zomaar overschreed.

Toen kwam het bericht waarvan hij nooit gedroomd had, zelfs niet in zijn ergste nachtmerries. Zijn woede kon hem niet beschermen en verdoven. Voor het eerst in die roemrijke jaren keek hij in de afgrond van de onmacht. Hij voelde doornen van zelfbeklag prikken, die hij vlug uitrukte. Hij voelde de kilte van de eenzaamheid, uiterste afzondering. Hij wist eenvoudig niet wat hij aan die toestand moest doen. Intussen kreeg hij een bericht van deelneming van de maarschalk, die zijn vrouw loofde als iemand op wie het hele land trots hoorde te zijn. Het leek wel of de maarschalk dacht dat ze dood was. Het taalgebruik was zo hoogdravend dat hij ergens in zijn hart, een lastig plekje dat nu afgeladen was met spiezen en andere martelwerktuigen, stiekem het gevoel kreeg dat dit misschien wel een complot was geweest dat was uitgevoerd met de zegen van de maarschalk. Maar waarom? Had iemand hem van verraad beschuldigd? En zo ja, waarom hadden ze hem dan niet als doelwit gekozen? Waarom had hij er dan niets van gehoord van zijn spionnen op het bureau van de maarschalk en onder de Eunuchs? Diep in zijn hart dacht hij dat kolonel Ashes erachter zat, met als dekmantel de bomaanslagen van de laatste tijd. Zijn gevoel zei Ashes. Die zou niet openlijk naar voren komen en haar op straat neerschieten. Nee, die moest zich weer ergens achter verschuilen om zijn tact te laten zien, waarop hij schaterend onderuit zou zakken omdat niemand hem met de daad in verband kon brengen. Ashes wist onmiskenbaar wie zijn vrouw had proberen te vermoorden en had een jaar later zijn antwoord gestuurd. Dit was geen willekeurige bomaanslag. Vooral omdat zijn vrouw in de auto van iemand anders had gereden.

De generaal liet zijn vrouw overbrengen naar het Moelago-ziekenhuis, voor de beste geneeskundige zorg die er voorhanden was en ook om dicht bij haar kinderen te zijn. Op het terrein en op elke verdieping van het ziekenhuis pootte hij bewakers om haar te beschermen. Hij kwam altijd met zijn Boomerangs, parkeerde op de binnenplaats en ging de trap op. Onderweg kwam hij allerlei misvormingen tegen die ziekten bij het lichaam kunnen aanrichten. Hij zag wangen die waren weggeslagen door steenpuisten, etterende ogen, wrakken zonder lippen, zonder benen, zonder armen. Hij zag patiënten met ledematen die vastzaten in een net van katrollen en hefbomen als vliegen in een spinnenweb. Hij kreeg het vooral te kwaad bij kinderen met één arm of been die in de gangen van het ziekenhuis speelden, overgeleverd aan de stank van formaldehyde en het gedrang van bezoekers, verpleegsters, artsen, schoonmakers. Hij zag brandslachtoffers en wilde de andere kant op kijken. Hij besefte dat een ziekenhuis de ergste plek was waar hij ooit was geweest: hij kwam daar te dicht bij zijn eigen sterfelijkheid. Alle mythen van onoverwinnelijkheid die hij koesterde werden daar terzijde geschoven. Hij was niet meer de fiere bezitter van de macht over leven en dood: dat waren de artsen en verpleegsters. Hij moest voor hen het hoofd buigen en luisteren als zijn praatten. Een aantal malen had hij geprobeerd de enige lift die het deed te vorderen. Het was niet de moeite waard geweest. Vaak werden er lijken mee vervoerd die netjes waren bedekt met een doorzichtig laken, of slachtoffers van auto-ongelukken die lagen te borrelen in hun bloed terwijl overal organen slingerden. Hij hield zich maar bij lopen. Dat deed hij vlug, zonder te kijken, waarbij de drukkende gevolgen van het beleid van maarschalk Amin: armoede, medicijngebrek, hem op elke verdieping overvielen. Die last werd het zwaarste op de zesde verdieping en voor de deur van zijn vrouw. Stel dat ze dood was? Zou zijn lichaam de woede aankunnen die dan volgde? Op zulke ogenblikken leek het land vol vijanden, samenzweerders, dissidenten.

In de effen blik van schuchtere patiënten, mannen en vrouwen en kinderen die hij ongestraft zou kunnen neerschieten, leek hij medelijden te bespeuren. Een generaal die werd beklaagd door weerloze burgers! Het leek wel of ze in hun dromen een beeld van zijn lot hadden gekregen en zijn onvermijdelijke vertrek alleen maar zielig konden vinden. Het leek wel of ze lui als hij eerder hadden gezien, puffend en steunend, en er ook nog wel meer wilden ontvangen en overleven. Ze gingen hier in het ziekenhuis naar onooglijke wc's, dronken slecht water en konden zich nauwelijks veroorloven om voor hun behandeling en medicijnen artsen om te kopen, en toch keken ze naar hem alsof hij al dood was!

Opeens dacht hij aan het kunstmeer dat van de maarschalk moest worden aangelegd. Een kunstmeer om vis te
kweken en vuil in te storten! Twee maanden hadden de
bulldozers gepuft en gesteund, en nu was het project
smadelijk stil komen te liggen. Geen geld meer. Gadaffi
had geweigerd het te financieren, ook al had de maarschalk
beloofd het naar hem te vernoemen. Het Gadaffimeer! Al
dat geld weggegooid! Terwijl hij geld had gevraagd om
nieuwe outillage voor de stuwdam te kopen en hem dat
was geweigerd! Hij voelde zich opeens ontgoocheld. Hij
was tweemaal om hulp benaderd door de beramers van een
staatsgreep. Die waren nu dood. Hij vond dat hij die tweede groep had moeten steunen. Opeens vroeg hij zich af
waar hij over tien, twintig jaar zou zijn.

De maag van generaal Bazooka keerde om toen hij zijn
vrouw weer zag. Hij dacht erover om haar dood te schieten
en een eind aan haar ellende te maken. Maar hij wilde niet
dat ze doodging. Hij wilde haar houden, hoe ze er ook aan
toe was. Maarschalk Amin had zijn artsen gestuurd om
haar te onderzoeken. Ze konden weinig voor haar doen.
Hij liep naar haar bed, ging zitten, hield haar hand vast en
praatte tegen haar. Hij vertelde haar verhalen uit zijn
jeugd. Hij herinnerde haar aan de dag dat ze elkaar leerden
kennen. Hij haalde de gebeurtenissen op die tot de geboorte van hun eerste kind hadden geleid. Hij praatte over de
toekomst van de kinderen en zijn plan een huis voor haar te
bouwen groter dan dat van zijn moeder. Hij beloofde koei-
en, geiten, schapen voor haar te kopen. Ze kon niet praten
en hij wist ook niet zeker of ze hem wel hoorde. Ze leek net
een sintel die hier en daar werd onderbroken door rode
plekken en verband. Hij nam de kinderen mee en liet ze

wachthouden, en beloofde ze de misdadige
recht te brengen. Ze hadden hun vader nog
droefd gezien. Ze hadden hem altijd glorieus ge
de glans van de jeugd. Nu leek hij oud, gekweld, ve
Ze wisten dat zijn plannen voor de toekomst waren
spoord, en dat er dus onzekere dagen in het verschiet lagen. Stel dat er wat gebeurde voordat ze beter werd? Zou
ze een helikopterreis naar het noorden overleven? Stel dat
die helikopter niet beschikbaar was?

De moeder van de generaal bleef zijn enige houvast. Die
troostte hem en spoorde hem aan zijn last te dragen en door
te gaan. Ze wilde dat hij zijn vrouw zo snel mogelijk naar
Aroea bracht. Maar hij wachtte liever nog wat langer om te
zien wat de specialisten konden doen.

Het duurde een tijdje eer het viertal hoorde wie er bij de
laatste klap gewond was geraakt. Ze juichten, maar tegelijkertijd wisten ze dat ze uiterst voorzichtig moesten zijn.
Door toeval was de inzet tot ongelooflijke hoogte gestegen. Generaal Bazooka had een naam; hij zou dit niet over
zijn kant laten gaan. Ze schortten de operaties op en probeerden intussen te ontdekken welke tegenmaatregelen de
generaal of de veiligheidsdiensten gingen nemen. In die
tijd leed Tajari aan aanvallen van helse ongerustheid: stel
dat Victoria hem bij de generaal verraadde? Zou de generaal Bat niet arresteren en hem dwingen om te zeggen waar
hij was?

Aan een staatsbanket een paar weken later kon generaal
Bazooka de aanblik van kolonel Ashes niet meer verdragen. Hij ging naar hem toe en sprak hem aan. De blanke

stond met zijn geliefde sigaar in de hand te praten met een vriend. Hij lachte hard, wierp zijn hoofd in de nek en bulderde het uit. De generaal werd zo boos van die zelfvoldane lach dat hij bang was misschien wel een beroerte te krijgen. Ashes leek zo onaantastbaar, torende uit boven elke aanwezige gast. Hij bleef praten en lachen, ook toen hij de generaal op zich af zag komen benen. Ze waren in de tuinen van het Nijlbaars-hotel, met de stad aan hun voeten. De zon ging onder met een oogverblindend vertoon van donkerrood en oranje tegen een fletse hemel.

'Dit zal je niet glad zitten, kolonel,' sprak de generaal furieus en wees met zijn vinger naar zijn vijand.

'Ik begrijp je niet. Wil je wat drinken, generaal?'

'Die lafhartige aanval op mijn vrouw,' zei hij, bijna te woedend om de zin af te maken.

'Het is een grof schandaal wat er met je beminde vrouw is gebeurd,' zei hij met de klemtoon op bemind en amper in staat zijn leedvermaak te verbergen. Dat er brand bij was komen kijken vergrootte het genot nog verder. Wat had hij dat graag gezien! 'Maar neem nou maar van me aan dat ik er niks mee te maken had. Het was vast weer zo'n zielig dissidentenclubje waar die jongens van jou geen raad mee schijnen te weten.'

Generaal Bazooka greep naar zijn pistool, maar bedacht dat het leeg was. Niemand was gewapend toegelaten, ook al was er maar een dubbelganger van maarschalk Amin aanwezig. De meest geliefde dubbelganger van de maarschalk was een paar maanden daarvoor in zijn maag geschoten en sindsdien waren de regels veranderd. 'Hier zal je voor boeten.'

'Ik begrijp jullie niet. Er steekt een kereltje een vinger

naar je wijf uit en je begint te krijsen alsof hij je kloten eraf hakt. Een tijdje terug is het huis van mijn vrouw aangevallen, maar daar heb ik geen woord aan vuil gemaakt. Dat hoort bij het spel. Je kan geen mannenspel doen met die kwajongensmentaliteit van jullie. Dat had je van begin af aan moeten weten, generaal.'

De generaal beefde nu van woede. De transpiratie parelde op zijn voorhoofd. Hij wou de Engelsman wel slaan, maar hij wist dat het weinig zin zou hebben. Veel hoogwaardigheidsbekleders op de receptie wisten dat het niet boterde tussen hen tweeën, en het was nergens voor nodig om olie op hun roddelvuur te gooien. 'Ik-ik-ik...'

'Als ik jou was zou ik nu in het ziekenhuis de hand van mijn vrouw vasthouden en niet hier rondhangen en me in zelfbeklag wentelen. Mannen die de macht over leven en dood hebben geproefd horen zich nooit tot dat soort sentimentele onzin te verlagen. En dan vraag ik me dus af of jij wel eens neergeschoten bent, generaal. Ik wel, een aantal keren. Het doet verdomd pijn maar de nabijheid van de dood maakt sterk. Ik heb zere benen maar ik klaag niet. Ik vind het heerlijk. Waarom probeer je het ook niet? Je zou om te beginnen je zondig oog eens kunnen uitrukken, zoals je bijbel je voorhoudt.' Hij grinnikte tegen de jongere man.

Het was onbeschrijflijk wat de generaal allemaal met die man wilde doen. Hij had tenslotte al een hele tijd geleden een prijs op zijn hoofd gezet. Maar wonder boven wonder werd dat geld niet opgeëist. Dat zei veel over hemzelf en de toestand van het leger. Hij spuugde een mond frisdrank in het gras naast de glimmende schoenen van de Engelsman.

'Dat is typisch iets voor mensen van heel primitieve

komaf,' zei Ashes, en zoog zich vol met rook van zijn sigaar.

Ashes keek teleurgesteld. Hij vroeg zich af waarom zo'n jongeman nooit had geleerd hoe je zoiets aanpakte. Hij zag hoe eenvoudig het was om hem kapot te maken. Eén woord in het oor van de maarschalk en hij was dood. Hij besefte dat die mannen te vroeg in hun leven buitensporige macht hadden gekregen, voordat ze ijzeren discipline en gepaste afstand hadden geleerd. Daarom was het land naar de kloten gegaan; doordat die lui geen kloten hadden. Dat hij zomaar kon binnenstappen en de boel overnemen, en miljoenen dollars verdienen, toonde aan hoe verrot de structuur was. Maar één ding wist hij zeker: hij zou het niet meemaken dat het bouwwerk boven het hoofd van die mensen instortte. Hij genoot met smaak van die verheven houding: voor het eerst van zijn leven werkte hij met mensen die hij echt minachtte. Die mannen hadden hem weinig aanleiding gegeven om eerbied voor ze te hebben. Ze waren te voorspelbaar, typisch van die domme soldaten die al naar hun pistool grepen als ze alleen maar wilden gaan pissen.

Hij dacht terug aan het moment dat het huis van zijn vrouw met de grond gelijkgemaakt was. Hij had generaal Bazooka verdacht, maar hij had zijn kalmte bewaard en gezwegen. Hij had op die dag gewoon zijn vrouw gekust en was op het eiland met haar op papegaaienjacht gegaan, had vis gebakken en was later met haar naar bed geweest. Nu vond hij het jammer dat de auto van de vrouw van generaal Bazooka niet door zijn mannen was opgeblazen. Dan had hij er meer van genoten en was die vrouw morsdood geweest. Ondanks al de ferme praat die deze mannen spuiden, wist hij dat ze bang waren. Voor de maarschalk, voor hemzelf, voor dr. Ali, voor de toekomst. Ze hadden een barstje van zwakte in zich. Een generaal die zijn vrouw onbeschermd de deur uit liet gaan kwam op hem niet over als ferm of snugger. Het was een tijd waarin een generaalsvrouw de deur uit moest gaan beschermd door automatische geweren en Shark-helikopters.

'Hier krijg je nog eens spijt van,' hoorde hij de generaal bewogen zeggen.

'Iedereen heeft wel eens spijt, dat is mensen eigen, generaal. Jij misschien wel meer dan ik. Ik heb één regel in het leven: ik kijk niet om. Zo heb ik het tot deze leeftijd gebracht. Als er iemand op mij schiet, schiet ik terug. Doe ik dat niet, dan ligt dat aan mij. Als jij ooit president wordt, stuur dan een heel bataljon van je scherpschutters om mij te arresteren. Want als je kwajongens stuurt, maak ik ze allemaal af, en je wilt je bewind vast niet met begrafenissen beginnen. En verder maakt het me allemaal geen donder uit. Als het dat jou wel doet, dan zit je misschien in de verkeerde branche, generaal.'

'Op een dag zal je zien...' zei de generaal, en voelde zich verstopt door haat, woede.

'Ik leef bij de dag, generaal. Als ik op een dag dood wakker word, zal ik er niet om treuren. Ik doe mijn werk en jaag op smokkelaars op het meer. Als jullie je werk aan land deden, en op je ministeries, dan was dit inderdaad de parel van Afrika.'

De generaal kon er niet meer tegen en hij stoof ervandoor, met zijn gevolg achter zich aan. Weinig mensen besteedden er aandacht aan; onmin onder de hoge pieten was net zo gewoon als vlooien bij een hond.

246

Er stopten vier Stingers voor en achter de flat van Victoria en daaruit stormden soldaten die de gangen afsloten. Er gluurden mensen door hun ramen om te zien wie daar waren. Velen vermoedden dat er iemand werd gearresteerd door de Eunuchs, het Bureau of de openbare-veiligheidsdienst. Ze wachtten tevergeefs tot ze een gedweeë figuur zagen verschijnen, omsloten door een schare soldaten.

Het was een uur of acht. Victoria had net eten gemaakt voor haar dochter, die in een goed humeur was. Ze liep rond en trok overal aan. Ze kwam met een roze pop naar haar moeder en draaide met haar ogen. Ze trok aan haar moeders haar alsof ze dat net zo sluik als dat van de pop wilde maken. Victoria's maag keerde om toen ze de knerpende laarzen hoorde. Dat rumoer leek een bevestiging van haar ergste angsten dat er iemand haar wilde vermoorden. Daar kwam nog bij dat ze slaande ruzie met Bat had gehad. Hij had haar bevolen zijn vrouw met rust te laten. Hij had bevestigd dat het afgelopen was. Hij had haar de trouwring laten zien. Hij had haar gezegd dat hij wist wie ze was. Hij had duidelijk gemaakt dat hij niet in haar dromen over redding voorkwam, tenminste niet in de rol die zij wilde. Hij was ongevoelig gebleven voor haar aanbod van vurige, eeuwige liefde. Ze had gehuild, gesmeekt en via het kind proberen druk uit te oefenen, maar tevergeefs.

'Je begrijpt het niet. Je hebt een wonder verricht. Dit kind is een groot wonder. Je begrijpt het niet, maar eens dat komt nog wel,' had ze volgehouden. Toen was hij de flat uit gestormd.

Intussen had ze besloten zich te verzoenen met haar moeder en familie. Ze had een maand lang in de dorpen naar ze gezocht, maar had ze niet gevonden. Telkens als er een veelbelovend spoor was leidde dat nergens toe. Hadden ze hun naam veranderd? Waren ze verdwenen tussen het vee op de oneindige vlakten? Waren ze naar Tanzania gevlucht en bij de guerrillastrijders gegaan? Ook haar moeder! Waren ze aan malaria gestorven? De enige tante die ze had weten te achterhalen weigerde om mee te werken. Geheimhouding gezworen. Woedend had Victoria gedreigd haar te vermoorden, en de vrouw had gezegd: 'Zie je nou? Daarom heeft iedereen jou in de steek gelaten. Jij wou ze vermoorden. Die man van je stuurde soldaten op ze af. Als ze die niet hadden omgekocht, dan waren ze nu dood.' Met een bezwaard gemoed was ze weggegaan.

Nu stond de generaal voor haar, met zijn glimmende medailles in het gele licht, en tikte met het rottinkje dat hij stijf in zijn linker hand hield zachtjes op de palm van zijn rechter.

'Ik ben heel blij dat ik u zie, generaal.'

'Zo blij kijk je niet.'

'Ik ben buitengewoon blij,' zei ze, en knielde neer om hem op de traditionele manier te begroeten. Een dienstmaagd die eer aan haar vorst betuigde.

'Sta op, Vicki. Ik wil je ogen zien.'

'Ja, generaal,' zei ze, amper in staat om rechtop te staan.

'Heb je gehoord wat er met mijn vrouw gebeurd is?'

'Dat was een heel betreurenswaardige, lafhartige daad,' sprak ze woord voor woord de nationale radio na.

'Ben jij soms de nieuwslezer? Waar zijn je hersens gebleven?'

'Ik vond het heel erg om te horen wat haar overkomen is.'

'Alsof je niet de pest aan haar had.'

'Dat heb ik niet, generaal.'

'Waar is je plichtsbesef gebleven? Ik geef je een opdracht en in plaats van je werk te doen word je verliefd op
die geitenneuker. Wat zegt dat over jou?'

'Het gebeurde gewoon, generaal.'

'Wist die man dat wij een verhouding hadden gehad?'

'Nee, generaal.'

'Hou eens op met dat gegeneraal,' bulderde hij. 'Waarom heb je me verraden, Vicki? Was het verdomme een samenzwering van zuiderlingen?'

'Ik kreeg hem niet aan de praat. Hij was me te slim af.'

'Je kon hem wel suf neuken maar zijn mond kreeg je niet
open! Had hij geen familie? Niemand die gebruikt kon
worden? Waar zitten je hersens verdomme? Die pompoen
op die nek van je is toch niet leeg?'

'Uw opdracht was dat ik me op hem richtte.'

'Ik hoor net dat er een man was die altijd vuurwerk afstak. Waar is die gebleven?'

'Dat weet ik niet.'

'Weet jij wat al die ontkenningen inhouden? Dat we
mensen voor niks betalen, dat het Bureau een rookgordijn
is, een soepzootje. Als het Bureau die man niet kan vinden,
waarom betalen we jullie dan? Waarom nemen we geen
vuurpeloton en schieten jullie allemaal in het openbaar
overhoop?' Hij kwam schreeuwend op haar af alsof hij het
rottinkje in haar open mond wilde rammen. 'Mijn vrouw
ligt in het ziekenhuis, blind, verbrand, arm kwijt, en niemand weet wie het gedaan heeft. Er lopen zomaar dissidenten door de stad, die bij sommigen van jullie bekend
zijn, en jullie helpen ze de regering omver te werpen.'

Victoria zweeg en bleef heel stil staan, biddend, hopend.

'Hou je van dat kind?'

'Heel veel.'

'Weet je wiens kind dat is? Dat is van mij. De volgende keer geef ik haar een nieuwe naam en laat haar kennismaken met haar echte familie.'

'Ja, generaal.'

'Doe nou eens je plicht, ter wille van dat kind. Hoor je me? Ik hou je in de gaten. Voordat jij je schuld inlost, krijg je geen gemoedsrust. Geen seconde. Je kent me goed. Ik heb gezegd,' zei hij de oude koningen na. Dode koningen. Opeens vroeg hij zich af waarom hij kostbare tijd verdeed terwijl hij wist wie de echte vijand was. Zelf zou hij pas gemoedsrust vinden als Ashes dood was. Zonder nog een woord te zeggen keerde hij zich om, botste op tegen een lijfwacht en stormde naar buiten.

Victoria bleef waar ze was, bij de povere bank, de radio, de pot met kunstbloemen. Ze had het gevoel dat ze Bat wederom het leven had gered. Ze had het verpletterende gevoel dat hij haar toebehoorde. Ze bedacht dat ze vlug moest handelen om zich hem helemaal toe te eigenen. Dat zou de toverkuur voor haar slapeloze nachten worden. Geen dreigtelefoontjes meer. Daden, daden, daden. De problemen van de generaal interesseerden haar niet in het minst. Ze had haar eigen problemen. Ze moest een nieuw leven beginnen met de liefde van haar leven.

Intussen bleven er in verschillende steden auto's ontploffen. De mensen wisten niet wat ze eraan moesten doen. Iedereen was doodsbenauwd voor auto's en er was een groeiende angst voor winkels en drukke plaatsen. Bat vroeg zich af wat er gebeurde. Hij had tevergeefs gewacht of hij de piratenzender hoorde. Ook zijn zuster had er nog nooit van gehoord. Het echtpaar Kalanda en de professor dachten dat hij ze in de maling nam. Ze noemden het de Meerradio, waarmee ze bedoelden dat het net zo'n bedenksel was als het mislukte meer dat Amin had proberen aan te leggen.

'Hoeveel mensen moesten er verhuizen voordat die piraten uit gaan zenden?' spotte de professor.

Bat zweeg over zijn broer en het geld dat hij had verstrekt. Een te gevoelig geheim. Hij belastte Babit met de taak dag en nacht op de radio te letten. Ze zocht de golflengten af, draaide steeds weer aan de knop, zag de wijzer op en neer langs getallen glijden, tussen uitbarstingen van leuterpraat en af en toe een mooi geluid.

'Vanwaar al die belangstelling voor piraten?'

'Wil jij niet graag horen wanneer het land bevrijd wordt, en wat voor mensen dat gaan doen?'

'Weet je wat ik denk? Die zender bestaat niet en jij plaagt me maar.'

'Ja, inderdaad, als je maar wel blijft zoeken. Ik ben het zat om voor die gekken te werken.'

'Wat vind jij van die autobommen? Ik denk wel eens dat je niet meer in die auto zou moeten rijden.'

'In mijn XJ10? Doe niet zo raar. Ik zet hem op het ministerie altijd in de garage. Om daar een bom te plaatsen moeten ze eerst de bewakers neerschieten.'

'Het is duidelijk dat ze auto's en winkels opblazen die van veiligheidsagenten zijn. Maar stel nou dat ze jouw wagen aanzien voor een van de twee van die generaals?'

'Maak je geen zorgen. Er gebeurt mij niks, schat.'

'Waarom eisen die lui de verantwoordelijkheid niet op?'

'Ze willen Amin en zijn mannen op de huid blijven zitten.'

'Hoe weet je dat zo zeker?'

'Ik ben heel geleerd, weet je nog wel?' zei hij lachend.

'Ja, professor.'

Ze was blij dat het zo goed ging. Na een huwelijk koelde alles vaak af tot een vervelende sleur. Ze had haar angsten gehad, maar die waren ongegrond gebleken. Ze was blij dat hij met Victoria had gepraat en dat daardoor de dreigementen waren opgehouden. Tweemaal per week kwam hij tussen de middag thuis eten. Van die dagen genoot ze het meest. Ze vergoedden de keren dat hij er niet was of laat kwam. Het waren net twee extra zondagen, dagen gekenmerkt door verwachting en hevig genot. Ze tobde nooit meer over geld. Het leek wel of hij nooit zonder werk zou komen te zitten. Alle ministeries wilden hem hebben. Hij hoefde niet meer te solliciteren; ze namen hem gewoon aan. Op een dag kwam vast en zeker die Engelsman. En dan zouden ze misschien wel met hem terugvliegen, en in het Grand Empire slapen, en al die vreemde gerechten eten. Bat had gezinspeeld op een bezoek aan Amerika. Ze merkte dat hij steeds meer levensbeschrijvingen las van Amerikaanse sportlui, filmsterren, politici... Volgens haar was dat zijn vorm van roddel, een speurtocht naar geheimen... Het zou leuk zijn om daarheen te gaan. Misschien hadden ze dan wel kinderen. Zo niet, misschien gingen ze dan wel naar een specialist en lieten haar onderzoeken. Dan zou ze ook klaar zijn met haar lerarenopleiding. Maar voorlopig: verder met de speurtocht naar de ongrijpbare radiopiraten.

3

In onzekerheid

ER WAREN DAGEN zo mooi, zo overgoten
met stralend licht, de schoonheid van tere wolken, de geur
van zachte wind, de glans van uitbundige plantengroei, het
pure genot om te midden van een hel te leven in een bel
van vrede, dat Bat zich geheel op het leven afgestemd
voelde. Hij was niet godsdienstig, maar eens per maand
ging hij met zijn vrouw mee naar de kerk. Ze koos voor
hem het mooiste pak uit, de donkerste schoenen, de mooiste das. Voor zichzelf zocht ze het fraaiste halflange of lange gewaad uit, bijpassende accessoires en een ijl, duur parfum. Dan stapten ze het huis uit en bleven op de trap staan
kijken naar de bloemstruiken, rode en paarse bougainville
in slingerformaties die wel haastig gemaakte netten leken;
de duizendjarige bomen die majesteitelijk oprezen en in de
hoogte hun takken uitspreidden als lekke paraplu's; het
meer, met zijn oppervlak van gebarsten marmer waardoor
ze in een broederschap van water met de buurlanden werden verbonden; en de xj10, het kroonjuweel dat blinkend
klaarstond voor vertrek. Dan liepen ze de trap af en reden
weg.

In de kerk mengden ze zich onder goedgeklede mannen
en vrouwen die werkten bij de gewraakte overheid, het
corps diplomatique, de overblijfselen van de luchtvaart-
dienst en de strijdkrachten. In burger probeerden de militairen en spionnen zich zo onzichtbaar mogelijk te maken.

Bat waardeerde het dat de kerk inmiddels een podium voor de mensenrechten was geworden. Priesters spraken zich direct of indirect uit tegen de verdwijningen, de moorden, de mishandelingen. De geestelijken hadden de beet van de bajonet, de steek van de kogel gevoeld, en dat scheelde. De woorden rolden de priester overtuigend van de tong, doortrokken van pijn. Bat vond het prettig om daar weg te zitten zweven op goede herinneringen, de successen die hij had behaald, want zijn gevangenschap had hem geleerd wat een kostbare weelde de mooie momenten waren.

Op zulke dagen werd hij graag verrast door onverwacht bezoek, dat zorgde voor een onderbreking en verrijking van een dag die hij had opgeofferd aan de grillen van de tijd, aan zijn vrouw, aan ontspanning. Als het toevallig zijn zuster was, praatten ze over haar zoon, haar werk, de toestand van het land. Zij woonde op het platteland en had daardoor een andere kijk, een nuchtere blik.

Als zijn ouders kwamen, praatten ze over het verleden, wie waar had gewoond en wat had gedaan. Zijn vader hield van zijn werk, echt werk zoals hij het noemde. Hij betreurde het dat de koffiehandel door smokkel was ondermijnd. Zijn moeder zei weinig, die was altijd al heel zwijgzaam geweest. Je vader praat voor ons allebei, zei ze wel eens. Zijn vader had nu een slecht geheugen en hij dacht dat iedereen hem oplichtte. Bat vond dat wel leuk en hij moest erom lachen.

'Ik heb er altijd van gedroomd om Londen te bezichtigen en naar de fabriek van British Leyland te gaan,' zei hij op een dag.

'Waarom heb je dat niet eerder gezegd?'

'Hoe was je aan het geld gekomen om je moeder en mij mee te nemen?'

'Waar een wil is, is een weg, vader.'

'Het is een droom die ik wou houden, anders had ik me nergens meer over kunnen verwonderen.'

Als er familie van Babit langskwam, reed hij daar de stad mee rond, naar de dierentuin, naar het vliegveld, naar de botanische tuin, naar de aanlegplaats in Katabi waar vis en voedsel van de eilanden binnenkwamen. Als hij daar stond bedacht hij altijd dat Entebbe een schiereiland was, bijna afgesloten door water, dat hier en daar tot op een paar meter van de weg naar de stad kwam. Het was niet zo moeilijk om je voor te stellen dat er vloedgolven oprezen uit het meer of neerstortten uit een dreigende lucht, die dan wekenlang de stad verzwolgen en als ze zich terugtrokken een nieuw eiland of plukje eilandjes lieten zien. Dan was hij vaak benieuwd naar het eiland van Robert Ashes. Tijdens die bezoekjes leidde Babit het gesprek en keek Bat met genoegen naar de omgang tussen haar en haar familieleden.

Intussen werd er steeds harder naar de bommenleggers gezocht. Er waren inmiddels tal van arrestaties verricht door het staatsonderzoeksbureau, de openbare-veiligheidsdienst en de niet te evenaren Eunuchs. Het ministerie van Binnenlandse Zaken vormde een afdeling die deze mannen moest opsporen en vernietigen. Er werd van uitgegaan dat het een grote groep was, georganiseerd in kleine cellen. Bat hoorde van al die operaties en vroeg zich af waar zijn broer was. Waarom had hij al zo lang niets van hem gehoord? Hij hoopte dat Tajari niets met die bommen te maken had, vooral nadat de vrouw van generaal Bazooka gewond was geraakt. Hij geloofde niet dat die bommenleggers voor het lot van de generaalsvrouw verantwoordelijk waren. Volgens hem was het een uitvloeisel van een interne machtsstrijd, mogelijk met instemming van Amin, kennelijk om de man te straffen. Die theorie leek te worden bevestigd doordat generaal Bazooka zich op dat moment amper liet zien.

Rond die tijd verdween Victoria. Ze verliet haar flat zonder Bat in te lichten. Hij vermoedde dat ze meer geld van hem wilde, en dat was redelijk want hij had haar alweer een tijdje niet gezien. Op het ministerie van Openbare Werken kreeg hij te horen dat ze was overgeplaatst naar Bombo, een stadje op weg naar het noorden dat werd overheerst door een kazerne. Hij besloot te wachten tot ze zich in haar kaart liet kijken, want dat zou vast wel gebeuren.

Kort daarna werd duidelijk hoe het zijn broer verging. Toen Bat op een avond naar huis reed, werd hij bij een wegsplitsing door iemand aangehouden. In het donker werd hem een papier toegestoken. Bat draaide het raampje omlaag, pakte het aan en de man liep zwijgend weg. Hij zette zijn auto aan de wegkant en las het bericht.

'Abel, een van ons dood. Radio mislukt. Sorry. Kaïn leeft nog en houdt de wacht.'

Bats vermoedens werden bevestigd: zijn broer was wel betrokken bij die bomaanslagen. Hij voelde een schok van angst. Hij voelde zich kwetsbaar, blootstaan aan een aanval van onbekende krachten. Hij wilde zijn broer allerlei vragen stellen, waarvan de grootste was of hij de vrouw van de generaal als doelwit had gekozen om voor hem wraak te nemen. En of hij aan de mogelijke gevolgen had gedacht. Hij was opeens heel boos op hem. Hij had spijt dat hij hem dat geld had gegeven. Hij wou dat hij iets kon doen om hem zijn gewelddadige campagne op te laten geven. Doordat hij als enige familielid wist wat hij uitvoerde, voelde hij zich een soort medeplichtige. Dat was hij ook geworden door hem dat geld te geven, maar wat moest hij nu verder? Het was spannend geweest om te horen dat er auto's van het Bureau werden opgeblazen, maar waar zou het allemaal eindigen? En wie was die dode jongen? Waar hield Tajari zich schuil?

Het bericht dat zijn broer hem in de gaten hield stelde Bat niet gerust. Niemand kon gerust zijn als een regering zich ging inzetten om iemand op te sporen. Meestal liet het geluk mensen ooit in de steek. Ze gingen meestal fouten maken naarmate de druk opliep.

Bat kauwde op het papier en gooide het uit het raampje. Wist Tajari waar Victoria was? Waar was zijn dochtertje nu? In de kazerne? Hij vervloekte zichzelf en de omstandigheden, omdat hij zijn kind in zulk gezelschap op liet groeien. Op sommige fouten leek een ongelooflijk strenge straf te staan, die ten slotte iedereen trof, vooral de onschuldigen.

Tajari's collega was gearresteerd met materiaal om bommen te maken bij een wegversperring niet ver van de stad. Het viertal had eerder gezworen dat wie gepakt werd zou vechten, een soldaat in zijn ballen trappen en ter plekke worden doodgeschoten. En zo ging het ook. De jongen was meegereden achter op een wagen die aardappels en cassave vervoerde. De soldaten weigerden zich te laten omkopen en wilden per se de zakken openmaken. Terwijl de aardappels over de grond stroomden, zag de jongen zijn leven uit zijn handen glippen. Hij greep de hurkende soldaat bij zijn hoofd, hief uit alle macht zijn knie en stootte die de man in zijn gezicht. De man klapte dubbel en zijn geweer kletterde tegen het asfalt. De jongen greep ernaar, maar voor hij schoten kon lossen, schoten twee soldaten hem in de borst en bloedde hij dood.

Er werden nu al een tijdje geen auto's meer opgeblazen. Het vermoeden bestond dat de kring die de bommen plaatste opgerold of aan het eind van zijn Latijn was. Bat probeerde de gebeurtenissen uit zijn hoofd te zetten. Hij was bezig gegevens te ontleden ter voorbereiding van de jaarbegroting. Al twee volle maanden maakte hij dagen van twaalf uur en kon hij niet de tijd vinden om zoals afgesproken tussen de middag thuis te gaan eten. Maar nadat de maarschalk zijn zegen aan de begroting had gegeven en een nieuw bankbiljet had gelanceerd van een miljoen shilling, met een afbeelding waarop hij op Europa poepte, nam de druk af. Er was nog altijd benzinegebrek, en naarmate de rantsoenen bij het ministerie verder werden teruggebracht kon Bat zich nog maar eens per week veroorloven om tussen de middag naar huis te gaan.

De mensen die waren aangenomen om Bat in de gaten te houden waren opgetogen over die gang van zaken. Hij had ze al een tijdje op een dwaalspoor gebracht. Gesterkt legden ze de laatste hand aan hun plan.

Op de beoogde dag bleef al het personeel weg. En zo zat Babit zonder kokkin, zonder tuinman, zonder bewaker. Als ze er wel waren, merkte ze haast niets van ze, want ze de-

260

den hun werk goed. Nu ze er niet waren, miste ze hen. De kokkin was een weduwe van middelbare leeftijd die bij de aanlegplaats van Katabi woonde. De bewaker kwam van het politiebureau in de stad. Omdat die werd betaald door de regering, had ze weinig met hem te maken. De tuinman was een forse man van in de veertig. Hij was gewond geraakt bij een auto-ongeluk en daarna zijn werk als kruier op het vliegveld kwijtgeraakt. Sindsdien verzorgde hij tuinen en treurde om zijn val. Hij was heel spraakzaam en vertelde haar wel eens verhalen. Zij had met hem te doen maar was ook op hem gesteld. Ze gaf hem wel eens geld want hij zat altijd zonder en schaamde zich niet om dat toe te geven. Hij was net een sneue oom, achtervolgd door pech, ongelukkig in de liefde. Zijn afwezigheid viel haar meer op dan die van de rest.

Even voor negenen ging ze naar de keuken om te beslissen wat ze zou koken. Ze wilde de gestoomde bananen met vis of vlees klaarmaken die Bat zo lekker vond. Ze had wel gedroogde vis in huis maar geen vlees. Bij het vooruitzicht in de stad vlees te moeten halen veranderde ze van plan. Ze besloot vis te maken. Ze weekte hem in water om hem mals te krijgen. Ze maakte alles klaar voor het vuur.

Even voor tienen ging ze in bad. Dat zou haar goed doen op deze stralend zonnige dag. Ze liet het bad vollopen en begon zich prettig te voelen, waarbij ze er wel op lette dat ze zich niet liet gaan omdat ze nog moest koken. Ze droomde weg, naar allerlei wazige randen. Ergens in haar achterhoofd dacht ze het geluid van een auto te horen. Bat kwam nooit tussendoor thuis. Hij vergat nooit iets. Als dit een uitzondering was, vond ze het niet erg dat hij haar in bad aantrof. Hij zou ongetwijfeld ergens een grap over maken. Een soldaat met drie ogen die was gebaard door de anus van een hyena. Soldaten die op de wc-bril hurkten en op de stortbak scheten. De Heilige Maagd bevrucht door een vogel. Haar aanvankelijke angst voor Londen. Wat dan ook. Lachend zou ze hem bespatten met een paar druppels water, die dan droogden op de terugweg naar kantoor. Misschien noemde ze hem wel Robot, vanwege zijn goede geheugen. Of Ultrarechts, waar ze zelf om lachte maar wat hem tegelijkertijd ergerde. Als er een wonder was gebeurd en hij een dag vrij had gekregen, kwam hij er misschien wel bij en herleefde er iets van de betovering van het Grand Empire-hotel. Het koken kon wachten. Misschien zouden ze in bad een glas rode wijn drinken, elkaar in de ogen kijken en naar de vogels buiten luisteren. Hij zou vast boos zijn op het personeel omdat het zonder bericht was weggebleven, alsof zij voor ze bij hem introk nooit gekookt, boodschappen gedaan of schoongemaakt had. Dat is nu allemaal veranderd, zou hij tegenwerpen.

Ze kon de toekomst van hun verhouding zich zien uitstrekken. Bat had nu de leiding, en dat vond ze heerlijk. Maar in de loop der jaren zou ze zelf meer invloed krijgen. Hij had gezegd dat hij vooral van haar hield omdat hij haar had leren kennen als open, nog niet verbitterd of verhard door de wereld, nog niet vastgeroest. Als ze vastroestten zouden ze dat aan elkaar doen.

Zwevend halverwege droom, verbeelding en werkelijkheid had ze nauwelijks tijd om haar bezoekers te zien. Door de groene kielen kregen ze in haar ogen de wazige vormen die een bedwelmde patiënt begeleiden als hij bewusteloos raakt en soms zelfs nooit meer bijkomt. Ze waren snel, doelmatig. Vergroot door de ether van de angst werden de scalpels opgeblazen tot de brute omvang van kapmessen. De kielen verhieven zich, hingen boven haar, stortten zich omlaag en gingen te werk met de doeltreffende snelheid die de besten in hun vak aan de dag legden. Ze kleedden zich uit, maakten zich schoon, deden hun kleren in een tas en liepen rond terwijl een van hen het middelpunt vormde. Ze dronken de thee die ze in een thermoskan in de keuken vonden. Ze wasten de kopjes en de kan af en zetten ze ondersteboven te drogen.

Op het beoogde tijdstip zwenkte de xj10 met een kletterende vlaag grind het erf op. Bat sprong eruit, das los, twee bovenste knoopjes los in bijna één beweging. Hij zoog zijn longen vol, ademde luidruchtig uit en genoot van die paar tellen dat de wind tegen zijn ontblote borst sloeg. Hij duwde de deur open, riep Babit, maar zijn stem werd afwijzend door het huis weerkaatst. Hij gooide zijn koffertje op de bank en riep nog eens. Hij liep naar de slaapkamer. Hij ervoer de ergste nachtmerrie van elke geliefde: de angst je geliefde met een ander in bed te vinden, in zijn geval met Tajari. Het duurde een paar tellen, maar hakte er diep in. De slaapkamer was leeg. Haar kleren, een blauwe jurk met rode strepen bij de hals en een witte onderjurk, lagen netjes opgevouwen en de zwarte schoenen stonden gepoetst naast het bed te wachten. Hij voelde zijn begerige verwachting afkoelen en stollen tot iets akeligs. Ze wist hoe dierbaar hun afspraak hem was, waarom kwam ze die niet na? Wat had ze voor excuus? Was dit het begin van een volgend stadium, de onthulling van een Babit die hij nog niet had kunnen zien? Waarom was hij zo boos? Omdat hij op haar was gaan vertrouwen en wilde dat het zo bleef.

Misschien was ze ziek, wie zei dat zij nooit ziek zou worden? Hij haalde een paar keer diep adem om dat te verwerken en liep de slaapkamer uit. Hij zag voetstappen, groot, wazig, roze. Hij riep toen hij de badkamerdeur opendeed. Hij trapte bijna op haar hoofd. Het bovenlichaam lag in het bad, met de armen slap langs de zijden, en oogverblindend blonk in het licht de trouwring.

Hij wist niet of hij het uitschreeuwde of alleen maar bleef staren. Hij wist niet of hij flauwviel of braakte of het rode water uit de badkuip dronk. Het was alleen duidelijk dat alles nooit meer hetzelfde zou zijn. Hij had kunnen bellen. Het kwam gewoon niet bij hem op. Zijn huis was grotesk opgezwollen en er hing een benauwende lucht die uit de diepten van de hel leek op te rijzen. Hij wist het politiebureau te bereiken. Het was een wonder dat hij onderweg niemand vermoordde.

Eerst dachten ze dat hij krankzinnig was, de nieuwste verschijning uit het winderige domein van de psychose die door het land woei. Zo kregen ze er beroepshalve een paar per week te zien. Maar deze leek wel een heel extreem randgeval. Had hij een generaal vermoord, diens XJ 10 gestolen en kwam hij daarover opscheppen? Had hij ook de vrouw van die generaal vermoord? Eindelijk drongen ze tot hem door, of drong hij tot hen door, en werd het onderzoeksapparaat in werking gesteld. Ze wilden hem nog vasthouden, maar ze beseften dat ze niets aan hem zouden hebben.

Hij vertrok en stoof met een vaart van gemiddeld 160 kilometer per uur naar de stad. De auto was niet meer dan een groene veeg bestuurd door zelfvernietiging op zoek naar vlugge verlossing in de vorm van zelfmoord. Militairen waren de ongekroonde koningen van de weg en begingen elke denkbare misstap, drukten fietsers van het asfalt en negeerden maximumsnelheden en rode lichten. Dit keer keken ook zij achterovergeleund toe. Bij de Klokkentoren werd een hooggeplaatste officier begeleid door vier Stingers. Bat reed er gewoon tussendoor en voordat de soldaten dreigend hun vinger konden opheffen was hij alweer weg. Hij parkeerde voor het huis, leunde met zijn hoofd op het stuur en vroeg zich af hoe nu verder. Het leek zo'n last om uit te stappen en de tragedie te verwoorden. Het leek onrechtvaardig.

Mevrouw Kalanda wist nog dat ze hem in de deuropening zag staan, badend in het zweet, met de betraande blik van de waanzin of van verdriet op de rand van de wanhoop. De koele wiskundige was dood en had een onzekere erfgenaam achtergelaten. De tong zat vast en produceerde wat brabbelklanken die wezen op een tragedie, maar van welk kaliber en welke aard, dat kon ze niet zeggen. Hij worstelde zich door haar vragen, ging naar het dressoir en zette een fles whisky aan zijn mond. Ze moest echt met hem vechten om hem het laatste kwart te ontfutselen. Er is geen waardige manier om verdriet te hebben, bedacht ze, nog altijd benieuwd wat er was gebeurd. Verdriet doet ons wankelen tussen kinderlijkheid en dierlijkheid. De verlossende genade van wijsheid en kracht komt later pas, als het gif is afgevoerd. Ze kon zich nu indenken dat hij in zijn broek scheet, zijn urine dronk, over de grond rolde, wormen at. Hij lag op de bank en kreunde, een hartverscheurend schouwspel dat de tegenstrijdigheden van de liefde naar voren bracht. De wreedheid, de dwingelandij, de kwaadaardigheid. Zo ziet een moordenaar eruit, dacht ze telkens bij zichzelf. Eerst de heerlijke laaiende woede, dan de diepten vol scheermessen, de wroeging, het verdriet, de verlatenheid. Ze voelde geen afkeuring, geen ontzetting. Ze voelde opwinding, medeleven. Hij bleef maar zeggen: 'Ik heb haar vermoord, ik heb haar vermoord.' Voelde ze zich tekortgedaan omdat ze niet had kunnen toekijken? Ze was in deze moordzuchtige tijden nooit rechtstreeks getuige geweest van een moord. Zij vond ze altijd dood, stijf, in hun houding verstard.

'Waarom?' zei ze, en probeerde hem in haar armen te houden. 'Ik begrijp het niet.' Ze besefte dat hij haar leuk vond. Het was een vleiende gedachte dat hij om haar zijn vrouw had koudgemaakt. Misschien was zij wel de vrouw voor hem, die man wiens vrouwen geen blijvertjes leken. Eerst de geheimzinnige, toen de dode. Nu zij, de getrouwde. Halverwege het drama verbeeldde ze zich dat hij het in scène had gezet, en zo goed het tijdstip had gekozen dat hij de kans kreeg om bij haar te zijn. Ze vroeg zich af wat ze zou doen als hij iets bij haar probeerde. Zou ze dat tegen haar man zeggen en de vriendschap kapotmaken? Zou ze zwijgen en proberen het geheim te ontraadselen? Zou ze hem vergeven als hij eeuwige liefde zwoer, vergeving vroeg en haar smeekte er met hem vandoor te gaan? Zou Kalanda zijn vriend vergeven?

Toen Kalanda en de professor aankwamen lag Bat op de bank. De storm was uitgeraasd. Hij vertelde hun wat er was gebeurd, wat hij had gezien.

'Het hoofd op de badkamervloer!' riep iedereen uit. Zelfs in een land gekweld door gekken, zelfs voor een groepje dat het woud in was getrokken om tussen de doden naar hem te zoeken, was dat onverdraaglijk. Persoonlijker kon het niet. Treurend kropen ze bijeen en maakten plannen. Er moesten mensen worden ingelicht, die in de war en kapot zouden zijn. Bat nam de grootste last op zich: hij besloot de familie van Babit te gaan inlichten. Mevrouw Kalanda wilde het wel doen, maar dat weigerde hij.

'Het is mijn verantwoordelijkheid. Dat staat in de kleine lettertjes van de huwelijksakte die niemand leest of tot zich door laat dringen.'

Hij ging samen met de professor want die kwam uit dezelfde streek. En ook omdat hij gezelschap nodig had voor het geval er onderweg iets misging. De reis verliep rustig. De twee mannen keken somber voor zich uit. Bat kreeg een idee hoe de professor zich had gevoeld toen hij zijn broer verloor. De professor meende heel goed te weten wat zijn vriend doormaakte. Omdat hij het zat was om zijn ziekelijke vrouw te verzorgen en maar weinig genoegen aan haar beleefde, had hij haar meer dan eens dood gewenst. Maar hij zou haar niet met afgehakt hoofd willen vinden. Hij rilde bij de gedachte. Dan moest ze toch maar blijven leven. Hij bedacht telkens dat uitwisseling van verdriet altijd op wiskundige schaal plaatsvindt. Wie rijkelijk stof tot verwijzing heeft maakt meer kans op een hoge score aan medeleven. Voor beginners was 35% heel hoog. Voor degenen met persoonlijke wonden was 70% mogelijk, en dan ging 30% naar storende factoren als zelfbescherming.

In het oneindige Mabira-woud schoot de snelheidsmeter als een gek omhoog. Alles leek donker te worden, gehuld in een groene stof dik als zeildoek. De professor bad dat er geen koe met zelfmoordneigingen overstak en dat er niet ergens onverwachts getikte soldaten wegversperringen bij het asfalt plaatsten.

'Jezus, ik had jou niet moeten laten rijden!' kreunde hij, terwijl de pijp losjes op zijn schoot hing. 'Wil je ons dood hebben?'

Zoals de auto het dorp in kwam rijden was het voor de mensen duidelijk dat er iets vreselijk mis was gegaan. En toen de twee aankwamen alsof ze waren opgegraven uit een aardverschuiving, wisten de ouders dat de familie was gegrepen door de scheermessen van het verdriet. Bat deed langzaam maar zeker verslag, en elk woord sneed en schroeide. Ze keken hem allemaal aan, en een vertraagd ogenblik leek het of hij het had over een ramp die nog op het laatst was afgewend door de tussenkomst van een wonder. Maar de scheermessen beten dieper, het ontheiligde lichaam van Babit tekende zich af en alles drukte zo zwaar dat gezichten verschrompelden en lippen verkrampten. Bat had er alles voor overgehad om ergens anders te zijn, zelfs in de gevangenis, maar er was geen ontkomen aan de banden van de huwelijksakte. Geen dure advocaat was bij machte de wreedheid van vertrapte liefde te verzachten. Het was een drama dat moest uitwoeden, als een orkaan, waarna dan een verdeelde jury een vonnis uit moest spreken. Hij vroeg vergeving voor 'de moord op uw dochter, die me zo lief was'. Zijn schoonvader klopte hem op zijn rug alsof hij wilde zeggen dat iedereen de schuld naar zijn eigen oordeel zou verdelen.

'Het komt allemaal door dat leger, die vloek die dit land als een eeuwige plaag bezoekt. Zodra het paleis werd aangevallen en de koning werd verdreven, wist ik dat het nooit meer vrede in dit land zou worden,' zei zijn schoonmoeder.

'Wat moet Onze-Lieve-Heer aan die beesten doen?' zei iemand op een toon waaruit een algemeen gevoel van hulpeloosheid sprak.

'Het zijn geen beesten zoals we die kennen, het zijn monsters, ontzinde wezens,' ging een ander daar op door. Algemeen werd aangenomen dat de verantwoordelijkheid lag bij het staatsonderzoeksbureau of de openbare-veiligheidsdienst of de Eunuchs of woestelingen uit de strijdkrachten. Van dat werk was het. Er werd vanzelfsprekend niet vaak rechtstreeks kritiek op maarschalk Amin gericht, maar nu praatten de mensen vrijuit. Door het verdriet hadden ze een monsterlijke macht over leven en dood of een kinderlijke roekeloosheid gekregen. Ze spraken over de gestorven broer van de professor, de gevangenschap van Bat en de verdwijning van duizenden.

De voorzichtigen beëindigden de tirade door zich af te vragen wanneer het lijk kon worden opgehaald voor de begrafenis. De professor had het over de lijkschouwing, het nadere onderzoek, de vertragingen die zich opeens voor konden doen. Iemand vroeg of het hoofd weer op de romp zou worden genaaid, en die werd heel vuil aangekeken. Een ander wilde weten of de vrieskisten in het lijkenhuis werkten, want als het even kon wilden ze Babit niet begraven met een sliert vliegen achter zich aan. Bat keek met gebogen hoofd toe en wachtte tot de storm ging liggen.

Het politieonderzoek was kort maar krachtig, vooral omdat op de snijtafel de vrouw van een belangrijk man lag, en deels ook vanwege het vreemde gegeven dat er op het tijdstip van de moord niemand van het huispersoneel aanwezig was geweest. Dat was wel erg toevallig. De politieagent had zich ziek gemeld en was de afgelopen paar dagen nog steeds ziek. Door personeelsgebrek was zijn vervanger pas na de moord gekomen. De rechercheurs richtten zich op de tuinman en de kokkin. De eerste was niet zo gauw te vinden, maar de laatste was thuis. Zodra zij de politiewagens zag, wist ze dat er grote narigheid of tragiek in de lucht hing. Ze huiverde bij de akelige ijzige blikken die de rechercheurs haar toewierpen. Politiegeweld was niets bijzonders. Het was gangbaar dat gevangenen of kinderen die door vertwijfelde ouders aan de politie werden overgedragen een pak slaag kregen. Een politieagent was als een leeuw; hij was een vriend als hij verzadigd of niet in de buurt was; zodra hij naderbij kwam, ging in je hoofd de tijdbom van zijn lagere driften tikken. De vrouw struikelde over haar woorden.

'Ik hoorde van de tuinman dat we een dag vrij hadden. Ik heb hem niet gevraagd waarom. Hij kon het weten want hij praatte vaak met mevrouw Katanga toen ze nog leefde... Ik zou niet weten wie haar had willen vermoorden. Ze had geen vijanden. De enige die haar niet mocht was Victoria, de vrouw bij wie meneer Katanga een kind heeft. Die bedreigde haar over de telefoon... Op haar na zou ik niet weten wie haar kwaad had willen doen...'

De tuinman werd die avond laat gevonden. 'Ik kreeg van iemand met een legitimatiebewijs van het staatsonderzoeksbureau te horen dat ik tegen de kokkin moest zeggen dat ze niet hoefde te komen, want naar zijn zeggen zou er die dag onderzoek plaatsvinden in verband met het werk van de heer Katanga en daar wilden ze geen pottenkijkers bij hebben...'

De vraag die overbleef was: waar was die Victoria?

Die avond verscheen Tajari. Hij stuurde een boodschapper met de vraag of Bat bij het meer op hem wilde wachten.

Toen hij tussen de bomen door naar het meer liep, voelde
Bat de neiging om die plek te ontvluchten. Het leek wel of
de dood van Babit er weergalmde, als in een grot waarin
het geluid verveelvoudigde en tegen de wanden weerkaatste. Het meer strekte zich voor hem uit als een eeuwige
vloek. Hij keek naar de donkergrijze waterspiegel in de
greep van de maanloze avond en voelde een afkeer van die
onverschilligheid, die eeuwigheid. Het was net of Babit
nooit bij dit meer was geweest, er niet van had gehouden.
Het leek wel of het zich nergens iets van aantrok. Huive-
rend bleef hij op één plaats staan en wilde naar een plek
heel ver weg, ergens waar Babit nooit was geweest. Misschien wel naar de eilanden om papegaaien en vis te vangen. Hij had een hekel aan dat huis met zijn geschiedenis
van Engelse gouverneurs, zijn praal, zijn onverschilligheid
voor de tijd. De laatste gouverneur had het verlaten en een
groter huis gebouwd, het tegenwoordige *State House*. Misschien dat degenen voor hem binnen de muren ervan ook
rampen hadden ondervonden, onbekende ellende die in
hun grafsteen was geschreven. Hij wilde weg uit deze stad
en er niets meer van weten. Hij wilde dat alles werd omringd en opgeslokt door water, ook het vliegveld en de wegen waar Babit over had gelopen. Hij wilde dat er niet
meer van overbleef dan een herinnering, een flard in iemands gedachten.

'Broer,' zei een stem tegen hem, 'ik vind het verschrik-
kelijk wat er gebeurd is. Als ik beter op je gelet had was het
misschien niet zover gekomen.'

'Zelfs jij had er denk ik niks aan kunnen veranderen,' zei
Bat schor. Hij kon bij het meer mensen horen praten, mur-
melen als opgeschrikte bijen.

271

'Ik ben erachter waar Victoria is.'

'O ja?' Het woord leek oneindig na te galmen.

'Ze is in Bombo. Heb je nog een boodschap voor haar?'

'Ik wil dat ze voorgoed uit mijn leven verdwijnt.'

'Ik kan een bom in haar huis plaatsen, als het meisje er niet is natuurlijk.'

'We weten niet of zij erachter zat.'

'Dat is zonneklaar. Niemand anders had zo'n hekel aan Babit. Het is te klinisch gedaan. Zij zat erachter. Ik neem er vergif op in dat zij het op haar geweten heeft.'

'Ik wil niks met bommen te maken hebben,' zei Bat, en hij voelde zich buitengewoon moe.

'Wil je dat ze op een andere manier doodgaat? Je zegt het maar.'

'Ik wil haar niet dood hebben.'

'Nee toch, hè! Dat mens mag van jou blijven eten en ademen na wat ze je vrouw heeft aangedaan?'

'Ik wil niemands dood op mijn geweten hebben.'

'Het zou mijn verantwoordelijkheid zijn, grote broer. Ik zou het doen om je een dienst te bewijzen, als blijk van dankbaarheid. Je hebt mijn groep en het land zo geholpen.'

'Ik kan niet de moeder van mijn dochter vermoorden.'

'Maar zij heeft alle kinderen vermoord die Babit zou hebben gekregen. Ben je daar niet kwaad om?'

'Nou en of. Maar moord dat is mijn stijl niet.'

'Geef me dan haar benen. Ik zet haar in een rolstoel voor je.'

'Hoor jezelf nou toch, broer. Je praat als die lui die je bestrijdt.'

'Ik kan toch geen onrecht onbestraft laten. Dat is nou de reden dat dit land nog altijd door militairen wordt overheerst. Niemand durft wat tegen ze te doen. Ik heb wel wat gedaan, en ik weet zeker dat het heeft geholpen.'

'Ik heb jou nooit geld gegeven om bommen te maken,' zei Bat zwakjes.

'Die radio kon nooit wat worden. Dat tuig heeft geen eerbied voor woorden. Die lui hebben eerbied voor dynamiet. En vuur. Ze zoeken me, maar voor ze me hebben help ik er nog heel wat het ziekenhuis in.'

'Waar komt die gewelddadigheid toch allemaal vandaan?'

'Ik heb besloten me voor het volk op te offeren. Te sterven voor de goede zaak. Dat is een roeping, zoals het priesterschap. Je mag blij zijn dat mijn vingers jeuken om de dood van mijn schoonzuster te wreken.'

'Waag het niet Victoria ook maar een haar te krenken. Het recht neemt heus zijn loop wel.'

'Zou je denken? Zou je nou echt denken, grote broer? Is dat nou praat van de universiteit van Cambridge of het toppunt van berusting?'

'Het recht moet zijn loop krijgen. Daar gaan we van uit. Babit was geen gewelddadig mens. Er gaat niemand dood in haar naam.'

Tajari hief teleurgesteld zijn handen. Hij had zijn broer graag op de grond gegooid en op zijn gezicht geslagen of hem nat zand laten eten. 'Het recht! Er is geen recht in dit land, alleen dat wat uit de loop van een geweer komt. Hoe groter hoe beter. Militairen gaan over leven en dood. Ik neem dat recht in eigen hand en draag het mee op mijn hoofd. En ik wil het gebruiken.'

'Dat meen je niet.'

'Nadat ik je in de steek gelaten had, wou ik dit wel goed

doen. Anders had ik haar stiekem aangevallen.'

'Hoor nou eens, broer. Ik wil dat je die moordenaars vindt en ze aan de politie overdraagt. Via hen komen de rechercheurs dan wel bij haar uit, en dan neemt het recht zijn loop.'

'Ik begrijp jou niet, broer. En misschien heb ik je wel nooit begrepen. Maar ik heb wel eerbied voor je. Je hebt gestudeerd maar je hebt wel lef. Toen je na Cambridge terugkwam kreeg ik eerbied voor je. Toen je na je gevangenschap terugkwam werd ik bang voor je. Ieder ander zou in Londen zijn gebleven en had Oeganda dood laten vallen. Alleen om die reden zal ik doen wat je zegt.'

'Ik vertrouw erop dat je doet wat goed is. Hou je taai.'

'Jij ook. O, trouwens, was je niet blij toen je hoorde dat ik de vrouw van de generaal te pakken had genomen?'

'Daar heb ik nou toch niks aan? Babit is dood. Zorg dat je haar moordenaars vindt.'

'Je kan op me rekenen.'

Daarmee sloop hij weg in het donker. Bat hoorde niet eens zijn voetstappen. Het leek wel of hij weg was gevlogen. Nog dieper drongen de scheermessen in zijn borst. Had hij Victoria's dood moeten goedkeuren? Zou een aantal familieleden van Babit niet blij zijn geweest als ze van haar overlijden hoorden? Hij verwachtte niet dat zijn broer begrip had voor zijn standpunt. Voor hem mocht alles als het om gerechtigheid ging, zoals voor Victoria alles mocht als het om de liefde ging. Ze waren allebei op de vlucht. De een joeg op de ander, op de ander werd gejaagd door de veiligheidsdiensten. Dat door hem het leven van twee vrouwen was verwoest deed hem verdriet, het soort verdriet dat zijn broer niet kon begrijpen omdat er in diens wereld geen halve maatregelen bestonden. Victoria, de liefdesextremiste, had nu ontdekt dat te veel liefde dodelijk was, dat het een middel was dat verdund moest worden, wilde de gebruiker niet doodgaan aan het gif van een overdosis.

Hij keek naar het huis in de verte, niet meer dan wat lichten die vaag door het gebladerte drongen. Hij had geen zin meer om terug te gaan. Hij had geen zin meer in die mensen, en de last van de herinneringen, en de nacht. Hij had geen zin meer om het eten te ruiken, de stemmen te horen, hun medeleven te voelen. Hij wilde het meer inlopen en vrede zoeken in die tijdloze schoot. Velen hadden daar eeuwige rust gevonden. Hoe meer hij erbij stilstond, hoe aanlokkelijker het vooruitzicht werd. Wat wilde hij nu nog bereiken? Hij had het allemaal wel gezien, voor zover hij het tenminste kon verwerken. Terwijl de verleiding groeide, daverde in zijn borst, zwol in zijn hoofd, gonsde in zijn oren, hoorde hij dat iemand hem riep. Het was de professor.

'We hebben je gemist, klootzak. Kom mee naar binnen. Er wordt op je gewacht.'

De zoektocht naar Victoria was kort maar heel gevaarlijk. Tajari en zijn vrienden moesten goed oppassen dat ze niet in handen van hun vijanden vielen. Na het plegen van de misdaad had Victoria haar bewegingen beperkt. De gelukzalige bedwelming van de daad was verbroken doordat de werkelijkheid zich in het spel had gemengd. Ze had de moordenaars al betaald, het waren slagers uit een naburig stadje. Ze was met ze in contact gekomen via een vriend bij het ministerie van Openbare Werken. De mannen hadden hun prijs

275

genoemd en beloofd hun werk te doen. In stijl. Tot tweemaal toe hadden ze de grap gemaakt dat mensen beesten
waren. Dat wie eraan gewend raakte om koeien de keel af te
snijden, zoals zij dagelijks deden, ook makkelijk een mens
kon afmaken. Ze hadden zelfs gevraagd of ze bewijs wilde.
Een hand of vingers of iets persoonlijkers. Het hoofd op een
schotel was een toegift geweest, en tegelijkertijd een waarschuwing. Een toegift omdat ze dachten dat zij wel graag in
een bijbels kader werd geplaatst: de dochter van Herodes
die het hoofd van de profeet ontving. Een waarschuwing
omdat ze wilden dat zij haar mond hield als het misging. Ze
had hun verzekerd dat niemand een bres zou vinden in de
beschermende muur om haar heen: de wapens van het Bureau, de macht van generaal Bazooka. Maar volgens hen
kon een waarschuwing geen kwaad. Je kon nooit weten...

De vriend op het ministerie van Openbare Werken had
haar al verteld wat er was gebeurd, en dat de politie haar
dicht op de hielen zat. Dat was dezelfde vriend die de tuinman had gezegd om tegen de kokkin te zeggen dat ze niet
hoefde te komen. Hij had haar gewaarschuwd hem erbuiten te laten als de zaak uit de hand liep en was voor alle
duidelijkheid ook maar verdwenen.

Nu ze alleen was voelde Victoria dat de wereld ineen-
kromp, haar overspoelde met schuldgevoel, haar gewonde
nachten zoutte met gruweldromen. Gelukkig voor haar
wisten de slagers niet waar ze woonde. Het zat haar hevig
dwars wat ze hadden gedaan. Ze wist niet dat ze die vrouw
als een koe zouden behandelen. Langzaam drong het tot
haar door dat Bat haar alleen nog door een wonder terug
zou nemen. Ze hield nog altijd innig van hem en wilde bij
hem zijn, maar de weg was nu versperd door het lijk van

Babit. Voor het eerst sinds haar daad dacht ze aan haar dochter: wat zou er van haar worden? In haar doodsangst probeerde ze zich vast te grijpen aan de enige rots van ze-kerheid in haar leven: generaal Bazooka. Ze probeerde te bellen, maar de telefoon was in gesprek. Ze wilde naar zijn huis gaan en haar daad opbiechten en om raad vragen, maar ze was bang om in handen van de politie te vallen. Ze wist wat de generaal tegen haar zou zeggen: hij zou haar gelukwensen en haar aanraden van het moment te genie-ten, maar toch wilde ze dat horen. Als ze hem niet wist te vinden of hij stuurde haar weg, besefte ze dat ze helemaal alleen zou zijn. Ze kon niet op bescherming van het Bu-reau rekenen want ze werd niet meer vertrouwd; door haar doen en laten van de laatste tijd en doordat ze niet tot de stam van Amin behoorde was ze een paria, en als ze zich meldde was er vast wel een agent die haar ruilde voor een gunst van de politie. Contact met de generaal bleef haar enige redding.

Twee dagen later klopte er om acht uur 's ochtends iemand bij haar op de deur. Haar hart sprong op van angst. Hij klopte weer, hard als een soldaat. '*Fungua mlango*,' brulde hij in bars Swahili. Ze smeet de deur open en zag een man in haar deuropening staan. Hij was gekleed als een rijder van de safari-rally, met reclamestickers op zijn kleren. Toen ze hem herkende, zonk haar de moed in de schoenen. Achter hem stond een rallywagen getooid met donkere raampjes en grote reclamestickers. Zo te zien zaten er mensen in. Misschien was het Bat wel, met militaire poli-tie of lui van de openbare-veiligheidsdienst. Ze rilde bij de gedachte in hun handen te vallen. Ze zouden de kans waarnemen om hun haat tegen het Bureau op haar te koelen. Niet al te lang geleden was er tussen die twee groeperingen een vuurgevecht geweest. Dat ging over een man die door het Bureau was aangehouden en wiens familie contact had gezocht met mensen bij de Dienst, die hem met geweld probeerden te bevrijden. Het was uitgedraaid op twee dode jongens bij het Bureau en een gewonde bij de Dienst.

'We gaan een tochtje maken.' zei Tajari met barse stem.

'Ik kan mijn kind hier niet alleen laten.'

'Wil je haar meenemen? De tijd tikt door. Ik hoop niet dat je een wapen pakt of een stommiteit uithaalt.'

'Ik heb geen wapen.'

'Ieder lid van het Bureau heeft recht op een pistool, maar kan ook altijd een AK57-geweer krijgen.'

'Ik heb niks.'

'Jij hebt duidelijk liever messen. Mijn grote liefde is dynamiet. Dat is netter en dramatischer,' zei hij met een kwaadaardig lachje.

'Je kan mij niet vermoorden. Ik ben de moeder van Bats dochter.'

'Schiet nou maar op, ja?'

Ze lieten het kind bij buren achter. Victoria ging naast hem voorin zitten. Hij was een beetje verbaasd over haar gebrek aan tegenstand. Ronkend reed de auto weg. Ze gingen naar het noorden. Hij was van plan de hoofdweg te volgen tot aan Kakooge, Katuugo en zonodig nog door te rijden tot Nakasongola. Als ze hem dan nog niet de waarheid had verteld, nam hij zijn toevlucht tot andere middelen. Hij had liever onverharde wegen genomen en hun rug gekneusd in de kuilen, maar hij werd weerhouden door de mogelijkheid vee, fietsers of schoolkinderen aan te rijden.

Ze zat in de auto, mooi, somber, met haar borsten zwaar tegen haar romp. Hij voelde een steekje van wroeging. Dit kon wel eens haar laatste reis zijn, hun laatste ontmoeting. Persoonlijk kon het hem niet schelen, hij zou alles doen om zijn broer uit zijn benarde toestand te verlossen. Hij wist nog dat hij haar voor het eerst zag. Hij voelde zich verslagen door zijn broer, die alles leek te hebben: de opleiding, de machtige baan, de mooie vrouw. Maar sindsdien was er veel gebeurd. Zijn werk als spion had zijn fantasieën afgestompt. De seksuele had hij weggeëjaculeerd. Van dynamiet kreeg hij een duurzamer orgasme, en ook het voorspel was intenser.

Zaak was nu om de waarheid te achterhalen. Hij zou proberen de beslissing van zijn broer te eerbiedigen. Intellectualisme leidde tot schuldgevoel, dat vaak weer tot schijterigheid leidde, dacht hij kil. Hij erkende dat er dingen waren die hij niet begreep, ingewikkelde patronen en logica waar hij met zijn hoofd niet bij kon. Door die dingen werd zijn broer beknot. Zelf kon hij met zijn mindere opleiding zijn positie gemakkelijker verdedigen: hij deed iets of hij deed het niet. Als hij iets besloot te doen had hij er geen spijt van. Zijn vader had min of meer diezelfde houding. Bat ook, meestal. Zijn moeder en zuster waren anders. Die keerden hun andere wang toe. Die zouden alles doen om een botsing te vermijden en harmonie te scheppen of te bewaren. Hij was niet zo. Hij vermeed strijd alleen als het niet anders kon, of als hij er niet klaar voor was.

In de loop der jaren had hij tal van vrouwen als Victoria ontmoet: vrouwen die zich los wilden maken en dat verkeerd deden. Uit verzet tegen hun ouders trouwden ze met

279

militairen. Om stoer te lijken gingen ze om met lui van het Bureau. Om zich veilig te voelen gingen ze bij het Bureau. Vaak eindigden ze in de klauwen van slechte mannen, aangestoken door het geweld, niet in staat zich los te maken. Ze kregen kinderen van die mannen, waardoor de banden nog hechter werden. Ze werden gechanteerd om te blijven of mee te werken uit zorg om hun kinderen. En soms werkten ze mee en kwamen hun kinderen er toch niet ongeschonden af. Hij had er een paar geholpen eruit te stappen, maar sommigen waren zo beschadigd dat ze zich erbuiten ook nog onveilig voelden en terug wilden naar dat wat ze kenden. Van een paar had hij misbruik gemaakt, of de kans ertoe was hem geboden bij wijze van beloning of omkoping. Die tijd was voorbij. Hij had daar niets meer bij te winnen. Een paar jaar eerder was Victoria er misschien wel goedkoop bij hem afgekomen omdat hij had geredeneerd dat wat je ook deed, je de doden er toch niet mee terugkreeg. Nu was hij een andere man, volwassener, harder.

De eerste vijftien kilometer waren in een ommezien achter de rug. Ze gingen alles op de weg voorbij. Hij deed een spelletje met de Boomerang van een legerofficier. Hij remde af, liet hem passeren en wegrijden, en dan trapte hij het gas in, deed de schijnwerpers aan, haalde de grotere auto in en reed hem in één adem voorbij. Dat deed hij tweemaal. De tweede keer stak de militair een hand uit en zwaaide met een machinepistool naar hem. Toen was hij weg. De soldaten bij de wegversperring bewonderden de auto. Hij zag dat er één zijn lippen likte en een andere peinzend op zijn onderlip beet.

'Wanneer heb jij de safarirally gewonnen?' vroeg er één, bijna kwijlend.

'Begin dit jaar,' loog Tajari.

'Dat was mijn droom, nog altijd,' zei de man en wenkte dat hij door mocht rijden. De zon was opgekomen, maar werd weggehouden door de rookglazen raampjes. In de volgende twintig minuten, bij topsnelheden van tweehonderd en meer, bezweken Victoria's darmen. Tajari werd uit zijn trance gewekt door de stank. Ze waren nu op de eindeloze steppen van Katuugo. Het reuzengras, bijna twee meter hoog, vormde aan weerskanten van de weg dikke muren. Als het waaide leek het net of die muren zouden instorten en de weg en de auto zouden bedelven. Hij deed het zijraampje open, werkte zich door de versnellingen en stopte. Hij hield een seconde of twintig zijn adem in en genoot van de heerlijke adrenaline, het bonzende hart, de knikkende knieën, de tinteling in zijn rug. Hij stapte uit, bleef naast de auto staan en ademde de frisse kalmerende lucht in.

'Ik wil weten waar die moordenaars zijn,' zei hij, en boog zich naar binnen.

'Mag ik me eerst even opknappen, alsjeblieft.'

'Gauw dan.'

Terwijl ze wegliep dacht ze weer aan de legerschool waar de generaal haar naartoe had gestuurd om agente te worden, vooral aan de grote aanplakbiljetten van Amin met de woorden 'WIJ HOUDEN VAN U MAARSCHALK AMIN'. Ze dacht weer aan haar haar dat was afgeschoren. Ze dacht er weer aan dat ze zich uitkleedde en met andere vrouwen naakt door een gang liep om legerkleding en schoenen te krijgen. Ze dacht weer aan de oude kleren en schoenen die de hele nacht op een hoop hadden gebrand. Ze dacht weer aan de uitreikingsceremonie: de nieuwe kleren, een nieuwe persoonlijkheid, het lidmaatschap van een nieuwe familie. Terwijl ze de smeerboel van haar lichaam spoelde, wist ze dat het tijd werd om weer een compleet mens te worden. Maar hoe en waar?

Tajari rookte een sigaret. Het was een heerlijk gevoel. Het werd een mooie dag, helder, warm, winderig. Het was hier heel stil. Daardoor kreeg je de indruk dat het hele land rustig was, vervallen in de vredigheid van een heel klein plattelandsdorp. Hij was benieuwd wat hij zou doen na de botsingen, het dynamiet. Ging hij weer een burgerleven leiden? Of spioneren voor een nieuw bewind?

Zijn gedachtegang werd doorbroken door de aanblik van Victoria die terug kwam strompelen. Hij wist nog wanneer ze geestelijk was ingestort. Bij tweehonderd kilometer per uur had hij afgeremd tot op amper drie meter van de achterkant van een vrachtwagen. Naast de bestuurder zou hij ook hebben zitten zweten. Hij wist dat ze een hekel aan hem had, van begin af aan een hekel aan hem had gehad. Maar dit was ook geen tijd voor liefde, ondanks de betrekkelijke kalmte van de omgeving. Er woedde oorlog. Overal woedden kleine oorlogen, bij mensen in hun hoofd, tussen legerofficieren, paramilitaire organisaties, veiligheidsdiensten, overal. Wee de man zonder iemand om hem rugdekking te geven of hem te wreken. Het zag ernaar uit dat de laatste oorlog kort en hevig zou zijn. Het bewind verdreef zichzelf door zijn gebrek aan orde. Dat ze hem niet konden vangen en dat velen meenden dat hij een spook was, zei veel over de huidige stand van zaken. Zijn tocht over dat gevaarlijke pad was zo eenvoudig begonnen: met broederlijke wedijver. Hij had altijd alleen maar zijn broer willen verslaan en zijn waarde bewijzen. De last van de politieke toestand en het feit dat hij zijn broer nooit bij zou kunnen benen hadden hem de weg naar zijn bestemming gewezen. Hij had echt genoten van de geheimzinnigheid, de stiltes die zijn sporen hadden uitgewist. De mensen hadden hem afgeschreven. Toen kwam het vuurwerk, de schoonheid van de bruiloften, de geladen sfeer van de viering, de bevrijding van de ontploffing. Soms miste hij de ambiance, de lucht van *pulau*, de dansers, de worstelaars, de schoonheid van de dynamietbloem die vervaagde in de lucht.

De terugrit ging langzamer; hij had alle antwoorden gekregen. Zij dacht dat hij haar thuisbracht, maar in plaats daarvan nam hij haar mee naar het stadje waar zijn vrienden wachtten. Ze bespraken of ze de slagers zelf zouden gaan arresteren. Ze wisten dat die moordenaars op hun hoede waren en uit zelfbescherming tot alles in staat zouden zijn. Ze wisten dat het potige lui waren, die ze er niet zomaar onder hadden. Ze waren zo wijs om de rechercheurs te bellen die aan de zaak werkten.

Het bericht van de arrestatie van de hoofdverdachten in het onderzoek naar de moord werd vermeld in het avondnieuws. Victoria had de nationale radio gehaald. Ook werd nog bericht dat een van de verdachten in het ziekenhuis lag met schotwonden die hij bij zijn aanhouding had opgelopen. Hij had met zijn machete annex hakmes uitgehaald naar de agenten die hem arresteerden en was neergeschoten.

Eindelijk werd het lijk van Babit door de lijkschouwer vrijgegeven en mocht het worden begraven. De romp was gelukkig herenigd met het hoofd, en het geheel was gebalsemd en in een glimmende mahonie kist met echt koperen handgrepen geborgen. Al die tijd was Bat onverbiddelijk met zijn gedachten bij de ontmoeting op het bureau van de patholoog-anatoom. Hij was daarheen gegaan om wat formulieren te tekenen die met de zaak verband hielden. Toen hij aankwam was de man met het hoofd van zijn vrouw aan de haren op weg naar de operatiekamer. Hij wist nog dat hij bleef staan om het tafereel in zich op te nemen. Misschien had hij wel zijn hoofd geschud om het spinrag van de verwarring weg te krijgen. De man rookte een sigaret en neuriede een populair liefdesliedje. Toen de man hem zag zei hij met een lachje: 'Deze meid is in veilige handen. Die zal ik eens netjes dichtnaaien.'

Al die tijd bleef hij maar bedenken dat hij dat hoofd in zijn armen had gehouden, had gekust, op zijn borst had gelegd. Hij hield van dat levenloze haar en had wel eens geklaagd over de lucht van de producten waarmee het glanzend werd gehouden. Hij hield van die lege ogen. Hij kende die lippen, wijdopen nu, en die tong, slap nu. Hij kende die hals, ingekort nu, die wachtte tot hij weer op zijn oude draaipunt werd gezet. Hij kende de smaak van het speeksel in die ontwijde mond. Hij wist heel wat van die romp die ergens op een snijtafel lag, ontdaan van zijn klieren. De bijzonderheden, de verrukkingen, de schoonheid, de onvolmaaktheden, alles wat een mensenlichaam menselijk maakte. Het wezen was verdwenen, het hoofd leek nu vreemd, grotesk. Op dat moment was hij ervan overtuigd dat de opstanding van lichamen niet bestond. Dat zou hij ook niet willen. Hij had geen behoefte Babit ooit nog in dat lichaam tegen te komen. Die ervaring zou te onaange-

284

naam zijn. Daar zou hij geen vreugde aan beleven. Zijn gedachten zouden telkens teruggaan naar die badkamer, naar dit bureau. Hij wilde haar alleen tegenkomen in vergeestelijkte vorm, zuiver, verlost van lichamelijk ongerief. Gesublimeerd. Tegelijk ontdekte hij nog een andere grondwaarheid: dat een man die zijn vrouw verloor vanzelf polygaam werd. Babit was een drie-eenheid geworden: er was de Babit met wie hij het had aangelegd en was getrouwd, de Babit wier hoofd hij had gevonden op een schotel op de badkamervloer, en de vergeestelijkte Babit, degene die hij wilde weerzien.

Het tafereel speelde door zijn hoofd tijdens de klaagzangen, de grafredes, de afscheidsrituelen. De eerste schep aarde die op de kist plofte klonk als een oude gevangenispoort die dichtsloeg: hoe lang zou zijn opsluiting duren? In gedachten was hij een verslaafde die niet de middelen had om zijn kwaal te bestrijden. Gekweld door een hardvochtige dealer. De ondertekening van die akte om een geregelde aanvoer te waarborgen had uiteindelijk niet geholpen. Er hadden aan dat meerderheidsbelang dat hij in het huwelijksbedrijf had genomen geen garanties vastgezeten. Het bedrijf leed aan al de nadelen van gokcircuits. Hij zou zich de tijd gunnen. Geen verwoede speurtochten uit heimwee naar de roes. Hij zou eerst de ontwenningsverschijnselen hun beulswerk laten doen.

De familie werd eraan herinnerd dat het een uitzonderlijk geluk was om de kist te laten zakken terwijl de daders al waren aangehouden. Het gevoel groeide dat zij wellicht de uitverkorenen waren die zouden profiteren van een rechtspleging die naast de wet van de kogel een karig bestaan

leidde. Daar richtte zich de aandacht op, en zo werden vele
van de scheermessen bot, want diep in hun hart waren de
mensen optimisten, die wilden dat fouten werden rechtge-
zet en dat alles ging zoals ze het zich herinnerden uit het
verleden. Ze keken naar de rechtszaak uit alsof het een
gunstige uitspraak voor ze was. Dat konden ze door niemand kapot laten maken met pessimisme, want dan was
het net of ze het graf van Babit openbraken en haar lijk uit
de kist gooiden. Ze begrepen één grondwaarheid: dat verdriet een gif was dat alleen werd overleefd door mensen
die het wisten te verdunnen tot een latent peil. Nu en dan
een aanval was aanvaardbaar, een blijvend delirium on-
denkbaar. Bat beloofde de allerbeste advocaten in de arm
te nemen en de moordenaars hun verdiende loon te geven.

Wat de familie van Babit niet wist was dat generaal Bazooka van de zaak op de hoogte was gesteld, en had gezworen hemel en aarde te bewegen voor de vrijspraak van
'een hardwerkende agente van het Bureau die valselijk
werd beschuldigd van de moord op een ordinaire prostituee'. Het was ook maar goed dat ze daar onkundig van
bleven. In een land waar geen openlijke prostitutie bestond, zou het woord 'prostituee' te veel pijn hebben gedaan, helemaal omdat Babit in haar leven maar één man
had gekend.

Bat bevond zich in een put waar hij niet uit kon klimmen.
Hij kreeg vaak zijn vrienden op bezoek, maar omdat die
hem goed kenden, wisten ze wanneer ze moesten blijven
en wanneer ze weg moesten. Met anderen die meeleefden
lag dat anders. Die bleven maar binnenstromen, uit zijn eigen geboortedorp en uit die van de familie van Babit en

Mafoeta, en zo was er ook altijd drukte als hij verlangde naar eenzaamheid, naar een ogenblik van bezinning. Mensen die hij een dienst had bewezen, geld geleend, aanbevolen voor een baan, kwamen hun eerbied betuigen. Op een bepaald vlak was die aandacht goed, op een ander werkte ze averechts doordat verdriet een individuele sport is, daar moest je mee worstelen tot je een vergelijk trof of een overwinning boekte. De bezoekers waren dan ook alleen toeschouwer, ze konden juichen, aanmoedigen, maar konden niet instaan voor een overwinning. En zo ontving hij zijn gasten, mannen die nu grote achting voor hem hadden vanwege zijn opleiding en het feit dat hij was teruggekomen van de doden na zes maanden in het lijkenhuis. Door het verlies van zijn vrouw was hij hun nader komen te staan, want nu kende hij de grillen van de liefde en de scheermessen van het verdriet. Hij was nu hun man, hun baken. Ze konden ervan op aan dat hij hun problemen begreep. Ze gaven hem kippen, veelkleurige vogels waarvan de poten met bananenvezel bij elkaar waren gebonden. Ze gaven hem geiten, veelkleurige beesten die de wegversperringen en de braadpan van hongerige soldaten hadden overleefd. Ze gaven hem langvingerige kookbananen, want ze hadden gehoord dat hij die het lekkerst vond. Ze gaven hem zakken bonen, aardnoten, maïs, gierst. Zijn huis werd een provisiekamer, een abattoir, een chaotisch vakantiekamp. In hun goedheid en geestdrift maakten ze alles alleen maar erger, krabden de korst van wonden die hij rustig wilde laten afkoelen en genezen. Hij hoorde hun gesprekken die hem achtervolgden, hun vragen over de advocaten, waarom hij geen Saoedische of Libische advocaten had genomen want die zouden hoogstwaarschijnlijk

287

door hun nationaliteit al invloed uitoefenen.

In zijn gemoedstoestand van dat moment kon hij zich nergens op concentreren. Hij vroeg verlof en verzon manieren om zijn gasten te ontlopen. Een paar keer verschool hij zich bij de professor. Ook overnachtte hij wel bij het echtpaar Kalanda en in de paar hotels die nog in bedrijf waren. Hij voerde lange gesprekken met zijn zuster. Ze stonden elkaar nu nader dan ooit. Zij luisterde naar zijn woorden, zijn stilzwijgen, zijn gemompel. Hij luisterde naar haar verhalen, haar indirecte raadgevingen. Ze praatten over het komende proces, de advocaten, de vooruitzichten. Zij kookte zijn lievelingskost en die aten ze met een zeker genoegen. Ze verzon een zodanig systeem dat ze eens per maand een week bij hem logeerde. Maar het wachten werd ondraaglijk en hij erkende zijn groeiende afhankelijkheid. Hij mocht Mafoeta dan wel niet, maar hij wist ook dat hij niet het recht had hem te beroven van zijn gezinsleven en het huwelijk van zijn zuster te schaden. Hij zette een punt achter die bezoeken van zijn zuster.

Op een dag ontving hij een condoleancebrief van Villeneuve, die tevens een uitnodiging was om naar Londen te komen. Ze konden het land eens rondreizen, het verleden weerzien of iets nieuws doen. Ze konden naar Spanje of een andere Europees vakantieoord en zich daar vermaken. Hij dacht weer aan de avonden in het Grand Empire, de chique restaurants, de verfijnde macht van Londen bij avond, zijn aanzoek aan Babit. Het had iets heel aanlokkelijks en iets heel afstotelijks. Hij wilde terugkeren op zijn schreden met Babit. Maar hij besefte dat nostalgie zijn dood zou worden, daardoor werden de scheermessen alleen maar gescherpt en kwamen zijn plannen om verder te leven onder het bloed te zitten. Een strijder die terugkeerde naar het toneel van oude overwinningen vond ofwel inspiratie of liep vast. Hij wist dat Londen zonder Babit zijn Londen niet meer was en hem kapot zou maken, zoals anderen voor hem ook was overkomen. Hij besloot een maand naar Amerika te gaan.

Bats eerste halte was een duur hotel in New York. Hij was blij met de afzondering, de anonimiteit en het feit dat alles zo nieuw was. Hij was blij met de opdringerigheid van de gebouwen, de ijselijke onmatigheid van een overvolle horizon. Hij was blij dat hij bevrijd was van het ongerief van de vertrouwdheid, want hier was hij een stipje, een stofje dat met de wind meewaaide. In de schoot van die grote stad dronk hij zijn whisky en bad om gemoedsrust. Hij installeerde zich en zette de televisie aan, zocht zijn toevlucht in de zondvloed van beeld en geluid.

Het duurde niet lang of hij stuitte op maarschalk Amin, die carrière had gemaakt in Hollywood en in de wereld van de tekenfilm. In de stad van het klatergoud had de maarschalk twee succesfilms gemaakt, nu te zien op de kabel, waarin hij beide keren zijn leermeester, Il Duce Benito Mussolini, uitbeeldde. Het lijf, het geschoren hoofd, de uitgestoken kin, de zware make-up, het feit dat een zwarte reus een blank onderdeurtje uitbeeldde, leverde prachtige komedie op. Natuurlijk had Amin moeten afvallen en in high-tech sportscholen en door laxeerpillen in zijn anus te stoppen veel van de dikke buik afgeschaafd. Om het schandalige lengteverschil te verbergen werd hij gefilmd vanaf zijn middel. Zijn zware Italiaanse accent was fantastisch. In het eerste epos, *The Rise of Il Duce/Il Duce's*

Triumph, behandelde hij de problemen die de jonge Mussolini op de weg omhoog ondervond. De pijn als randfiguur op te groeien, zijn lengte, zijn misdadige inslag, de ontberingen van het legerleven, de onvervulde dromen, de seksuele teleurstellingen van een onderdeurtje, de vurige wil om uit te blinken, dan de staatsgreep en de reeks overwinningen in Bulgarije, Griekenland, Abessinië en de opkomst van Italië als grote mogendheid. In het tweede succes, *Il Duce's Blues*, behandelde Amin de bewogen loopbaan van zijn leermeester als imperiumbouwer, en dan vooral hoe Europa en Amerika samenspanden om zijn bewind ten val te brengen. Hij toonde de dapperheid van zijn leermeester aan het front, de strijdwijzen die hij invoerde maar die aan Engelsen of Amerikanen werden toegeschreven, zijn belangeloze tochten langs hospitalen om met zijn gouden tenorsax gewonde soldaten te troosten en de kunstledematen die hij uitdeelde, zijn nooit erkende pogingen om Hitler te onttronen, zijn verbittering dat hij niet alom als geniaal staatsman werd erkend. Dan verder nog de pers die hem als duivel afschilderde, zijn vrouwen die almaar zelfmoord pleegden, het onvermogen van het fascisme om een begrip als het nazisme of stalinisme te worden, en zijn heldeneinde. Amin had met die twee films naam gemaakt en het waren inmiddels klassiekers, een topprestatie voor iemand die pas op zijn negenendertigste als acteur debuteerde. En zo was hij Afrika's eerste echt beroemde filmster geworden.

Bat ontdekte ook dat Amin zijn geluk had beproefd als sekstherapeut en tweederangs politiek adviseur, maar met weinig succes. Te veel concurrenten. Hij had president Nixon de raad gestuurd de misdadigers die betrokken waren bij het Watergate-avontuur te knevelen, op te sluiten of te martelen. Als ze dan nog steeds voor de camera's door het stof wilden, dan adviseerde hij gangster-executies van schuldigen met hun hele gezin. De rekening die hij Nixon stuurde was nooit voldaan. Nixon had andere plannen gehad en toen hij ten val kwam stuurde Amin hem een telegram waarin hij hem gelukwenste met zijn afzetting en de tijd die hij nu kreeg om te golfen. Hij bood zijn diensten aan bij president Ford en waarschuwde hem zich veel harder op te stellen en de valkuilen van zijn voorganger te vermijden. Hij bood aan hem te leren een betere minnaar te worden. En om zijn sluimerende libido te helpen wekken bood hij aan hem de broek van Golda Meir te sturen, een antiek geval van een jaar of veertig oud. Ford had de telefoontjes van Amin niet beantwoord. Onverstoorbaar adviseerde Amin Margaret Thatcher om bij grote officiële diners naakt te tapdansen. Hij bood aan om in haar nukkige gezicht klaar te komen, maar kreeg geen antwoord van Downing Street 10.

Bat begon te zappen. Hij richtte zich op sportzenders. Hij keek naar Amerikaans *football*, boksen en worstelen. Dan lag hij daar te kijken naar de *scrums*, de *touch-downs*, de *tackles*. Hij kreeg schik in de West Coast Destroyers, de Buffalo Tom Blasters en de Dallas Tornadoes. Hij kreeg een schat aan informatie over de clubs en de spelers. Het verbaasde hem hoeveel kleinigheden de media over de spelers wisten. Ze wisten hoeveel botten iemand in zijn loopbaan had gebroken, de opgelopen kneuzingen, de kilo's die hij dagelijks liggend opdrukte, zijn liefhebberijen, zijn dagelijkse calorieverbruik, wat hij tien jaar daarvoor met Kerstmis had gedaan... Hij zat daar te spelen met die gegevens, vermenigvuldigde ze, deelde ze, sloot weddenschappen af wie er zou winnen... Zolang hij iets om handen had en zich met genoeg whisky verdoofde, liet de drieeenheid Babit hem met rust. Maar als hij diep in de nacht wakker werd, gingen zijn gedachten op de loop. Dan kreeg hij nare terugblikken, iets wat in Oeganda niet was gebeurd. Rillend lag hij in bed en probeerde zijn gedachten ergens anders op te vestigen. Dat lukte hem zelden. Dan werd hij wakker, deed de televisie aan, dronk een kop thee en wachtte tot de dag aanbrak of de slaap terugkwam.

Overdag waagde hij zich buiten en bezocht een paar beroemde plekken. Eén plek die met zijn drama indruk op hem maakte was The Village. Als oud-sportman raakte hij opgewonden van krachttoeren, wedijver, energieverbruik. Hij waardeerde de onmatigheid van sommige dingen die hij zag, en hij vroeg zich telkens af wat een aantal van die lui zou doen als ze in Oeganda waren geboren, en wat hij zou doen als hij hier was geboren. Hij zag mannen met boa constrictors van drie meter en anaconda's van een ton levende kaaimannen voeren aan hun huisdieren, die namen hadden als 'Snoepje' of 'Popje'. Hij zag een man balanceren met een auto op zijn hoofd. Daarnaast verkondigden oudtestamentische profeten het einde van de wereld en ontketenden tornado's en aardbevingen om de ongelovigen te waarschuwen. Verderop verjoeg de arme oude Noach nijlpaarden en olifanten van zijn ark en probeerde de bergen stront op te ruimen die de dieren de hele reis bij elkaar hadden gekakt. Er was een jongeman die jongleerde met drie gierende kettingzagen, en pal daarnaast bereden rodeosterren vurige stieren van twee ton en genoten tien seconden van hun roes voordat ze vielen. Er was zoveel te zien dat hij eenmaal terug in zijn hotel moe genoeg was om een paar uur te slapen voordat de drie-eenheid Babit opdook.

Na een week liep de drang om iets gevaarlijks te doen op tot ondraaglijke hoogten. Op de televisie zag hij reclames voor straatraces in Chicago. Als koorts kwam zijn liefde voor snelheid op. Hij vloog naar Chicago om aan die races mee te doen. Hij zag het vliegtuig opstijgen, de Atlantische Oceaan zwellen, de stad New York slinken en terugwijken, en hij voelde zich opgelucht. Hij hoopte dat de nachtmerries hem met rust zouden laten en begraven zouden blijven tussen de wolkenkrabbers onder hem. Hij dacht aan zijn broer en hoopte dat die het geweld afzwoer voordat zijn geluk hem in de steek liet. Hij dacht aan de professor en hoe graag die hier zou zijn geweest, met die machtige stad onder zich, op weg naar een andere, ver weg van zijn studenten en de sleur van het onderwijs. Hij nam zich voor om hem voor zijn verjaardag een tweeweekse vakantie in Amerika te geven.

Chicago trof hem als een droom, iets wat hij wiskundig had kunnen ontwerpen. Er was de priemende betovering van de wolkenkrabbers, bakbeesten zonder concurrentie in zicht, met daarnaast de prachtige Grote Meren. Gevangen in het zonlicht joegen ze zilveren schichten de hemel in en leken zich oneindig uit te strekken. Ze wekten de indruk dat de stad dreef, een overvol schip dat was gebouwd door een zweverige uitvinder die het op drift had gestuurd om zijn bestemming te zoeken.

Bat nam zijn intrek op de honderdste verdieping van het Omniscient-hotel, waar geen dag of nacht bestond, waar je 's ochtends je gezicht met wolken waste en je afdroogde met de bundels van de alomtegenwoordige zon. Daarboven hoopte hij de nacht te bedriegen en de drie-eenheid Babit zo te misleiden dat ze zijn suite voorbijging. Hij kon mijlenver uitkijken, en zich als een vogel voelen die over de meren vloog of neerdook tussen de gebouwen en de wolken.

Een hele week lang ging hij elke dag naar de racebaan. Er stonden eindeloze rijen auto's te koop. Je kocht er een voor zo'n vijfhonderd dollar, gooide hem vol benzine, racete er mee en reed hem aan het eind van de weg in de prak. Dat sloopwerk had iets moois, met scheurend ijzer, gierende banden, de juichende toeschouwers, de overweldigende benzinelucht, de verminkte karkassen die als dode stieren werden weggesleept om tot stalen ballen te worden geplet. Hij reed vier auto's per dag in de prak en kwam bont en blauw maar gelouterd terug in zijn hotel en sliep als een blok. Op de vierde dag evenwel kwam hij somber gestemd op de baan aan; de drie-eenheid Babit had hem gevonden en had hem getiranniseerd. Hij was roekelozer dan anders. De derde auto sloeg over de kop. Hij werd met snijwonden aan zijn gezicht en benen uit het wrak getrokken. Hij werd op een brancard naar een arts gebracht, maar zijn verwondingen vielen mee. Hij trok zich terug in zijn hotel. In bed, met pijn aan de wonden en het been, besefte hij dat hij er al een tijdje op uit was om zichzelf te beschadigen. Nu het zover was, voelde hij zich beter. Als hij zijn been strekte vernam hij van spieren waarvan hij sinds Cambridge niet meer had vernomen. Als hij zich omdraaide hoorde hij zijn lichaam schreeuwen van de pijn. Hij had nu genoeg afleiding om zijn gedachten bezig te houden. Gevoegd bij de praatprogramma's en de sport op de televi-

sie, en de whisky, wist hij zich vrij goed te redden. De drie-
eenheid Babit kwam nu telkens korter op bezoek. Hij werd
wakker, bleef in bed en sliep weer in.

In die tijd zag hij een reclame voor jachtgeweren en ook
nog één voor een schietschool. In gedachten ging hij terug
naar zijn dagen in het parlementsgebouw en zijn wens om
te leren met een vuurwapen om te gaan. Hij informeerde
en werd ingeschreven bij de dichtstbijzijnde schietschool,
niet ver van zijn hotel. De militaire wetenschap en techniek als zodanig hadden hem nooit geboeid, maar hij vond
het theoretische gedeelte van de lessen wel boeiend. Hij
legde zich erop toe alsof hij weer studeerde. Hij leerde de
geschiedenis, de ontwikkeling en de werking van vuurwapens. Hij richtte zich op geweren en pistolen, de meest
gangbare wapens in Oeganda. Het praktische gedeelte was
moeilijker maar ook fascinerender. Hij kon zijn vijanden
zien, en wat er met ze kon gebeuren nadat ze een kogel in
hun hart hadden gekregen. In het begin kreeg hij hoofdpijn
van de herrie. Maar het was de moeite waard, want er was
een psychologische hindernis genomen. In zeker opzicht
kon hij wel met zijn broer meevoelen. Er waren momenten
dat je jezelf vergat, je almachtig voelde, met het gewicht
van het wapen als een sleutel tot hemel of hel. Het was bijna net zo opwekkend als snelheid. Misschien voelde Tajari
dat wel als hij die bommen plaatste.

Dit waren zijn beste dagen in Amerika. Eens per week
pakte hij de telefoon en praatte met het echtpaar Kalanda,
en vroeg naar de advocaten. Alles was klaar; het proces
stond te beginnen. Hij ging nog één week naar de schietschool, bezichtigde eenmaal de stad en bereidde zich voor
om weer naar huis te gaan en zijn last op zich te nemen.

De dag dat Bat aankwam was de dag dat dr. Ali voor het laatst uit Oeganda vertrok. De verhouding tussen hem en maarschalk Amin was verbroken. Wat hem betreft had hij geen werk meer te doen. Het voornaamste twistpunt was Oeganda's zuiderbuur: Tanzania. Maarschalk Amin wilde dat land aanvallen en de guerrillastrijders uitschakelen die nu en dan Oegandese grensstadjes aanvielen. Dr. Ali had een offer gebracht en de voortekenen waren niet goed. Desondanks wilde de maarschalk zijn plan doorzetten. Dr. Ali had zijn ongenoegen geuit en gewaarschuwd dat Amin zijn eigen graf groef, maar de maarschalk zag geen andere weg uit de patstelling. Toen had Amin andere astrologen geraadpleegd, van wie hij gunstige voortekenen had gekregen. Hij meende dat De Droom het dit keer misschien wel mis had... Het afscheid was bits geweest, met het verwijt van Amin dat dr. Ali hem uitbuitte. Hij had gedreigd de astrologiefaculteit aan de universiteit te sluiten als de astroloog vertrok, en al de astrologen uit Zanzibar het land uit te zetten, maar niets kon dr. Ali weerhouden. Hij vond het best als de astrologie uit Oeganda verdween, hij had tal van volgelingen elders op het continent en ook daarbuiten. Terwijl zijn Learjet koers zette naar Zaïre was de astroloog opgetogen, hij had lang genoeg voor oppas gespeeld. Nu ging hij eens lekker genieten. De kansen van Moboetoe stonden heel goed. Die had een ijzeren greep op zijn land, en had niets van guerrillastrijders te vrezen. Voor de astroloog leek Oeganda net een krankzinnige vrouw van ongehoorde schoonheid, bij wie reddingspogingen tot mislukken gedoemd waren. Geliefden zouden komen en gaan, en haar uit alle macht proberen te bevrijden uit de boeien van de hel, maar uiteindelijk zou het aan haarzelf zijn om de ketenen te verbreken.

Zodra Bat terug was wist hij dat de komende maanden op zijn zachtst gezegd stormachtig zouden zijn. Voor het eerst was hij gedwongen om bij alle wegversperringen uit zijn xj10 te komen. Met een gelaten houding liet hij zijn auto doorzoeken en zich fouilleren en steekpenningen afdwingen. Dan keek hij naar de geweren in de handen van de soldaten en had hij wel zin om hele magazijnen in die hufters te legen.

Een week na zijn terugkomst trokken zijn advocaten zich terug. Ze waren niet genegen om hun redenen daarvoor te geven. Maar hij kwam erachter dat ze door gewapende mannen ontvoerd en met de dood bedreigd waren. Bat overlegde met het echtpaar Kalanda en de professor en ze vonden andere advocaten. Dat was een tamelijk benauwende periode, maar als een van de hoofdrolspelers in het drama kon hij geen kant op. Hij zette zijn tanden op elkaar en hoopte er het beste van.

Generaal Bazooka vond een nieuw doel in zijn leven toen zijn oude geliefde hem in de moordzaak om hulp vroeg. Hij had altijd geweten dat Victoria terug zou komen. Ze waren al zo lang samen dat de banden, hoe oud ook, moeilijk te verbreken zouden zijn. Hij was oorspronkelijk van plan geweest haar te laten ontsnappen uit politiehechtenis en korte metten met het proces te maken. Een prins kon zich dat wel veroorloven. Maar zijn hoofdadviseur, de teruggetrokken kolonel, had hem gewaarschuwd 'het recht zijn loop te laten nemen'. Hij kwam erachter dat hij als hij Bat echt wilde straffen en tegelijk het rechtsstelsel wilde bespugen, het proces moest laten doorgaan. Dus had hij Victoria de vernedering van opsluiting laten ondergaan.

Maar hij had de politie wel opdracht gegeven haar het leven gemakkelijk te maken. Ze kreeg haar eigen nissenhut
en daar kon ze voor haar kind zorgen, haar eigen eten
klaarmaken en bezoek ontvangen.

Hij had het kind de nieuwe naam Samsona gegeven en
daarbij het vaderschap opgeëist op grond van de omstan-
digheid dat Victoria jarenlang zijn zaad in haar lichaam
moest hebben gedragen voordat het eensklaps tot ontkie-
ming kwam. Victoria durfde niet tegen hem in te gaan,
want onder beren was dat immers normaal. En als het bij
beren kon, waarom dan niet bij mensen? Maar ook was ze
niet in de positie om tegen de generaal in te gaan, hij was
haar enige redding. Telkens als hij op bezoek kwam zei ze
tegen haar kind: 'Kom eens dag zeggen tegen je papa,
Samsona.' Dan ging het kind bij de generaal op schoot zitten. Hij speelde met haar haar, trok speels aan haar oor en
zei dan dat ze weer moest gaan spelen. Er werd weinig gezegd tussen de generaal en Victoria, deels omdat het altijd
zo was geweest, deels omdat er niet veel te zeggen viel. De
generaal kwam haar meestal vertellen wat ze moest doen
als het proces begon. Hij zorgde dat het staatsonderzoeksbureau op tijd haar salaris betaalde, en volledig, en gaf
haar een fulltime lijfwacht. Die laatste voorziening viel
niet goed bij de politie, maar ze konden er weinig aan
doen: ze moesten aan hun leven en hun loopbaan denken.

Voor het proces begon nam de generaal de beste advocaten in de arm die er in de stad nog over waren, en gaf de
beste kleermakers opdracht om voor Victoria de uitbun-
digste gewaden te ontwerpen. De eerste keer verscheen ze
in de rechtszaal gekleed als een mohammedaanse pelgrim
uit Mekka. Ze was gehuld in kleren zo fijn en zo wit dat ze

bijna doorschijnend leken. Om haar hoofd droeg ze een dunne cape die haar trekken gunstig uit deed komen. Bat en Babits familie waren geschokt. En doordat de eerste stappen te technisch waren, zuiver inleidend, en de advocaten zachtjes praatten, keken de meeste mensen in de rechtszaal meer naar Victoria dan dat ze zich op de gang van zaken richtten. Bat was gekomen in de verwachting dat de generaal zich in zijn kaart zou laten kijken en vanaf dat ogenblik wist hij dat provocatie op de zittingen een geregeld verschijnsel zou zijn. Er kwamen klachten van moslims over de kleding van Victoria in de enige krant die nog uitkwam, maar er werden geen verontschuldigingen aangeboden.

De volgende keer, twee weken later, kwam ze gekleed als een Egyptische koningin, met wapperende gewaden, een gordel, enorme gouden oorhangers, dikke oogschaduw en een fles parfum die tot in alle hoeken van het gerechtsgebouw zijn hele bedwelmende inhoud verspreidde. De mensen kregen hoofdpijn, maagkrampen en hevige aanvallen van misselijkheid. De rechter gaf over in zijn zakdoek en schorste de zitting, weer een kans verkeken. Algauw kwamen de generaal en zijn team op het idee Victoria als zuidelijke prinses te kleden. Hij ontsloeg onmiddellijk de voorgaande kleermakers, zonder ze te betalen, en nam er een aan die koninklijke kostuums van boombast en katoen ontwierp. Ditmaal werd ze door drie stoere agenten van het Bureau in een schitterende stoel de rechtszaal in gebracht. De monarchisten kookten van woede en zwoeren wraak, maar aangezien de koninkrijken waren afgeschaft, moesten ze hun woede inslikken.

Het proces draaide uit op zo'n schertsvertoning dat Bat

een aantal malen wegliep. Dan lag hij 's nachts in bed zonder een oog te kunnen dichtdoen en vroeg zich af wat voor zin het proces had. De zoektocht naar gerechtigheid leek vruchteloos, mislukt. Hij dacht aan Babit in haar glorie en in haar ontheiliging, en was vastbesloten om niet op te geven. Hij had geen nachtmerries meer, alleen dagdromen, onbeantwoorde gevoelens van verlangen, schuld, leegte. Zijn vrienden spoorden hem aan om vol te houden, ook al had hij soms zin om weer naar Chicago te gaan en zich daar schuil te houden tot het eind van het proces of zelfs nog daarna. Ook de rechtsgang werkte op zijn zenuwen. Die tussenpozen van twee weken leken alles nog erger te maken. De tijd leek stil te staan, zo opeengedrongen dat elke andere onderneming erdoor werd belemmerd. Hij zat in zijn werkkamer en deed zijn best afleiding te vinden in cijfers en ramingen, en dan zei er iemand iets en vlogen zijn gedachten weer naar de rechtszaal en sloeg zijn hart op hol in afwachting van de volgende provocatie. Als het binnen zijn macht had gelegen was het proces in één week gehouden en dan afgesloten. Nu sleepte het zich voort als een circus met dieren die op sterven na dood waren, waarbij iedereen zich afvroeg wanneer het doek zou vallen.

Op de dagen dat ze werd ondervraagd trok Victoria haar koninklijke gewaden aan en arriveerde in een prachtige stoel. Haar advocaat maakte zo vaak bezwaar en verspilde zoveel tijd dat er erg weinig werk werd gedaan. Bat verloor zijn geduld met zijn advocaten, maar omdat verder niemand de zaak graag op zich nam, kon hij ze niet al te hard aanpakken. Zij en hun gezinnen werden met de dood bedreigd, maar ze hadden geweigerd om zich terug te trekken en dat waardeerde hij in ze.

Tal van mensen, onder wie de ouders van Babit, hadden het erover om van de zaak af te zien, al was het maar om Babits naam te redden. Ze konden het niet verdragen om haar een ordinaire prostituee te horen noemen. Bat wist dat die mensen plattelanders waren en daardoor wel eens konden vergeten dat de geschiedenis vluchtig was, dat ze werd uitgewist zodra ze werd geschreven. Heropening van de zaak onder een ander bewind zou niet mogelijk zijn. De zaak zou eenvoudig verdwijnen. Dossiers zouden zoekraken of verbranden. Ze vergaten dat het volgende bewind wel grotere problemen zou hebben dan Babits mislukte speurtocht naar gerechtigheid.

Maar er waren er ook die weigerden onder de druk te bezwijken. Die wilden de uitspraak horen en dan in hoger beroep gaan. Zij wonnen de slag en de zaak ging verder. De moeder van Babit kon het nauwelijks aan om Victoria aan te kijken. Ze kon zich niet voorstellen dat een onderdaan zich als koninklijk voordeed en zich dat nog kon veroorloven ook. Telkens als er stoere noordelijke agenten voor de moordenares bogen, knapte er iets in haar.

Generaal Bazooka genoot van het drama. Hij zag zich als een kunstenaar die ergens aan werkte en hij vond het één groot feest. Hij zat lachend met zijn makkers te bekvechten over de voor- en nadelen van bepaalde voorvallen. Straffeloos beraamde hij allerlei wendingen, en zo werd hij afgeleid van de druk van zijn werk en de ellende dat hij een vrouw had die zweefde tussen leven en dood en wier huid zo broos was als een verdord blad. Hij ging nog altijd bij haar op bezoek, ook buiten de bezoekuren als het zo uitkwam, solde met artsen en verpleegsters, zette op onhandige plaatsen schildwachten neer. Zijn hoofdadviseur had er bij hem op aangedrongen zijn bezoekuren te variëren, uit angst voor een aanslag door dissidenten verkleed als artsen, verpleegsters of schoonmakers.

Er waren plannen geweest om zijn vrouw naar Libië te vliegen, naar hetzelfde ziekenhuis waar de gewezen vicepresident in zijn rolstoel verbleef, maar daar was nog niets van gekomen omdat zij hun kinderen niet wilde achterlaten. Toen hij voorstelde de kinderen met haar mee te sturen, zei ze dat ze daarover na zou denken. Hij wist nog dat elk woord voor haar een worsteling was, werd uitgebracht zoals een kleverige druppel sap uit een verwonde boomstam sijpelde. Hij kon zich indenken hoeveel moeite het haar kostte om hem antwoord te geven. Volgens de artsen was het een goed teken dat ze weer was gaan praten, zij het langzaam, maar hij kon haar stem niet meer herkennen, hij klonk als schuurpapier op ruw hout. Als hij er nu over begon vroeg ze hem om haar een verhaal te vertellen, of over de goede oude tijd te praten, of het weer of de plantengroei buiten het raam te beschrijven. Hij had gemerkt dat ze bang was om het land te verlaten, bang dat ze misschien zou worden verwaarloosd, aan haar lot overgelaten in een vreemd land. Diep in zijn hart wist hij dat ze wilde sterven op de bodem waar ze heel haar leven had gelopen. De gedachte aan haar dood greep hem aan. Die doordrong alles wat hij deed. Die sijpelde door tot zijn manier van doen in kabinetsvergaderingen, het ongeduld dat hij bij stoplichten betoonde. Die dreef hem tot nieuwe toeren, als hij er maar niet bij stil hoefde te staan.

Hij raakte helemaal vervuld van het eeuwige leven en de Dag des Oordeels. Hij bemerkte de overvloed van maraboes in de stad. Het leek wel of ze toekeken, wachtten, achtervolgden. Het was net of ze wachtten op het karkas van zijn vrouw en op het vlees aan zijn botten. Er was een aantal vuilnisbelten in de stad waar ze zich bij honderden verzamelden, in alle maten, de grootste ter omvang van een geit, de kleinste niet groter dan een konijn. Ze leken wel begrafenisgangers die in rouw verstard wachtten tot de doden opstonden, of tot de kans kwam ze met hun potsierlijke snavels te verscheuren. Hij kon die snavels diep in het lichaam van zijn vrouw zien dringen en er ingewanden uit zien rukken die nog door de vlammen waren achtergelaten. Hij werd woedend als ze boven de stad hingen, zweefden op thermische zuilen die van de grond opstaken, vrijwel zonder beweging van hun vleugels, alsof alles beneden van hen was, klaar om zich toe te eigenen als het ze uitkwam. Elke week liet hij zich door zijn chauffeur naar een andere stortplaats brengen. Dan haalde hij zijn automatische geweer te voorschijn en opende het vuur, schoot snavels af, reet kroppen open, kroonde de vuilnisbelten met verwrongen karkassen van bloedende maraboes. Een aantal malen kwam de militaire politie op de schoten af.

'Kierewiet,' zeiden die dan als ze weer weggingen, 'hij heeft toch wel wat beters te doen? Een ministerie te leiden?'

Opgelucht ging hij dan weg, want op de dag dat zijn vrouw doodging zouden er weer minder aaseters zijn. Maar de volgende keer leek het dan wel of die vogels vertienvoudigd waren, alsof ze in groten getale opkwamen om hun kwelgeest belachelijk te maken. Dan kreeg hij kippenvel van doodsschrik. Op zulke momenten dacht hij weer aan de vraag die zijn vrouw wel eens stelde: 'Zijn ze nog steeds zo met die bommen in de weer?' In de weer, alsof ze hun werk deden? De macht van die toespeling was nog niet uit te wissen met het bloed van honderdduizend maraboes.

Het proces rolde voort naar een onzeker einde. Hoe dichter het einde naderde, hoe ongehoorder het gedrag dat Victoria werd opgedragen. Ze kwam nu naar de rechtszaal begeleid door tien agenten van het Bureau die gekleed waren als pages en zich ook zo gedroegen. Op de voorlaatste dag kwam ze gekleed als katholieke non, met om haar hals bungelend een grote glimmende rozenkrans. Een groepje trouwe katholieken nam daar aanstoot aan. Ze kregen nul op het rekest omdat iedereen zich naar eigen goeddunken mocht kleden, zolang het maar niet in minirok was. Victoria's habijt viel ruim onder de knieën en dus binnen de wettelijke richtlijn. Buiten de rechtbank werd door honderd mensen die van de straat waren gehaald en op een vrachtwagen neergepoot, haar onschuld bezongen. Ze drongen erop aan dat de rechter de zaak afwees en verder geen belastinggeld verspilde.

Op de Dag des Oordeels werd Bat heel vroeg wakker. Hij had heel slecht geslapen en had flinke hoofdpijn van de whisky van de vorige avond. Hij ging onder de douche en maakte zich op om de spitsroeden van die dag te lopen. Hij was naar de stad verhuisd en woonde in een stille buitenwijk, weer in een regeringsvilla. Geheel gekleed op bed gezeten bedacht hij dat hij alleen was, niemand die hem betuttelde of in de gaten hield, terwijl het een vreselijke dag zou worden. Hij voelde zich bijna net zo vreselijk als de dag van de begrafenis. In een andere kamer kon hij zijn zuster heen en weer horen lopen. Als eerste verscheen zijn neefje, in een blauwkatoenen pak met rode schoenen. Daarna kwam zijn zuster en toen die zag dat hij niet in de stemming was om te praten, zocht ze andere bezigheden. Hij ging naar de garage en bleef in de auto op het echtpaar Kalanda en de professor zitten wachten. Hij kreeg de neiging om weg te rijden en alles achter te laten, en dan een paar dagen later terug te komen om te horen wat er was gebeurd. Tien lange minuten later kwamen zijn vrienden. Ze begroetten elkaar en de twee auto's reden naar de rechtbank. De stemming klaarde ook al niet op van de ochtendmist. Telkens zette Bat de ruitenwissers aan, en af, en aan, en weer af. Zijn zuster bekeek hem zwijgend uit haar ooghoek. Ze troffen Babits familie al bij het gerechtsgebouw aan. De mist parelde op hun wimpers.

Victoria kwam gekleed als prinses, met tien pages bij zich. Maar ze keek wel somber, en wierp geen sarrende blikken op haar slachtoffers. De rechtsgang was langdradig, alsof de rechter eindelijk zijn gezag wilde laten gelden. Met zijn toga en die bespottelijke witte pruik leek hij wel een ketel met een witte theemuts. Het bewijs, zo hoorde iedereen, was indirect en dus niet genoeg voor een veroordeling. Victoria ging vrijuit. De moordenaars werden op de vingers getikt. Victoria en haar club juichten. De pages tilden haar in de lucht en wuivend verliet ze de rechtszaal. Bat wilde haar te lijf, te kwaad om een woord uit te brengen, maar Kalanda hield hem in bedwang. Buiten praatte de prinses met de journalisten van het regeringsorgaan.

'Het recht heeft zijn loop gehad. Lang leve recht en orde. Lang leve de regering van maarschalk Amin.'

Betraande gezichten riepen haar verwensingen toe. Er werden boze vuisten naar haar geheven. Het vreemde van de nederlaag, al was het nog zo'n schertszaak, was dat ze allemaal verlegen keken, alsof het hun eigen schuld was, alsof ze niet genoeg hadden gedaan. Het viel hun moeilijk om elkaar in de ogen te kijken.

Er waren woorden van troost die weinig verlichting gaven van het brandende gevoel van verontwaardiging dat oplaaide in hun borst. Bats schoonvader raadde hem aan het niet persoonlijk op te vatten en te vermijden dat hij kapotging aan het gif van de verbittering. Ze namen allemaal zwijgend afscheid, alsof ze de nederlaag later nog wel zouden betwisten.

Bat begroef zich in zijn werk. Het verlies van de zaak leek een tijdperk af te sluiten en nu wilde hij vooruit kijken. Hij wilde zijn broer zien en diens stem horen en weten hoe hij zich staande hield, maar hij bleef uit zijn buurt. Een week na de uitspraak stuurde hij een boodschap van één woord: 'Schoften.' Hij had erom moeten lachen, ja, inderdaad, schoften. Hij wist inmiddels dat zijn broer niet zou proberen om Victoria te vermoorden. Het deed hem genoegen dat hij hem had gehoorzaamd. Misschien was hij dan toch niet reddeloos en brandden er in zijn hoofd nog altijd een aantal verstandige lampen. Hij wilde nog altijd dat hij zijn bommen aan een politiek programma koppelde, maar hij wist dat die jongen een guerrillastrijder was, die op zijn eigen manier zijn eigen oorlogen uitvocht. Nu en dan ging er ergens een autobom af. Het verbaasde hem dat Tajari uit handen van zijn achtervolgers was gebleven. Hoeveel auto's had hij nu al opgeblazen? Hoeveel legerwinkels? Dat hij die persoon kende, en hem al heel zijn leven kende, verbaasde hem ook. Bat besefte dat Victoria hem vanwege de daden van Tajari met zijn hele familie bij generaal Bazooka had kunnen verraden. Ze was dus toch niet gek. En zo ja, dan was het selectieve waanzin. Gestoorde liefde, eerder. Bezetenheid. Dat ze in haar bezetenheid levens verwoestte, dat verweet hij haar. Hij wilde haar niet meer zien. En als dat inhield dat hij zijn dochter niet meer zag, dan moest dat maar.

Victoria's vijftien minuten roem eindigden even dramatisch als ze waren begonnen. Zodra de rechtszaak voorbij was, vroeg generaal Bazooka haar om haar eigen veiligheidsmaatregelen te nemen. Veel agenten van het Bureau waren kwaad op haar omdat ze in haar poging zich van moord vrij te pleiten de naam van het Bureau had bezoedeld. Anderen haatten haar omdat ze haar van de generaal hadden moeten vereren en belachelijke kostuums, kralen en porseleinslakkenhuizen hadden moeten dragen. Degenen die haar de rechtszaal in en uit hadden moeten dragen waren woedend omdat ze hadden moeten meedoen aan een schertsvertoning in plaats van op zoek te kunnen naar die bommenleggers, die nog altijd tal van hun collega's het ziekenhuis in hielpen of van hun zaak beroofden. Wat dachten de generaal en die slet van hem wel? Dat zij slaven waren of sukkels die alles wel slikten? Anderen waren kwaad vanwege de opzichtige vriendjespolitiek die door de hoge pieten werd bedreven en de grote speelruimte die de generaals genoten. Zuidelijke agenten, verklikkers op kantoren, in ziekenhuizen, op scholen, die zich uit angst of met het oog op hun persoonlijke veiligheid hadden ge-

meld, verwensten haar omdat ze spuugde op het koningschap en plaatselijke onvrede opriep. Ze vreesden de mogelijke opkomst van monarchistische terroristen door wie
ze met hun gezinnen wel eens in naam van de koning konden worden vermoord. Ze beseften dat tal van monarchisten bereid waren om voor de terugkeer van de koninkrijken te sterven en te moorden. Bang voor wat hun na de val
van Amin zou kunnen gebeuren, dacht een aantal van hen
erover om Victoria gevangen te nemen en haar aan de monarchisten over te dragen, als offer om de kolkende senti-
menten te sussen.

Victoria was zich ervan bewust dat ze zeker werd vermoord als ze haar gezicht in kringen van het Bureau liet
zien. Zonder de bescherming van de generaal kon naar ze
wist Tajari of een andere moordenaar ongestraft achter
haar aan komen. 's Ochtends heel vroeg sloop ze met haar
slapende kind op de rug de kazerne uit en stapte op de bus
naar het westen. Ze vermeed de steden waar ze met de generaal had verbleven in de tijd dat hij nog in het zuidwesten gewapende rovers bestreed. Ze volgde haar instinct,
heel zeker dat ze het zou weten als ze in een veilige stad
was beland. Hoe verder ze naar het westen trok, hoe groter
de heuvels werden, totdat ze overgingen in bergketens, de
ene nog hoger dan de andere, gevangen in die blauwe luchten en die zwevende mist en bewolking, met trots hangen-
de dalen gezegend met rivieren. Ze was nu in de streek van
de tektonische platen. Ze kon de Roewenzori met zijn
sneeuwkap in de wolken zien verdwijnen. Naar het noorden en het zuiden lag een keten van adembenemende kra-
termeren. Vlakbij was een warme bron, en de dalen waren
overdekt met theeplantages. Vanaf dat moment zo onge-

veer leek ze niet meer te bestaan en merkte ze dat ze zichzelf van buitenaf waarnam, net als in de tijd voordat Babit
het hoofd werd afgehakt. Boven de Roewenzori brak de
zon door, en stuurde bundels als zuilen door de bewolking
en mist. Ze werd erdoor in haar gezicht getroffen toen de
bus een bocht omging. Ze voelde een ondraaglijke pijn.
Haar ogen leken te ontploffen en haar handen vlogen naar
haar gezicht. Ze kneep haar ogen dicht en durfde ze niet
meer open te doen, uit angst dat ze blind zou blijken. Kilometers verder, in de stad Fort Portal, trok de pijn langzaam
weg en deed ze trillend van opluchting haar ogen open. Ze
vroeg zich telkens af waarom ze al haar jaren in de stad had
verdaan, blind voor deze schoonheid, deze goddelijkheid.
Ze besloot naar de eerste kerk te gaan waar ze langskwam.
Ze sloot zich aan bij de zevendedagadventisten, die baden
met hun gezicht naar de Roewenzori. Ze werd gered en
haar zonden werden weggewassen in een rivier die van
vierduizend meter de berg af stroomde. Ze had de naam
Victoria altijd mal, hoogdravend, gewichtloos gevonden.
Zo werd ze Paula en besloot de mantel van de man uit Tar-
sus aan te nemen en te gaan preken. Haar dochter werd
ook van het verleden gered en bevorderd van Samsona tot
Damascana, tenslotte was zij ook getuige van het visioen
geweest.

Paula werd verliefd op de veranderlijkheid van de bergen, de wispelturigheid beneden, de kou 's nachts, de mist
als havermout 's ochtends, de oogverblindende caleido-
scopische zonneschijn en de langdurige regens. Ze was er
al eens geweest, op een reis in het verleden, maar ze was
zich niet bewust geweest van zulk een schoonheid, en de
hand van God die ze op haar schouder voelde. Dan ging ze

duizend meter hoog op een richel zitten en kon haar ogen niet afhouden van de scherp getande horizon kilometers in de verte. Soms woedde er een stormwind, soms was het doodstil en was de val van een steen al een ontploffing. Hier vond ze vrede met zichzelf en inzicht in de Heilige Schrift. Ze voelde de behoefte om te prediken. Ze zong, bad, ging op ziekenbezoek en deed vrijwilligerswerk hoog in de bergen, waar maar weinigen heen wilden. Ze had belangstelling voor de verpleging en deed correspondentiecursussen bijbelkennis die werden toegestuurd uit Texas. Ze trok zich nog hoger in de bergen terug, alsof ze dichter bij God wilde zijn, en begon haar eigen kerk. Ze had één gave die andere predikers misten: haar jaren in de jungle hadden haar geleerd het leven te waarderen en zuinig te zijn op de vlam van het geluk, die kinderlijke blijdschap om je longen vol zuivere lucht te scheppen, een wandeling te maken, goed te slapen. Als haar verleden een te zware last werd kwam de apostel Paulus haar te hulp – twee gewezen moordenaars die ervaringen uitwisselden. Het ergerde haar dat het haar zo lang had gekost om het licht te vinden, maar ze bedacht dat Gods wegen ondoorgrondelijk waren. Naarmate haar schare volgelingen groeide, wist ze dat er een nieuwe familie tot bloei was gekomen en een nieuw geslacht van predikers was geboren, met Damascana als volgende in de lijn.

De wedijver tussen generaal Bazooka en kolonel Ashes woedde voort, feller dan ooit. Beide mannen ontkwamen een aantal malen aan een dodelijke val. Volgens generaal Bazooka was Ashes de man achter de complotten tegen hem, al overwoog hij ook wel eens de mogelijkheid dat een paar generaals die een staatsgreep beraamden misschien van de *kavuyo*, verwarring, gebruikmaakten om zich van hem te ontdoen. Op zijn beurt was er Ashes meer aan gelegen om zijn veiligheid op te krikken dan om uit te zoeken wie hem dood wilde hebben. Het vertrek van dr. Ali had zijn positie als hoogste vertrouweling van Amin alleen maar versterkt, en dus wilden veel militairen niets liever dan hem de strot afsnijden. Wat hem betrof hoefde hij maar één persoon tevreden te stellen: maarschalk Amin. Het zag ernaar uit dat de maarschalk hem meer dan ooit nodig had. Hij was eenzaam, vastgelopen op de messcherpe tanden van zijn tanende macht en enorme achtervolgingswaan. Hij was bang voor moordenaars en aanhouding door de CIA, gevolgd door marteling en opsluiting. Het lot van mede-dictators bezorgde hem slapeloze nachten. Hij wist nog maar al te goed wat er was gebeurd met keizer Haile Selassie, die in een vochtige cel was doodgehongerd. Hij had gezien wat er was gebeurd met keizer Bokassa in ballingschap in Frankrijk. Gehekeld door de Franse pers, elke dag weer valse beschuldigingen naar zijn hoofd van marteling en moord. Om de andere dag water en elektriciteit afgesloten. Om de drie dagen dode varkens op zijn erf gegooid. Om de vier dagen foto's van dode zwarte kinderen bij de post. Air France dat weigerde hem te vervoeren. Geboycot door alle hoeren, zwart, blank, latino.

'Wat heeft die arme ezel gedaan om zulke schande te verdienen? Heeft de wereld dan helemaal geen gevoel voor humor meer?' vroeg Amin dan aan Ashes bij een glas whisky. 'Die hufter wou alleen maar keizer Napoleon zijn, en dat is hem gelukt ook. Hij heeft hem heel goed uitgebeeld, ook met dat witte paard dat hij bij zijn kroning bereed. Nu wordt hij door de Fransen afgewezen omdat ze hem niet meer zeggen te herkennen, ondanks de make-up!' Waarop Amin in lachen uitbarstte en Ashes zijn voorbeeld volgde.

'Het zijn verschrikkelijke tijden, maarschalk. De Afrikaanse leiders worden het slachtoffer van de zonden van de Europese leiders. Straks krijgt u ook nog de schuld van de fouten van Il Duce.'

Dat vond Amin prachtig en hij sloeg dubbel van de lach. Hij nam een grote slok whisky en nog een lijntje coke.

'Mooi gezegd, vriend. Dat was de reden dat ik dat vorstendom in Saoedi-Arabië heb gekocht. Wij moslims tellen onze zegeningen. Die Saoedi's zullen mijn leven lang voor me zorgen.'

'Dat is een van de beste dromen die u ooit gehad hebt, maarschalk.'

'Ik weet zeker dat sommige varkensvreters mij maar al te graag behandeld zouden zien als Bokassa, ondergezeken omdat ik Il Duce misbruikt heb om wereldberoemd te worden, maar ze krijgen mij nooit te pakken.'

'In geen honderdduizend jaar, maarschalk.'

'Zeg, vriend, heb jij wel plannen gemaakt? Wou jij achter de rokken van de koningin kruipen of gebruik je liever de directoire van Thatcher als dekmantel?'

Ze sloegen dubbel van de lach, maar voordat Ashes antwoord kon geven ging de telefoon. Alarm. De dissidenten waren de Oegandese grens over gekomen. De waarschuwende woorden van dr. Ali gonsden Amin in de oren toen hij op weg ging om het volk toe te spreken.

Niet lang daarna werd er een aanslag op de maarschalk gepleegd. Hij werd in het nauw gedreven op weg naar het

State House. De bommen sprongen en knalden alle kanten uit. Eén voor één werden de presidentiële Boomerangs en Stingers door raketten getroffen. De Eunuchs werden neergemaaid terwijl ze heldhaftig terugvochten. In de verwarring sloop Amin weg en niemand zag hem gaan. Zijn rug werd nog geschampt door een kogel, afgeweerd door zijn kogelvrije vest. Hij ontkwam naar het dichtstbijzijnde erf en kreeg van het ontzette gezin de telefoon. Hij belde Ashes, die hem met zijn helikopter op kwam halen. Ze verbleven zes dagen samen op het eiland. Het land hield gespannen de adem in. Volgens sommigen was hij dodelijk gewond en lag hij op sterven, en was het leger bezig de macht te verdelen en een opvolger te kiezen. Volgens anderen was hij een uur na de aanslag door een helikopter opgepikt en naar Libië gevlogen om operatief de kogels uit zijn armen en benen te laten halen. Volgens weer anderen was hij in handen van dissidenten gevallen en werd hij verhoord, wat hem tanden en geheimen kostte. De sceptici wachtten gewoon zwijgend af.

Intussen had de maarschalk het naar zijn zin, hij viste, zwom in het oogverblindende water van het meer, trok diep het eiland in op zoek naar papegaaien. Hij kwam op het idee om duizend papegaaien te vangen, die het volkslied te leren zingen en daarvan de hoofdattractie te maken bij de festiviteiten op 21 januari aanstaande om te vieren dat hij acht jaar aan de macht was.

'Is het al niet een beetje te laat, maarschalk?'

'Het is nooit te laat, vriend. We kunnen al die eilanden laten uitkammen door een bataljon en zoveel mogelijk vogels verzamelen. De rest kunnen we kopen op de internationale markt.'

'Dat kost ons honderdduizenden dollars.'

'Oeganda is een rijk land. Als we de modernste Russische gevechtstanks kunnen kopen, dan toch zeker ook wel vogels met een kromme snavel?'

Een paar dagen later schrapte Amin het plan, want naar zijn zeggen maakten die vogels te veel herrie en produceerden giftige poep. Hij ging varen met Ashes, legde honderden kilometers af in speedboten terwijl een helikopter water en lucht op vijanden uitkamde. Ergens op de eilanden stuitten ze op een visser die zijn best deed om een vriend te redden die verstrikt zat in de netten van een omgeslagen boot. Amin stoof de boot uit, sneed de man los, hielp de boot overeind trekken en gaf de mannen geld om nieuwe netten te kopen.

'Een paar dagen geleden heeft een burger mijn leven gered. Ik heb dat van jullie gered om God te danken. Ik heb jullie zelfs in een droom gezien, daarom ben ik hier ook op tijd. Als jullie van de schrik bekomen zijn, kom dan bij me langs op het *State House*.'

De twee mannen waren te overweldigd om iets te zeggen.

'U hebt uw leven gewaagd voor een stel nutteloze vissers, maarschalk. Stel nou dat het dissidenten waren?'

'Des te beter. Dan zouden ze zien dat ik nergens bang voor ben. En als er iemand op mij schiet dan kaatst de kogel gewoon terug en kost het hemzelf de kop.'

Ashes speelde graag voor gastheer, zeker als hij flink uit kon pakken. Hij deed alles met zodanige toewijding dat het leek of hij Amin waar die ook ging altijd zou volgen. Hij was de enige op het eiland, afgezien van zijn gast, die niet gespannen was. Hij organiseerde worstel- en boks- en eetwedstrijden, militaire oefeningen, Amins ochtendtrainingen en middagwandelingen. De dagen vergleden traag, vol verstrooiing en het vage idee dat het wel eens de laatste dagen konden zijn voordat alles veranderde. Het leek wel een afscheidsfeest, het laatste evenement voordat een instelling werd gesloten en de gebouwen tegen de grond gingen. Ashes draaide de lievelingsfilms van Amin. Ze keken naar *I Love Lucy*, ginnegappend dat Lucille hen zo deed denken aan Margaret Thatcher in haar dagen als stripper en aankomend actrice. Ze keken naar romantische komedies en oorlogsfilms. Ze keken naar de twee kassuccessen van Amin: zijn verbeeldingen van Il Duce. Ze haalden de stelregel van Il Duce aan: BETER ÉÉN DAG OLIFANT DAN HONDERD DAGEN VARKEN. Op de tong van Amin klonken de Italiaanse woorden als iets heel lekkers. Amin maakte Ashes deelgenoot van de moeilijkheden die hij had ondervonden toen hij zijn films maakte: de repetities, de opnamen die over moesten, de houten kaak die hij droeg, schminkzittingen van drie uur, het gekibbel en ellebogenwerk van de bijrolspelers. Hij vertelde over feesten in Hollywood, de hoeren, de badkuipen met champagne; en hij bekende dat hij daar aan de coke was geraakt. Voor Hollywood was hij een liefhebber van marihuana geweest. Nu kon hij zich geen leven zonder het toverpoeder meer indenken. Ze keken naar zijn reclamefilms voor zware geweren en ontplofbare kogels. Hij schepte op over zijn tien vrouwen, zijn vijftig kinderen, voor zover bekend, de bijdragen die hij had geleverd aan de ontwikkeling van het land.

'Oeganda zal mij hevig missen, net zo hevig als ik dr. Ali mis.'

Ashes vertelde over zijn jeugd in Newcastle, de eeuwige mist, de gure haven, de vuile fabrieken, de pijn zijn echte vader niet te kennen, de schaamte zijn moeder met een oplichter te horen neuken, de leegte van het schoolleven, de schoonheid van de eerste brand die hij stichtte en de brandobsessie waartoe die leidde, de spannende Londense onderwereld van voor de oorlog, de verleidelijke vrouwen en hoeren van de gangsters, van wie er één hem had ontmaagd, zijn eerste moord, de oorlog en de opwinding van de landing in Afrika. Dit waren twee mannen die fantaseerden, die hun verleden herschreven en herbeleefden terwijl het uit hun mond kwam en die mijmerden over hun dromen, geen mensen die op het scherp van de snede balanceerden in een land dat in hoog tempo onbeheersbaar aan het worden was. Ze waren het erover eens dat het paradijs iets weg moest hebben van die hevige momenten van historische improvisatie.

Aan het slot van de vakantie besefte de maarschalk dat het land lang genoeg had gegonsd van verwachting en dat het tijd werd om het te belonen met de balsem die zijn opstanding zou opwekken. Hij verliet het eiland in zijn raketbestendige helikopter. Toen die zich in de lucht verhief voelde Ashes aan zijn water dat zijn tijd gekomen was. Hij moest alleen wachten op het juiste moment. Die avond hoorde hij dat de maarschalk zich over de radio tot het volk richtte en de geruchten tegensprak dat hij dood was, of dood geweest was. Hij zei dat hij in Saoedi-Arabië de heilige plaatsen had bezocht, offers had gebracht, had gebeden tot Allah om zijn bewind nog vijftig jaar te verlengen, vijftig maar, en daarin zouden rammen neuken met leeuwinnen en zou iedereen rondrijden in een achtdeurs Boomerang. Ashes kon zijn lachen niet houden. 'Hij had jazzmuzikant moeten worden. Wat een improvisatie!'

Generaal Bazooka werd voorlopig maar door één project in beslag genomen: voor de regering tijd had om te vallen moest hij Robert Ashes vermoorden. Hij was goed zijn gangen nagegaan en wist dat hij nu en dan zelf meedeed als ze smokkelaars vingen en verbrandden. Met geluk en toewijding hoopte hij hem in de val te lokken of hem zelfs bij een van zijn befaamde vreugdevuren aan te treffen.

In het begin van het jaar had de generaal een groepje van zijn mannen aangewezen om zich boten te verschaffen en uit te kijken naar elke gelegenheid om Ashes en zijn mannen te vermoorden. Hij had anderen aangewezen om bij hem in dienst te treden en dat was een aantal ook gelukt. Met zijn aanval op twee fronten zou hij gegarandeerd eerder vroeg dan laat succes hebben. Maar dat duurde nu al zes maanden en Ashes leefde nog steeds. Zijn geduld raakte op. Na de rechtszaak tegen Victoria, en terwijl de toestand van zijn vrouw boosaardig onveranderd bleef, had hij nog maar weinig vermaak, afgezien van de feesten. Verder zou hij zijn rechter kleine teen verspelen als hij niet binnen een maand van Ashes af was. Een bevriende generaal had hem op een feest uitgedaagd en gezegd dat hij nooit de kans zou krijgen om Ashes uit de weg te ruimen. Generaal Bazooka had volgehouden dat het met zijn nieuwe plan vijf maanden zou kosten, en ten hoogste zeven. Als blijk van zelfvertrouwen hadden de twee mannen een teen uitgewisseld. Als Ashes doodging zou de andere generaal zíjn teen afhakken; zo niet, dan sneed Bazooka de zijne af.

De mannen van generaal Bazooka deden zich eerst voor als smokkelaars, maar toen beseften ze dat hun plan het beste werkte als ze bescherming boden aan smokkelaars die in de Oegandese wateren opereerden. Ze eisten hun aandeel en brachten boten tot zinken die weigerden vooruit te betalen. Van toen af aan deed iedereen wat ze zeiden. Als een week lang niemand het meer van hen op mocht, dan bleef iedereen zolang thuis. Zo kregen ze de macht over de wateren, de havens, de eilanden, en ze wachtten op de kans om toe te slaan. Ze gingen patrouilleboten uitdagen door zich te verschuilen op onbewoonde eilanden en ze van de rotsen te beschieten met bazooka's en mitrailleurs. Met behulp van sterke radio's onderschepten ze binnenkomende berichten, gaven strijdige bevelen en lokten patrouilles in de val. Ashes weigerde om te happen. Het gebied onder zijn toezicht was zo uitgestrekt, zo verraderlijk, dat hij kostbare botsingen wilde vermijden. Zijn voorkeur had nog altijd dat hij smokkelaars verraste, de meeste van de mannen vermoordde, de rest gevangennam, de boten tot zinken bracht en de gevangenen bij wijze van les verbrandde. Op aandringen van hun baas besloten de mannen van generaal Bazooka de druk op te voeren door patrouilleboten met bemanning en al tot zinken te brengen. Ze gingen de antismokkeldienst beledigende boodschappen sturen, waarin de leden werden uitgemaakt voor harteloze moordenaars, kannibalen, vuil maandverband, gorilla's, zwijnenreten, en waarin werd opgeschept dat ze allemaal gevangen en geroosterd zouden worden.

Ashes reageerde door een helikopter te sturen die het meer en de oevers uitkamde. Korte tijd later werden twee vissersdorpen die vaak door smokkelaars werden gebruikt platgebombardeerd door gevechtshelikopters. De mannen van Bazooka werden daar niet door afgeschrikt. Ze moesten van zijn hoofdadviseur geruchten verspreiden dat de CIA achter de provocaties van de laatste tijd zat. Ashes werd een beetje ongerust, ook al vertrouwde hij die geruchten niet helemaal. De CIA was in deze contreien een zeer gevreesd fenomeen. De aanwezigheid van Amerikaanse oorlogsschepen in de Indische Oceaan was genoeg om iedereen angst aan te jagen. Hij geloofde niet dat de Amerikanen belang aan Amin of Oeganda hechtten. Maar hij was wel bang dat opeens een malle CIA-baas zijn mannen achter hem aan stuurde alleen maar om de verveling te verdrijven, of om een weddenschap uit een bordeel te winnen. Hij was tenslotte opvallend, blank, gewelddadig. Het was ook mogelijk dat Interpol misschien de CIA wel vroeg om hem te pakken voor misdaden die hij in de loop der jaren had begaan. Als ze hem te schande zetten was dat een schok voor Amin, en in het buitenland was het een geliefd tijdverdrijf geworden om de maarschalk te vernederen.

Ashes ging behoedzaam te werk. Het werd ook moeilijker om zijn mannen te motiveren, want bij gebrek aan informatie en analytische vermogens geloofden die de CIA-geruchten en ze wilden niet tegen de Amerikanen vechten. Hij ging vaker met ze op pad om ze gerust te stellen. Maar hij kwam onder druk te staan toen de maarschalk lucht van de toestand kreeg en vroeg wat hij eraan dacht te doen.

'Totale oorlog,' antwoordde hij, en betreurde het dat Oeganda geen slagschepen had om de schuilplaatsen van de smokkelaars in puin te leggen.

Het hart van de koffiesmokkel lag in het noorden en noordoosten van het Victoriameer. In dat gebied zijn de wateren bezaaid met eilanden, groot en klein, bewoond en leeg, en zijn de oevers vol havens en mogelijke landingsplaatsen, baaien, kreken. Sommige oevers bestaan uit enorme, gebarsten keien met een gemeen oppervlak dat is overwoekerd door papyrus, sommige bestaan uit zachte zandstranden en modderbanken die wemelen van de visjes, bloedzuigers en kano's. Soms kruipt het oerwoud tot bij het water en vormt dan een rietmat van bomen waarin je gemakkelijk weg kunt schuilen. Soms loop je als je uit het water komt kilometers lang door laag gras. Door die verscheidenheid, die onvoorspelbaarheid, die ongelijkmatigheid van het profiel was het ondoenlijk om doeltreffend te patrouilleren. Om dat goed te doen was een heel leger nodig geweest. Ashes noemde zich de 'admiraal van het Victoria', maar omdat de smokkelaars werden aangemoedigd door de Keniaanse regering en ze in hun hoogtijdagen ook over land opereerden, wist hij dat zijn echte macht beperkt was. Aan het begin van zijn loopbaan had hij de keus gemaakt die het meest voor de hand lag: hij patrouilleerde op de populairste waterwegen en plaatste zijn mannen op de eilanden waar de smokkelaars het vaakste kwamen. Maar die mannen gingen smeergeld aannemen en de smokkelaars verzonnen nieuwe routes. En het ergerlijkste was dat er twee kilometer buiten de Oegandese wateren Keniaanse eilanden lagen. Vlak over de grens stationeerden de Kenianen altijd kanonneerboten die de Oegandese smokkelaars begeleidden tot ze in veiligheid waren.

Op de dag dat de strijd werd beslist, voerde Ashes het bevel over tien kanonneerboten. Hij was van plan met die boten aan te vallen en met behulp van de helikopter de smokkelaars op te vangen die door de mazen probeerden te glippen. Het zou leuk zijn om te zien hoe de helikopter met ze speelde, ze hier en daar een paar meter gunde en ze dan uitschakelde met spectaculaire vuurballen die de nacht verlichtten. Het treffen vond plaats vijftig kilometer van zijn eigen eiland, in een waterweg tussen twee onherbergzame eilanden. Rond middernacht bespeurde de patrouille een eenzame smokkelaar. Ze hielden de boot aan, maar die ging er gewoon in volle vaart vandoor. Ze zetten de achtervolging in en probeerden hem de pas af te snijden, maar de boot wist hen een inham met rotswanden in te lokken. Vijf boten gingen erachteraan, als dolle honden achter een konijn. Het was een heel eenvoudige maar doeltreffende valstrik. Zodra de boten binnen schootsafstand waren openden de mitrailleurs het vuur. De mannen van Bazooka bliezen de patrouilleboten op en brachten ze tot zinken. De kreten van gewonde mannen werden overstemd door het geratel van geweren en het geknal van granaten. Toen Ashes zijn mannen terug ging trekken, kwamen er van de blinde kant van de rotswanden boten die ook het vuur openden. Ashes kreeg een kogel in de borststreek van zijn kogelvrije vest. Hij kwam eraf met een gebroken rib. Toen hij zijn helikopter opriep, werd er aan de andere kant tegen hem gevloekt. Op dat ogenblik wist hij dat de mannen van Bazooka zijn hoofdkwartier hadden veroverd en zijn eiland hadden ingenomen. Hij had twee mogelijkheden: hij kon zich vechtend in veiligheid brengen en bij de dichtstbijzijnde kazerne hulp gaan halen, of hij kon naar Kenia vluchten en het land voorgoed verlaten.

Begeleid door twee boten wist Ashes uit de gevarenzone te komen, en hij voer door en belandde in het haventje van Majanji. Tegen betaling liet hij zich door een open bestelwagen die vis kwam halen naar het grensstadje Boesia brengen. Twee dagen later stak hij op een vals paspoort de grens met Kenia over. In Mombasa ging hij naar de dokter en boekte een plaats op een schip naar Kaapstad.

Generaal Bazooka kon zijn oren niet geloven. Hij had de volmaakte val gezet, zijn mannen hadden het eiland veroverd, en toch stond hij ten slotte met lege handen. Een dag later hielden zijn mannen de vrouw van Ashes aan en brachten haar binnen met een blauw oog. Het bleek iemand anders te zijn. Hij liet haar vrij, bedacht zich omdat hij nog een paar vragen voor haar had, maar de mannen die vijf minuten later achter haar aan werden gestuurd konden haar niet meer vinden. De echte mevrouw Ashes was intussen verdwenen in de doolhof van dorpen.

Een week later schepte de Zuid-Afrikaanse regering op dat ze politiek asiel had verleend aan de rechterhand van Amin.

Amin slingerde een week lang zijn fraaiste schimpscheuten naar het racistische bewind.

Ashes beluisterde het getier van zijn gewezen werkgever vanuit de beschutting van zijn boerderij, die hij twee jaar eerder had gekocht. In de verte zag hij de Tafelberg, omhuld door mist. Op zijn achtererf zag hij wijnranken, zwaar van de druiven die beroemd waren om de witte wijn die ze voortbrachten. Hij trappelde van ongeduld om met de oogst en zijn toekomstige loopbaan als wijnboer te beginnen.

Twee dagen nadat hij zijn teen had afgehakt kreeg generaal Bazooka opdracht om zich op het *State House* te melden. De bijeen gekomen defensieraad gaf hem het bevel over de hoofdmacht die belast was met de verdrijving van de dissidenten uit Zuidwest-Oeganda. Hij deed zijn best om te verbergen dat hij mank liep en pijn leed doordat de laars in de wond sneed, en probeerde geloofwaardige redenen te vinden om niet toe te stemmen. Hij had geen voeling meer met dat gebied. Hij wilde de stad blijven bewaken. Tenslotte lag zijn vrouw in het Moelago-ziekenhuis. Maarschalk Amin, die was weggegleden in een roes ten gevolge van whisky, cocaïne en angst, leek voor het eerst wakker te worden. Alle dertig ogen in de zaal richtten zich op hem, om bij hem naar tekenen te speuren aangaande het lot van de dolende generaal. De verzamelde generaals hielden de adem in. Amin vestigde een zeer veelzeggende blik op Bazooka. Ongehoorzaamheid? Vrouw! Als het lot van de natie op het spel stond? De generaal huiverde, hoewel het een warme middag was. Amin had niets tegen hem gezegd over Ashes en zijn bemoeienis met die zaak.

Onder de kille blikken van zijn collega's, die allemaal dankbaar waren dat Ashes weg was, werd het bevel door generaal Bazooka aanvaard. Maar hij vroeg wel toestemming om zijn vrouw mee te nemen.

'Je lijkt wel gek. Wil je haar soms aan de vijand geven? Het Moelago is het beste ziekenhuis van het land. Daar hoort ze thuis totdat jij zegevierend terugkeert.'

Generaal Bazooka besefte dat het een grote fout was geweest om over zijn vrouw te beginnen. Maar hij was van de wijs geraakt door de ijzige blikken van mede-generaals en de haat waarmee Amin hem had aangekeken. Nu moest hij heel vlug een plan bedenken om haar weg te krijgen. Daar had hij minder dan een uur voor. Hij had haar de vorige dag voor het laatst gezien. Hij had nogmaals gevraagd of ze naar Libië wilde en had als antwoord het verzoek gekregen de geur van de buitenlucht te beschrijven. Opeens voelde hij zijn dromen verzuren, tot zware rotte brokken klonteren. Hij was gewend geraakt aan die bezoekjes, de klank van haar krakende stem, het uitzicht uit het raam. Zonder haar en de kinderen bleef hem weinig over. Zij schraagden alles, vergaven elke misdaad. Zonder hen voelde hij zich hol. Hij zag de zuidenwinden wegvagen wat hij bereikt had, zodat hij naakt achterbleef. Zegevieren? Waarom moest hij daar zorg voor dragen? Hij dacht eraan de maarschalk dood te schieten en als een man te sterven. Maar zelfmoord had niets eervols, alleen als je die pleegde om aan gevangenneming en verraad van oorlogsgeheimen te ontkomen. Hij vroeg zich af hoe nu verder, maar voor hij tot een besluit kon komen werd de bespreking beëindigd. Hij stond op, groette en ging tegelijk met de overigen weg.

Als hoofd van de Eunuchs begeleidde majoor Ozi hem naar buiten en deelde hem mee dat hij nu met de veiligheid en het welzijn van zijn gezin belast was. Hij deelde de verbouwereerde generaal mee dat het hem niet was toegestaan nog afscheid te gaan nemen in het ziekenhuis of zijn kinderen van school te halen. Hij moest meteen naar het zuidwesten afreizen.

Majoor Ozi zag met genoegen de tekenen van schrik op het gezicht van de generaal. Met een lachje zag hij hem berichten voor zijn moeder opschrijven, waarbij hij tot zijn terugkomst haar de algehele leiding opdroeg. Op dit ogenblik wachtte Ozi al heel lang. Hij stelde al die generaals verantwoordelijk voor de instabiliteit van het land en de regering. Hij stelde ze verantwoordelijk voor hun onvermogen de dissidenten te verdrijven of hun kampen in Tanzania te infiltreren en ze weg te vagen. Hij stelde ze verantwoordelijk voor de dood van zijn mannen bij couppogingen, waarvan de laatste hem twintig doden en tien gewonden had gekost, en voor de bomaanslagen op zijn winkel en winkels van een aantal van zijn mannen. Hij verfoeide ze omdat ze uit de band sprongen in plaats van hun ministerie te leiden en de andere verantwoordelijkheden die ze op hun schouders hadden te vervullen. Hij verfoeide Bazooka omdat hij belastinggeld aan grillen verspilde en vooral omdat hij kolonel Robert Ashes had verjaagd, waardoor Amin geen vertrouweling meer had en hij humeuriger, achterdochtiger en moeilijker te beschermen was geworden. Als man wiens werk en leven ervan afhingen dat Amin in leven en aan de macht bleef, verfoeide majoor Ozi die mannen omdat ze zijn leven en de levensstijl van zijn mannen bedreigden. Wat zou er gebeuren met de rijkdom die hij en zijn mannen hadden vergaard? En meer op het persoonlijke vlak verfoeide hij de generaal omdat hij zijn vrienden had vermoord als hij opstanden in het leger bedwong.

De laatste paar jaar had majoor Ozi zich uitgeleefd. De Eunuchs hadden zoveel macht gekregen dat iedereen bang voor ze was, tot de vrouwen van Amin aan toe. Ze hadden zelfs een auto-ongeluk georganiseerd waarbij een van de vrouwen van de maarschalk was omgekomen, en ze hadden een tweede gearresteerd op verdenking dat ze hem bedroog. Dat was het toppunt geweest; als je de vrouw van de

machtigste man van het land pakte, daar ging niets boven.
De Eunuchs hadden ook de vice-president zijn rug gebroken. Bij de vele wapenfeiten die verder nog in zijn hoofd
opborrelden, vroeg hij zich af wat hij met deze man aan
moest. De maarschalk had hem letterlijk zijn hoofd op een
schotel gegeven. Het was aan hem om het als hij wilde af te
hakken. Ook had de maarschalk hem de hele familie van
die man gegeven. Hij vroeg zich af hoe hij ze aan zou pakken, of hij het hun gemakkelijk zou maken of hun het leven
uiterst moeilijk zou maken. Hij hoopte dat de overige generaals iets zouden leren van de wederwaardigheden van
Bazooka. Met een vriendelijke handdruk stuurde hij de generaal weg en wenste hem succes bij zijn komende campagne.

Generaal Bazooka ging met een misselijk gevoel weg uit
het *State House*. Hij stond nu aan het hoofd van troepen die
hij niet kende en officieren die hij niet vertrouwde. Ze voerden onbewogen zijn bevelen uit, zonder enige inbreng.
Onderweg zag hij de nachtmerrie van een ongeregeld leger,
met tanks op de verkeerde plaatsen, vrachtwagens vol
bange soldaten die naar de verkeerde bestemmingen
zwoegden, bevelen die onderweg verloren gingen in een
ondeugdelijke hiërarchie, de verkeerde munitie die op de
verkeerde plaatsen werd afgeleverd. Hij voelde het leedvermaak waarmee de burgers toekeken. Er waren chaotische wegversperringen waardoor de opmars van soldaten
en bevoorrading werd vertraagd. De codes waren een
knoeiboel en soms leek het wel of de dissidenten het voor
het zeggen hadden. Hij vermoedde dat een aantal van die
mannen er bewust een knoeiboel van maakte, uit angst
slaags te raken met de vijand, in de hoop om als het hun

beurt eenmaal was het bevel tot terugtrekken te krijgen. Langs de weg lagen lijken, burgers doodgeschoten door soldaten, soldaten doodgeschoten door soldaten omdat ze voor dissidenten waren aangezien. En het ontmoedigende was voor hem dat hij hier amper tweehonderd kilometer van de hoofdstad was.

Generaal Bazooka kon zich niet concentreren. De eerste paar dagen kreeg hij geen kans om een bericht naar huis te sturen. De telefoons deden het niet, radioberichten werden onderschept, de mannen waren onbetrouwbaar. Toen hij eindelijk mannen stuurde om na te gaan wat er gebeurde, werden die door de Eunuchs opgewacht en vermoord, zodat hij in onzekerheid achterbleef. In de loop der jaren had hij uitgekeken naar de kans om de adrenalinestoot uit de dagen van voor de staatsgreep nog eens mee te maken. De ongelooflijke druk, de angst voor verraad, de mogelijkheid te sneuvelen, het stralende baken van de overwinning. Hij had zin in een uitspatting en wilde een paar heerlijke uren zijn beheersing verliezen en staffeloos verderf zaaien. Maar nu het tijdstip was gekomen, kwam hij erachter dat alles was veranderd. Er was geen opwinding, er was niets om naar uit te kijken, geen land om over te nemen, geen vijanden om jacht op te maken, geen vrouwen om aan te randen, geen nieuwe ervaringen om op te doen. Hij voelde alleen nog minachting, haat en angst voor de maarschalk. Hij keek neer op zichzelf omdat hij in deze benarde toestand was beland, omdat hij had verzuimd de maarschalk neer te schieten, omdat hij die vreselijke majoor en zijn moordenaars had gehoorzaamd. Het was een verloren oorlog doordat Amin had verzuimd de boel bij elkaar te houden. Hij had geen plan, geen leidersgaven. Het was van begin af aan een rit op de rug van een dolle stier geweest, in een poging zich zo lang mogelijk vast te houden. Hij trok door de steden die hij jaren geleden had ingenomen en voelde weerzin. Het geluid van schoten bood geen geruststelling, geen troost, geen prikkel om aan te vallen. Het waren bange schoten. De heuvels waren al overgegeven, de dalen een loper die voor de indringers was uitgelegd. Het zuidwesten was verloren. Hij had geen behoefte om die walgelijke mannen op te offeren alleen om een verloren zaak nog wat extra levensadem te bezorgen. Op elk ander moment had hij ze met plezier een pak slaag gegeven, misschien hun nek wel omgedraaid. Nu wilde hij ze weg hebben, uit zijn ogen. Veel van hen deserteerden, verdwenen in de nacht. Ze riskeerden liever gevangenneming en een pak slaag of de dood dan dat ze die schoten tegemoet gingen. Hij wendde zich per radio tot de defensieraad, maar aan de hotline was niemand thuis. Op dat ogenblik besloot hij terug naar de stad te gaan en zijn gezin te redden.

De stad was onherkenbaar: overal waren soldaten die in Stingers met halsbrekende vaart de zoveelste vluchtende officier escorteerden, die vuurden op gebouwen, schimmen, gieren en maraboes, die plunderden of een goed heenkomen zochten. Iedereen haastte zich of keek over zijn schouder. De straten waren verlaten, bezaaid met bergen vuilnis. Bij het ziekenhuis haastte hij zich de trap op naar zaal 6. Het ziekenhuis stonk en was vol patiënten die met lege ogen op zoek waren naar artsen, die in de gangen van overvolle zalen lagen, die baden en die beschadigde kinderen, vrouwen en bejaarden troostten. Zaal 6 was zijn status kwijt: hij lag vol arme patiënten op bevuilde lakens.

Het bed van zijn vrouw werd bezet door een oude vrouw met één oog. Hij stormde naar buiten op zoek naar artsen. Hij hoorde dat de Eunuchs zijn vrouw hadden weggehaald. Op de ontslagformulieren zag hij de naam van majoor Ozi. Hij stelde zich voor hoe ze dat broze lichaam hadden behandeld en hij huiverde. De artsen wisten niets over zijn kinderen of moeder.

In volle vaart scheurde hij de stad door. De Boomerang nam woest de bochten en bij de rotonde scheurde hij gewoon tussen de stilstaande auto's door, met toeterende claxon en groot licht aan. Met een zelfmoordvaart reed hij door de heuvels omhoog naar Kasoebi. Alle huizen waar eerst vrienden van hem woonden waren leeg, geplunderd, bezaaid met weggegooid papier, vodden, stront. Het huis van zijn vrouw had eenzelfde lot ondergaan: ontwijding. In elke kamer was de vloer omgespit, zodat je over plompe brokken cement liep, en de deuren en ramen waren eruitgerukt. Hij zocht zijn weg naar de kelder. Daar was een enorme krater in de vorm van een doodkist waar de jutezak vol briefjes van vijftig en honderd dollar had gelegen. Miljoenen. Weg. Hij voelde dat er iets in hem brak, en werd overmand door een vermoeidheid die zijn benen in gelei veranderde. Bij al die andere rampen ook dat nog! Het was zelfs te erg om over te huilen. Hij wist dat de Eunuchs hem kapot gemaakt hadden, en geen aanwijzing hadden achtergelaten over de verblijfplaats van de vijftig mensen op de heuvel. De gedachte bekroop hem dat ze allemaal waren vermoord. Vijftig hoofden op een hoop. En dat was zijn schuld. Dat was een burgeroverweging waar hij van schrok. Hij leefde al zo lang boven de wet, buiten burgerbeperkingen, dat het hem verbaasde dat hij zichzelf en zijn

329

daden daarnaar beoordeelde. Kon hij zo erg bedrogen zijn? Tot in het diepst van zijn wezen? Zo snel? In minder dan tien dagen? De pijn in zijn been met de vier tenen nam toe. Het feit dat hij die weddenschap was nagekomen, zijn teen had afgehakt, trof hem nu als voorbode van een val die hij had moeten voorzien. Normaal had hij die andere generaal uitgelachen en was hem tegemoetgekomen met geld of een koe of een auto, maar was hij niet zover gegaan dat hij zijn lichaam had ontwijd. Waar had die man zijn teen gelaten? Hij had hem meegenomen in een plastic zak.

Toen hij het lege huis uit strompelde, voelde hij de laat-ste steken van de afwijzing: die heuvels, dalen, rivieren, die mensen, hadden hem allemaal afgewezen en drongen hem terug naar de plaats waar zijn voorouders vandaan waren gekomen. Hij was al uit het geheugen gewist. Al-gauw zou hier een nieuwe veroveraar zijn, wiens gunste-lingen poetsten en boenden en de huizen vulden met huis-houdspullen. Zijn vorstendom was al ten onder, daar was de afgelopen tien dagen de bodem uitgevreten. Nu maakte hij zich zorgen over de zaak van zijn moeder, en haar le-ven. In haar huis lag ook een zak dollars begraven. Die was nog zijn enige redding. Anders was hij terug bij af. Dan was het enige aandenken aan zijn gewezen succes nog de immer trouwe Oris Autocrat aan zijn pols.

Toen hij de heuvel en de stad achter zich liet, bedacht hij dat er ergens in deze heuvels acht-negen-tien kinderen van hem rondliepen. Kinderen met zuidelijk bloed in zich, kin-deren die hij eens had begeerd, maar had verwaarloosd toen ze kwamen. Ze waren zijn nalatenschap aan het zui-den, en hoorden overal en nergens. Soms had hij ze leren kennen, ze namen gegeven, geld om wat te kopen. Anderen had hij straffeloos verloochend. Wat konden boeren een prins nu aandoen? Voordat hij de stad voorgoed achter zich liet, reed hij nog langs twee adressen waar twee kinderen van hem woonden. Die twee wilde hij meenemen, en hun moeders ook, voor alle zekerheid. Hij wilde niet met lege handen weggaan. Misschien leerde hij wel van ze houden, gewoon omdat hij toch iets moest. Misschien maakte hij wel soldaten van ze die ooit nog eens hun woede op deze heuvels zouden koelen. Hij had ze nodig, ze waren tenslotte van hem.

Het eerste adres, een huis aan de weg, was helemaal verlaten. Deuren en ramen waren vernield, alles was leeggehaald. Hij kreeg een wee gevoel. Op het tweede adres kreeg hij van de huisbaas te horen dat die vrouw drie weken daarvoor met haar kind was vertrokken. Ze was naar een dorp tweehonderd kilometer verderop gevlucht. Opeens voelde hij zich heel oud en heel moe. Er kwamen beelden bij hem op van mannen die hun dood tegemoet gingen: hij zag er voor zich die nog amper konden lopen, broze lichamen voortsleepten die wel een ton leken te wegen. Hij herkende het gevoel; hij kon zich zelf amper verroeren. Zonder de huisbaas in de ogen te kijken sjokte hij terug naar zijn Boomerang en vroeg zijn lijfwacht verder te rijden. Bij zijn vertrek kreeg hij het gevoel dat het zuiden alles weer had opgeëist wat het hem ooit had gegeven.

In Jinja, waar zijn moeder woonde, gaapte de verwoesting hem weer aan. Haar huis was door brand tot puin teruggebracht. Met kloppend hart zocht hij zijn weg naar de kelder. De valse vloer was opgetild. Het geld verdwenen. In plaats ervan lagen er hopen betrekkelijk verse stront. Hij gaf over. De Eunuchs. Majoor Ozi. Hij ging naar de kazerne om te vragen waar zijn gezin was. Hij vroeg het een vertrouwde officier, een stamgenoot; ook die zei dat hij het niet wist. Hij ging naar het hoofdkwartier van de Eunuchs. Er waren daar zo'n tweehonderd tot de tanden gewapende mannen, van wie het merendeel omhangen met honderden kogels. Bij het hek hielden ze hem staande. Hij was op verboden terrein. Geen inlichtingen. Geen spoor van majoor Ozi. Via de hotline probeerde hij contact met de maarschalk op te nemen. De lijn was dood. Hij wist dat de maarschalk hier ergens in de stad was, nadat hij een paar dagen eerder uit de hoofdstad was gevlucht. Hij voelde zijn hart in zijn schoenen zinken. Hij was opgegroeid in deze streek, maar er was hier geen plaats meer voor hem.

Hij sloeg de weg naar het noorden in. Hij miste zijn Avenger. Juist nu had hij door de lucht verloren tijd kunnen goedmaken. Hij reed naar Soroti, Lira, Goeloe, Aroea, honderden kilometers duivelse ellende. Er wachtte hem ernstig onheil. Zijn gezin was er niet. Evenmin waren zijn vijftig vrienden er. Hij bedacht dat zijn vrouw en kinderen allang dood waren. Die vrienden ook. Hij trok weer verder. Met drie van zijn mannen verbleef hij 's nachts in het wild, lag hij onder de sterren in de straffe wind. Hij kon de stem van zijn vrouw moeizaam door haar geschonden keel horen komen en hem vragen om... De wraak van Ashes, hield hij zich voor. Ashes, alleen Ashes kon zoiets duivels beramen. Ashes... Hij was altijd dankbaar als het dag werd. Dat betekende beweging, de oneindige zoektocht naar de geesten van zijn familie. Ze waren misschien wel verdwaald en zwierven uitgemergeld en wanhopig te voet naar hem toe. Zijn rechterbeen zette op van de inspanning en het gebrek aan de juiste medische verzorging. De wond werd door tetanus aangevreten en het bederf breidde zich uit naar boven. Toen hij hoorde waar hij aan toe was, wachtte hij niet af. Hij stak de loop van een geweer in zijn mond en bij de klap werd zijn achterhoofd weggeslagen. Ashes...

Bat luisterde naar de schoten, de lichte die de zware antwoord gaven. Ze leken het krijgsvolk als een hydraulische pers te verdrijven. Er werd in het wilde weg geschoten en geplunderd door vluchtende soldaten die uit waren op geld, burgerkleren, voedsel en medicijnen om het op de lange weg naar het noorden vol te houden. Ongelukkige burgers werden neergeschoten uit wraak, frustratie, radeloosheid. Hij bleef in huis, verschanst achter het stalen hek. Hij belde zijn vrienden en zij belden hem om er zeker van te zijn dat het goed met hem ging. De schoten zwollen aan en daarna stierf het lawaai geleidelijk weg. Het machtsvacuüm duurde een hele week. Toen maakte zich een nieuw bewind bekend. Er was opluchting, verwachting, feestvreugde. Op een ochtend kreeg hij zijn broer op bezoek. Hij kwam met zijn twee vrienden die nog leefden. Om hem te bedanken. Hij was heel blij zijn broer te zien, al was hij benieuwd hoe voortaan hun verhouding zou zijn. Ook zijn zuster kwam. Met een kind, geboren in de laatste weken van de gevechten. Een paar dagen later werd hij gebeld. Het nieuwe bewind van gewezen ballingen bood hem zijn oude baan weer aan. Sommigen van hen kende hij. Met een aantal van hen had hij gestudeerd. Professoren, artsen, juristen in legeruniform. Hij vertelde ze niet dat hij met wapens om kon gaan. Hij nam het aanbod aan. Hij was klaar om zijn leven weer op te vatten. Hij stapte in zijn auto en inspecteerde de stad. Hij werd overmand door een zegevierend gevoel. De maarschalk, generaal Bazooka, de astrologen uit Zanzibar waren weg. De Libiërs en Saoedi's waren maanden eerder al vertrokken, met achterlating van hun gapende werk in uitvoering. Met genoegen zag hij enorme standbeelden van Amin aan stukken worden gehakt. Hij reed naar Kasoebi. Hij moest het huis van generaal Bazooka zien en zeker weten dat hij weg was. In het puin liepen mensen rond. Hij was tevreden met het sloopwerk dat een bepaalde bende had gedaan. Hij leek als eenzame overwinnaar uit een fel gevecht te zijn gekomen. Met de motor in zijn vrij reed hij de heuvel af en toen sloeg hij de weg in naar zijn werkkamer tegenover het parlementsgebouw.

De laatste paar weken was hij gekweld door dromen. Een paar keer was de drie-eenheid Babit verschenen. Ook had hij meer dan eens bezoek gehad van mevrouw Kalanda.